Água fresca para as flores

Água fresca para as flores

Valérie Perrin

Tradução de Carolina Selvatici

intrínseca

TÍTULO ORIGINAL
Changer l'eau des fleurs

COPIDESQUE
Eduardo Rosal

REVISÃO
Daiane Cardoso
Letícia Taets Lira

PROJETO GRÁFICO E ILUSTRAÇÕES DE MIOLO
Antonio Rhoden

DIAGRAMAÇÃO
Inês Coimbra

CIP-BRASIL. CATALOGAÇÃO NA PUBLICAÇÃO
SINDICATO NACIONAL DOS EDITORES DE LIVROS, RJ

P541a

Perrin, Valérie, 1967-
Água fresca para as flores / Valérie Perrin ; tradução Carolina Selvatici. - 1. ed. -Rio de Janeiro : Intrínseca, 2021.
23 cm.

Tradução de: Changer l'eau des fleurs
ISBN: 978-65-5560-230-2
978-65-5560-597-6 [c.i.]

1. Ficção francesa. I. Selvatici, Carolina. II. Título.

21-72542 CDD: 843
CDU: 82-3(44)

Camila Donis Hartmann - Bibliotecária - CRB-7/6472

[2022]

Editora Intrínseca Ltda.
Av. das Américas, 500, bloco 12, sala 303
22640-904 – Barra da Tijuca
Rio de Janeiro – RJ
Tel./Fax: (21) 3206-7400
www.intrinseca.com.br

Para meus pais, Francine e Yvan Perrin.

Para Patricia Lopez "Paquita" e Sophie Daull.

1

Basta que um único ser nos falte para que tudo pareça vazio.

Meus vizinhos não tremem na base. Eles não têm preocupações, não se apaixonam, não roem as unhas, não acreditam em coincidências, não fazem promessas nem barulho, não recebem pensão, não choram, não procuram a chave, os óculos, o controle da TV, os filhos nem a felicidade.

Eles não leem, não pagam impostos, não fazem dieta, não têm preferências, não mudam de opinião, não arrumam a cama, não fumam, não fazem listas, não ficam remoendo uma ideia antes de falar. Eles não têm substitutos.

Não são puxa-sacos, ambiciosos, rancorosos, vaidosos, mesquinhos, generosos, ciumentos, negligenciados, limpos, sublimes, engraçados, viciados, avarentos, sorridentes, espertos, violentos, apaixonados, rabugentos, hipócritas, doces, durões, moles, maldosos, mentirosos, ladrões, jogadores, corajosos, preguiçosos, crentes, pervertidos nem otimistas.

Eles estão mortos.

A única diferença entre eles é a madeira do caixão: carvalho, pinho ou mogno.

2

O que você quer que eu me torne,
se não ouço mais seus passos,
se não sei se é sua vida ou a minha
que não deixa traços.

Eu me chamo Violette Toussaint. Fui vigia ferroviária e agora sou zeladora de cemitério.

Degusto a vida, tomo-a em pequenos goles, como um chá de jasmim misturado com mel. E, quando a noite chega, depois que os portões do meu cemitério são fechados e a chave é pendurada na porta do meu banheiro, estou no paraíso.

Não o paraíso dos meus vizinhos. Não.

O paraíso dos vivos: um gole de vinho do Porto — uma safra requintada de 1983 — que José-Luiz Fernandez me traz todo dia 1º de setembro. Um resto de férias servido em uma tacinha de cristal, um dia de sol em meio a tempos nublados, do qual saco a rolha perto das sete da noite faça chuva, faça neve, faça vento.

Dois dedos de líquido cor de rubi. O sangue das vinhas do Porto. Fecho os olhos. E saboreio. Um gole basta para alegrar minha noite. Só dois dedos porque adoro a embriaguez, mas não o álcool.

José-Luiz Fernandez traz flores para o túmulo de sua esposa Maria Pinto, sobrenome de casada Fernandez (1956-2007), uma vez por semana, a não ser em julho, mês em que eu assumo a tarefa. Daí o vinho do Porto para me agradecer.

Meu presente é um presente do céu. É o que digo a mim mesma toda manhã, quando abro os olhos.

Fui muito infeliz. Diria, até mesmo, que reduzida a nada. Inexistente. Vazia. Fui como meus vizinhos, mas pior. Minhas funções vitais funcionavam, mas sem mim. Sem o peso de minha alma, que, segundo dizem por aí, sejamos nós gordos ou magros, grandes ou pequenos, jovens ou velhos, é de 21 gramas.

No entanto, como nunca gostei de desgraças, decidi que aquilo não ia continuar. É preciso que a desgraça acabe um dia.

Comecei muito mal. Assim que nasci, fui deixada em um orfanato nas Ardenas, no norte do canto que faz fronteira com a Bélgica, onde o clima é considerado "continental transicional" (com fortes chuvas no outono e geadas frequentes no inverno) e onde imagino que esteja o canal da canção de Jacques Brel.

No dia em que nasci, eu não chorei. Então me deixaram de lado, como um pacote de 2,67 quilos sem selo e sem o nome do destinatário, enquanto preenchiam documentos administrativos para declarar minha partida antes mesmo da minha chegada.

Havia nascido morta. Uma criança sem vida nem sobrenome.

A parteira precisava me dar um nome rápido para preencher as lacunas, então escolheu Violette.

Imagino que eu estivesse violeta da cabeça aos pés.

Quando mudei de cor, quando minha pele se tornou rosada e a mulher teve que preencher minha certidão de nascimento, acabou não trocando meu nome.

Tinham me colocado sobre um aquecedor. Minha pele esquentou. O ventre de minha mãe, que não me desejava, devia ter me congelado. Só que o calor me trouxe de volta à vida. Com certeza é por isso que gosto tanto do verão, que nunca perco a chance de pegar o primeiro raio de sol que aparece, como um girassol.

Meu nome de solteira é Trenet, igual ao do Charles. Com certeza foi a mesma parteira que me deu esse sobrenome, depois de escolher Violette. Ela devia adorar o Charles. Como eu também o adorei. Por muito tempo, o considerei um primo distante, uma espécie de tio americano que nunca conheceria. Quando gostamos de um cantor, por cantarmos suas músicas, sentimos que temos algum tipo de relação com ele.

Toussaint veio depois. Quando me casei com Philippe Toussaint. Com um nome desses — "todos os santos" —, eu devia ter desconfiado. Mas existem homens que se chamam Flores e batem nas mulheres. Um nome bonito não impede ninguém de ser um canalha.

Nunca senti falta da minha mãe. A não ser quando tinha febre. Quando minha saúde melhorava, eu crescia. Crescia bem para cima, como se a ausência de meus pais tivesse posto uma vareta nas minhas costas. Mantenho as costas retas. É uma característica minha. Nunca me curvei. Nem mesmo nos dias tristes. Sempre me perguntam se fiz balé clássico. Digo que não. Que foi a rotina que me disciplinou, que me obrigou a fazer barra e pontas todos os dias.

3

Que me levem ou levem meus parentes assim, já que todos os cemitérios um dia formam jardins.

Em 1997, quando a cancela na qual trabalhávamos foi automatizada, meu marido e eu perdemos nosso emprego. Acabamos aparecendo no jornal. Éramos as últimas vítimas colaterais do progresso, os funcionários que ativavam a última cancela manual da França. Para ilustrar a matéria, o jornalista tirou uma foto nossa. Philippe Toussaint até pôs o braço em volta de minha cintura para fazer a pose. Apesar do meu sorriso, só Deus sabe como meus olhos tinham um ar de tristeza naquela foto.

No dia da publicação da matéria, Philippe Toussaint voltou da extinta Agência Nacional de Empregos com uma expressão de horror: percebeu que teria que trabalhar. Tinha se acostumado com o fato de que eu fazia tudo no lugar dele. Com ele, no quesito preguiça, eu tinha tirado a sorte grande.

Na tentativa de animá-lo, entreguei a ele um folheto. "Zelador de cemitério, a profissão do futuro." Ele olhou para mim como se eu tivesse ficado maluca. Em 1997, ele me olhava todos os dias como se eu tivesse ficado maluca. Será que um homem que não ama mais sua mulher olha para ela como se ela tivesse enlouquecido?

Expliquei a ele que tinha encontrado o anúncio por acaso. Que a prefeitura de Brancion-en-Chalon estava procurando um casal de zeladores para cuidar do cemitério. E que os mortos tinham horário fixo e fariam menos barulho do que os trens. Que eu havia falado com o prefeito, que, por sua vez, estava disposto a nos contratar imediatamente.

Meu marido não acreditou em mim. Disse que não acreditava em coincidências. Que preferia morrer a ir *para lá* fazer aquele trabalho de carniceiro.

Ele ligou a TV e jogou *Mario 64*. O objetivo do jogo era pegar todas as estrelas de cada mundo. Eu só queria pegar uma estrela: a certa. Foi nisso que pensei quando vi Mario correr por todos os cantos para salvar a princesa Peach, sequestrada pelo Bowser.

Então insisti. Falei que, se nos tornássemos zeladores do cemitério, teríamos um salário para cada um, muito melhor do que o da cancela, e que os mortos pagavam melhor do que os trens. Que teríamos uma bela casa cedida pela prefeitura, sem custo nenhum. Que isso nos faria mudar da casa em que morávamos havia anos, um barraco que parecia uma banheira no inverno e era tão quente quanto o Polo Norte no verão. Que seria um recomeço e que era disso que nós precisávamos, que colocaríamos cortinas bonitas nas janelas para não ver nada dos vizinhos, das cruzes, das viúvas etc. Que aquelas cortinas seriam a fronteira entre a nossa vida e a tristeza dos outros. Eu poderia ter dito a verdade a ele, ter dito que aquelas cortinas seriam a fronteira entre a minha tristeza e a dos outros. Mas de modo algum. Não diga nada. Disfarce. Finja. Para que ele ceda.

Para convencê-lo, acabei prometendo que ele não teria que fazer NADA. Que três coveiros já cuidavam da manutenção, das covas e da administração do cemitério. Que o trabalho era apenas abrir e fechar os portões. Estar presente. Com horários bem tranquilos. Com férias e fins de semana tão longos quanto o viaduto de Bellegarde-sur-Valserine. E que eu faria o resto. Todo o resto.

Super Mario parou de correr. A princesa despencou.

Antes de se deitar, Philippe Toussaint voltou a ler o anúncio: "Zelador de cemitério, a profissão do futuro."

Nossa cancela ficava em Malgrange-sur-Nancy. Naquela época da minha vida, eu não vivia. "Naquela época da minha morte" seria mais apropriado. Eu me levantava, me vestia, trabalhava, fazia compras e dormia. Com um remédio para dormir. Talvez dois. Talvez mais. E via meu marido me olhar como se eu tivesse ficado maluca.

Meus horários eram absurdamente maçantes. Eu baixava e levantava a cancela quase quinze vezes por dia durante a semana. O primeiro trem passava às 4h50 e o último às 23h04. O barulho da campainha da cancela ecoava na minha cabeça. E a ouvia antes mesmo que soasse. Aquela cadência infernal devia ter sido dividida, compartilhada entre os dois. Mas a única coisa de que Philippe Toussaint cuidava era da própria moto e do corpo de suas amantes.

Ah, como os passageiros que via me faziam sonhar. Eram apenas trenzinhos locais que ligavam Nancy a Épinal e que paravam umas dez vezes por trajeto em vilarejos perdidos, para servir aos moradores da região, mas eu tinha inveja daqueles homens e mulheres. Imaginava que estavam a caminho de compromissos, compromissos que eu queria ter, como aqueles viajantes que passavam.

Nós seguimos para a Borgonha três semanas depois da publicação da matéria no jornal. Passamos do cinza ao verde. Do asfalto aos prados, do cheiro de alcatrão da via férrea ao do campo.

Chegamos ao cemitério de Brancion-en-Chalon em 15 de agosto de 1997. A França estava de férias. Todos os moradores tinham saído da cidade. Os pássaros que voam de túmulo em túmulo não voavam mais. Os gatos que se deitam entre os vasos de flores tinham desaparecido. Estava quente demais até para as formigas e os lagartos, os mármores pegavam fogo. Os coveiros estavam de férias, os novos mortos também. Eu perambulava sozinha pelos corredores, lendo o nome das pessoas que nunca conheceria. Mesmo assim, logo me senti bem ali. No meu lugar.

4

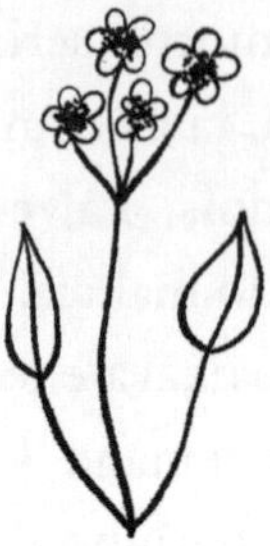

O ser é eterno,
a existência, uma passagem,
a lembrança eterna dele
será a mensagem.

Quando adolescentes não colocam chiclete na fechadura, sou eu quem abre e fecha os portões pesados do cemitério.

O horário de funcionamento varia de acordo com as estações.

Entre 1º de março e 31 de outubro, das oito da manhã às sete da noite.

Entre 2 de novembro e 28 de fevereiro, das nove da manhã às cinco da tarde.

Ninguém decidiu nada para o dia 29 de fevereiro.

No dia 1º de novembro, das sete da manhã às oito da noite.

Assumi as funções do meu marido depois que ele foi embora — ou melhor, desapareceu. Philippe Toussaint aparece sob a legenda "desaparecido" no registro oficial da polícia.

Restam vários homens no meu horizonte diário. Os três coveiros: Nono, Gaston e Elvis. Os três agentes funerários — os irmãos Lucchini, cujos nomes são Pierre, Paul e Jacques — e o padre Cédric Duras. Todos esses homens passam várias vezes por dia na minha casa. Vêm tomar uma bebida ou beliscar alguma coisa. Também me ajudam com a horta, quando tenho sacos de terra para carregar, ou com o conserto dos vazamentos. Eu os considero amigos, não colegas de trabalho. Mesmo quando não estou, eles podem entrar na minha cozinha, preparar um café, lavar a xícara e ir embora.

Os coveiros têm uma profissão que inspira nojo, asco. Mas os do meu cemitério são os homens mais gentis e agradáveis que conheço.

Nono é a pessoa em quem mais confio. É um homem correto, que tem a alegria de viver no sangue. Tudo o faz rir e ele nunca diz não. Exceto quando aparece algum enterro de criança. *Isso* ele deixa para os outros. "Para quem tem coragem", como ele diz. Nono se parece com Georges Brassens. Esse comentário o faz rir, porque sou a única pessoa no mundo que diz que ele se parece com Georges Brassens.

Já Gaston é a própria definição de sem-jeito. Seus gestos são desajeitados. Ele sempre parece estar bêbado, apesar de só beber água. Durante os enterros, fica parado entre Nono e Elvis para o caso de perder o equilíbrio. Sob os pés de Gaston, existe um terremoto permanente. Ele derruba, cai, derrama, destrói. Quando entra na minha casa, sempre tenho medo de que quebre alguma coisa ou se machuque. E, como o medo não evita o perigo, toda vez que entra ele quebra um copo ou se machuca.

Elvis é chamado assim por todo mundo por causa de Elvis Presley. Ele não sabe ler nem escrever, mas sabe de cor todas as músicas do ídolo. Pronuncia mal as letras, nunca sabemos se está cantando realmente em inglês, mas ele canta com todo o coração. "*Love mi tender, love mi tru...*"

Os irmãos Lucchini têm menos de um ano de diferença de idade: trinta e oito, trinta e nove e quarenta anos. A família deles trabalha em funerárias há várias gerações. Os três também são os felizes proprietários do necrotério de Brancion, que fica ao lado da loja deles. Nono me contou que só uma porta de correr separa a loja do necrotério. Pierre, o mais velho, é quem recebe as famílias de luto. Paul é tanatopraxista e trabalha no subsolo. E Jacques é o motorista do rabecão. É ele quem faz a última viagem. Nono chama os irmãos de "apóstolos".

E temos também o padre Cédric Duras. Deus tem bom gosto, ainda que nem sempre seja justo. Desde que o padre Cédric chegou, parece que muitas das mulheres da região tiveram revelações divinas. Soube que há cada vez mais fiéis nos bancos da igreja nas manhãs de domingo.

Eu nunca vou à igreja. Seria como dormir com um colega de trabalho. Por outro lado, acho que ouço mais confissões de pessoas que passam por aqui do que o padre Cédric em seu confessionário. É em minha casa modesta e nos corredores de meu cemitério que as famílias derramam suas palavras. Ao chegar, ao sair, às vezes nos dois momentos. Um pouco como os mortos. No caso deles, são os silêncios, as lápides, as visitas, as flores, as fotografias e o modo como os visitantes se comportam diante das sepulturas que me contam coisas sobre sua antiga vida. Sobre quando estavam vivos. Em movimento.

Minha profissão exige que eu seja discreta, goste de pessoas e não tenha compaixão. Não ter compaixão, para uma mulher como eu, seria como ser astronauta, cirurgiã, vulcanóloga ou geneticista. Não faz parte do meu mundo nem tenho esses talentos. Mas eu nunca choro na frente de um visitante. Isso acontece antes ou depois de um enterro, nunca durante. Meu cemitério tem três séculos. O primeiro morto que ele acolheu foi uma mulher. Diane de Vigneron (1756-1773) morreu no parto aos dezessete anos. Se passarmos a ponta dos dedos na lápide de sua sepultura, ainda conseguimos discernir seu nome gravado na pedra grega. Ela não foi exumada, apesar de faltar lugar no meu cemitério. Nenhum dos sucessivos prefeitos se arriscou a tomar a decisão de incomodar a primeira enterrada. Especialmente porque existe uma antiga lenda sobre Diane. Segundo os moradores de Brancion, ela teria aparecido com "trajes de luz" várias vezes diante das vitrines das lojas do centro e no cemitério. Quando vou aos brechós da região, às vezes encontro representações do fantasma de Diane em cartões-postais ou em gravuras antigas que datam do século XVIII. Uma Diane falsa, criada, disfarçada de fantasma comum sobre uma bugiganga qualquer.

Existem muitas lendas sobre túmulos. Os vivos costumam reinventar a vida dos mortos.

Há uma outra lenda em Brancion, muito mais recente do que Diane de Vigneron. Ela se chama Reine Ducha (1961-1982). Está enterrada no meu cemitério, no corredor quinze, na quadra dos Cedros. Uma moça morena bonita e sorridente aparece na foto fixada na lápide. Ela morreu em um acidente de carro na saída da cidade. Jovens a teriam visto na beira da estrada, toda de branco, no local do acidente.

A lenda das "mulheres de branco" rodou o mundo. Esses fantasmas de mulheres mortas por acidente assombrariam o mundo dos vivos, arrastando suas almas atormentadas por castelos e cemitérios.

E para dar mais força à lenda de Reine, seu túmulo se moveu. Segundo Nono e os irmãos Lucchini, foi um problema de deslizamento de terra. Isso acontece sempre que muita água se acumula em uma cova.

Em vinte anos, acho que vi muitas coisas no meu cemitério. Certas noites, até flagrei sombras fazendo sexo sobre os túmulos ou entre eles, mas não eram fantasmas.

Com exceção dessas lendas, nada é eterno, nem os jazigos perpétuos. Podemos comprar um jazigo por quinze, trinta ou cinquenta anos ou por toda a eternidade. Mas temos que desconfiar da eternidade: se, depois de um período de trinta anos, um jazigo perpétuo deixa de ser cuidado (e fica com um aspecto condenável e degradado) e nenhuma exumação é feita durante muito tempo, a cidade pode recuperá-lo. Os restos então são levados para um ossário nos fundos do cemitério.

Desde que cheguei, vi vários jazigos destruídos serem desmontados e limpos e os ossos dos cadáveres serem colocados no ossário. E ninguém disse nada. Porque aqueles mortos eram considerados objetos dos quais ninguém mais se considerava dono.

É sempre assim com a morte. Quanto mais antiga ela é, menos poder tem sobre os vivos. O tempo aniquila a vida. O tempo aniquila a morte.

Eu e meus três coveiros fazemos de tudo para não deixar um túmulo abandonado. Não aguentamos ver o aviso de "Este túmulo está sujeito a recuperação. Por favor, entre em contato com a prefeitura urgentemente". E isso apesar de o nome do morto ainda estar bem claro na lápide.

Com certeza é esse o motivo de os cemitérios estarem cheios de epitáfios. Para afastar a passagem do tempo. Para que se apeguem às lembranças. Meu preferido é: "A morte começa quando ninguém mais pode sonhar com você." Ele está no túmulo de uma jovem enfermeira, Marie Deschamps, morta em 1917. Parece que foi um soldado que aplicou a lápide, em 1919. Sempre que passo na frente dela, me pergunto se ele sonhou com ela por muito tempo.

"O que quer que eu faça, onde quer que você esteja, nada vai fazer você desaparecer, eu penso em você", de Jean-Jacques Goldman, e "As estrelas só falam de você", de Francis Cabrel, são as letras de música mais usadas nas lápides.

Meu cemitério é muito bonito. Os corredores são margeados por tílias centenárias. Boa parte dos túmulos é florida. Diante da minha casinha de zeladora, vendo alguns vasos de flores. E, quando não dá mais para vendê-los, eu os coloco nas sepulturas abandonadas.

Também plantei pinheiros aqui. Por causa do cheiro que exalam no verão. É o meu cheiro preferido.

Eu os plantei no ano em que chegamos, 1997. Eles cresceram muito e agora dão uma aparência bonita ao cemitério. Fazer a manutenção deste lugar é cuidar dos mortos que descansam aqui. É respeitá-los. E, mesmo que ninguém tenha feito isso quando estavam vivos, pelo menos são respeitados na morte.

Tenho certeza de que muitos canalhas descansam aqui. Mas a morte não diferencia os bons e os maus. Além disso, quem nunca fez besteira pelo menos uma vez na vida?

Ao contrário de mim, Philippe Toussaint imediatamente detestou o cemitério, a cidadezinha, a Borgonha, o interior, as pedras antigas, as vacas brancas, as pessoas daqui.

Eu nem havia terminado de abrir as caixas de mudança e ele já ia andar de moto de manhã até a noite. E, com o passar dos meses, acabava ficando semanas inteiras longe. Até o dia em que não voltou mais. Os policiais não entenderam por que eu não havia declarado o desaparecimento dele antes. Nunca contei a eles que fazia anos que ele havia desaparecido, mesmo quando ainda jantava à minha mesa. No entanto, quando, depois de um mês, percebi que ele não voltaria, me senti tão abandonada quanto os túmulos que limpo regularmente. Tão cinzenta, opaca e instável quanto eles. Pronta para ser destruída e meus restos serem jogados em um ossário.

5

O livro da vida é o livro supremo, que não posso fechar nem abrir quando quero, gostaria de voltar à página em que amo, e a página em que morro já foi elaborada com esmero.

Conheci Philippe Toussaint na Tibourin, uma boate em Charleville--Mézières, em 1985.

Philippe Toussaint estava apoiado no bar. E eu era a garçonete. Eu tinha vários empregos porque mentia sobre minha idade. Um amigo do orfanato no qual eu vivia tinha falsificado meus documentos para me tornar maior de idade.

Eu não tinha idade. Podia ter catorze ou vinte e cinco anos. Só usava calça jeans e camiseta, tinha cabelo curto e muitos brincos e piercings. Inclusive no nariz. Era miúda e passava sombras escuras esfumaçadas à la Nina Hagen. Tinha acabado de largar a escola. Não sabia ler nem escrever bem. Mas sabia contar. Já havia vivido muitas vidas e tinha como único objetivo trabalhar para poder pagar um aluguel e deixar o orfanato o mais rápido possível. Depois, eu veria.

Em 1985, a única coisa certa em mim eram os meus dentes. Tivera uma obsessão durante toda a infância: ter dentes brancos e bonitos como os das moças das revistas. Quando as assistentes sociais passavam por minhas famílias adotivas provisórias e me perguntavam se eu precisava de alguma coisa, eu sempre pedia uma visita ao dentista, como se meu destino e minha vida inteira fossem depender do sorriso que teria.

Eu não tinha amigas e me parecia demais com um menino. Tinha me apegado a irmãs adotivas, mas a série de separações e as trocas de famílias provisórias tinham me massacrado. *Nunca se apegue.* Achava que ter o cabelo raspado me protegeria, além de me dar o coração e a valentia de um menino. Por isso, as garotas me evitavam. Eu tinha dormido com meninos para não parecer estranha, mas não fora nada incrível. A coisa toda era meio decepcionante. Fazia para dar uma variada na rotina, ou conseguir roupas, um pouco de haxixe, uma entrada em algum lugar, alguém que segurasse minha mão. Preferia o amor nos contos de fadas, que nunca tinham sido lidos para mim. "Eles se casaram e foram felizes..."

Encostado no bar, Philippe Toussaint observava os amigos dançarem na pista, tomando um uísque com Coca-Cola sem gelo. Tinha cara de anjo. Uma espécie de Michel Berger em cores. Longas mechas louras, olhos azuis, uma pele clara, um nariz aquilino, uma boca de morango... pronto para ser devorado, um morango da época bem maduro. Usava calça jeans, camiseta branca e uma jaqueta de couro preta. Era grande, forte, perfeito. Assim que o vi, meu coração fez bum, como canta meu tio imaginário, Charles Trenet. Comigo, Philippe Toussaint teria tudo de graça, mesmo que fossem copos de uísque com Coca-Cola.

Ele não precisava fazer nada para beijar as louras bonitas que o rondavam, feito moscas sobre um pedaço de carne. Philippe Toussaint parecia não ligar para nada. Ele deixava a vida fluir. Não precisava erguer nem o mindinho para conseguir o que queria, a não ser para levar o copo aos lábios, de tempos em tempos, entre dois beijos fluorescentes.

Ele estava de costas para mim. Dele, eu via apenas as mechas louras que se tornavam verdes, vermelhas e azuis sob os projetores. Fazia uma hora que meus olhos percorriam seu cabelo devagar. Em alguns momentos, ele se inclinava na direção da boca de uma moça que murmurava alguma coisa no ouvido dele, e eu analisava seu perfil perfeito.

Então, ele se virou para o bar e seu olhar pousou em mim e nunca mais me soltou. A partir daquele instante, me tornei seu brinquedo preferido.

No início, achei que ele estivesse interessado em mim por causa das doses de bebida grátis. Quando eu o servia, tomava cuidado para que ele não visse minhas unhas roídas, apenas meus dentes brancos e perfeitamente alinhados. Achei que ele parecia vir de uma boa família. Para mim, com exceção dos jovens do orfanato, todo mundo parecia vir de uma boa família.

Havia uma fila de modeletes atrás dele. Como em um pedágio na autoestrada entre Paris e Lyon no primeiro dia das férias. Mas ele continuou a me lançar aquele olhar cheio de desejo. Eu me apoiei à sua frente no bar, para ter certeza de que ele estava mesmo olhando para mim. Coloquei um canudo em seu copo. Ergui os olhos. Era para mim mesmo.

— Quer beber alguma outra coisa? — perguntei.

Não ouvi sua resposta.

— Oi? — gritei, chegando mais perto dele.

— Você — me disse ele, ao pé do ouvido.

Me servi de um copo de uísque escondido do meu chefe. Depois de um gole, parei de ficar vermelha. Depois de dois, me senti bem. Depois de três, ganhei toda a coragem possível. Voltei para perto do ouvido dele.

— A gente pode beber alguma coisa depois do meu turno — respondi.

Ele sorriu. Seus dentes eram como os meus, brancos e alinhados.

Pensei que minha vida ia mudar quando Philippe Toussaint passou o braço por cima do bar para acariciar o meu. Senti minha pele enrijecer, como se tivesse um pressentimento. Ele era dez anos mais velho do que eu. Essa diferença de idade o fazia parecer maior ainda. Tive a impressão de ser uma borboleta observando uma estrela.

6

Pois está chegando a hora em que todos os que estão nos túmulos ouvirão sua voz e sairão.

Alguém bate de leve na porta. Não estou esperando ninguém. Aliás, não espero mais ninguém há muito tempo.

Existem dois acessos à minha casa: um do lado do cemitério; outro, virado para a rua. Éliane começa a latir e segue em direção à porta da rua. Sua dona, Marianne Ferry (1953-2007), descansa na quadra dos Evônimos. Éliane chegou no dia do enterro dela e nunca mais foi embora. Nas primeiras semanas, eu a alimentava sobre o túmulo da dona e, pouco a pouco, ela começou a vir comigo até minha casa. Nono a batizou de Éliane, como Isabelle Adjani no filme *Verão Assassino*, porque ela tem belos olhos azuis e sua dona morreu no verão.

Em vinte anos, tive três cachorros que chegaram junto com os donos e se tornaram meus pela situação, mas hoje só me resta ela.

Batem de novo na porta. Hesito em abrir. São só sete horas. Estou saboreando meu chá e cobrindo meus biscoitos com a manteiga e a geleia de morango que ganhei de Suzanne Clerc, cujo marido (1933-2007) descansa na quadra dos Cedros. Estou ouvindo música. Nos horários em que o cemitério fica fechado, estou sempre ouvindo música.

Me levanto e desligo o rádio.

— Quem é?

Uma voz masculina hesita e me responde:

— Desculpe. Eu vi a luz acesa.

Eu o ouço limpar os pés no capacho.

— Gostaria de fazer algumas perguntas sobre uma pessoa que está enterrada no cemitério.

Eu poderia pedir a ele que voltasse às oito, na hora de abertura.

— Só um segundo, eu já vou!

Subo até meu quarto e abro o armário de inverno para pegar um roupão. Tenho dois armários. Um que chamo de "inverno" e outro de "verão". Não tem nada a ver com as estações, e sim com as circunstâncias. O armário de inverno só tem roupas clássicas e escuras e é destinado aos outros. O armário de verão só tem roupas claras e coloridas e é para mim. Uso o verão sob o inverno e tiro o inverno quando estou sozinha.

Então ponho um roupão cinza de matelassê sobre a camisola de seda rosa. Desço para abrir a porta e encontro um homem de aproximadamente quarenta anos. Vejo primeiro apenas seus olhos pretos, que me encaram.

— Bom dia. Desculpe por incomodá-la tão cedo.

Ainda está escuro e frio. Atrás dele, vejo que a noite trouxe uma camada de gelo. Vapor sai de sua boca, como se o homem estivesse fumando naquele iniciozinho de dia. Ele tem cheiro de tabaco, canela e baunilha.

Não consigo dizer nada. É como se tivesse reencontrado alguém que perdi de vista. Acho que ele apareceu tarde demais na minha casa. Que se tivesse conseguido chegar à minha porta vinte anos atrás, *tudo* teria sido diferente. Por que penso isso? Porque faz anos que ninguém bate na minha porta da rua, a não ser os adolescentes bêbados. Porque todos os meus visitantes chegam pelo cemitério.

Peço que o homem entre e ele agradece, parecendo incomodado. Sirvo um café para ele.

Conheço todo mundo em Brancion-en-Chalon. Até os moradores que ainda não deixaram mortos comigo. Todos já passaram pelo menos uma vez pelos meus corredores para o enterro de um amigo, de um vizinho ou da mãe de um colega.

Mas ele eu nunca vi. Ele tem uma pontinha de sotaque, algo do Mediterrâneo no modo de pontuar as frases. Seu cabelo é bem escuro, tanto que os raros fios brancos chamam atenção em meio à bagunça dos outros. Tem o nariz grande, lábios grossos e grandes olheiras sob os olhos. É um pouco parecido com Gainsbourg. Dá para ver que está irritado com o barbeador, mas não perdeu a elegância. Tem mãos bonitas e dedos longos. Bebe o café pelando em pequenos goles. Sopra o líquido e esquenta as mãos na porcelana.

Ainda não sei por que ele está ali. Eu o deixei entrar na minha casa porque, na verdade, a casa não é minha. Este cômodo é de todos. É como uma sala de espera municipal que transformei em sala de estar e cozinha. Pertence a todos que estão de passagem e aos frequentadores assíduos.

Ele parece observar as paredes. Este cômodo de vinte e cinco metros quadrados têm a mesma aparência que meu armário de inverno. Não há nada nas paredes. Nenhuma toalha colorida ou sofás azuis. Apenas compensado em todos os cantos e cadeiras para se sentar. Nenhuma ostentação. Uma cafeteira sempre pronta para servir, xícaras brancas e bebidas alcoólicas fortes para os casos mais desesperadores. É aqui que recolho as lágrimas, as confissões, a raiva, os suspiros, o desespero e as risadas dos meus coveiros.

Meu quarto fica no primeiro andar. É meu quintal secreto, minha verdadeira casa. Meu quarto e meu banheiro são duas bombonieres em tons pastéis. Rosa-claro, verde-amêndoa e azul-céu, como se eu mesma tivesse redesenhado as cores da primavera. Assim que há um raio de sol, abro bem as janelas e, a menos que esteja em uma escada, ninguém consegue vê-lo de fora.

Ninguém nunca entrou no meu quarto como ele é hoje. Logo depois do desaparecimento de Philippe Toussaint, eu o pintei todo, acrescentei cortinas, rendas, móveis brancos e uma cama grande com um colchão suíço que se molda ao corpo. O meu colchão, para não ter que dormir mais no que sustentou o corpo de Philippe Toussaint.

O desconhecido continua soprando a xícara. Por fim, me diz:

— Acabei de chegar de Marselha. Você conhece Marselha?

— Todo ano vou a Sormiou.

— Até a calanque?

— É.

— Que coincidência...

— Não acredito em coincidências.

Ele parece procurar alguma coisa no bolso da calça jeans. Meus homens não usam jeans: Nono, Elvis e Gaston estão o tempo todo com o uniforme azul de trabalho, e os irmãos Lucchini e o padre Cédric, de calça de tergal. Ele tira o cachecol, alonga o pescoço e põe a xícara vazia na mesa.

— Sou como você, bastante racional... Além disso, sou delegado.

— Igual ao Columbo, da série?

— Não — responde ele, sorrindo pela primeira vez. — Ele era detetive.

Ele pousa o indicador em alguns grãos de açúcar que se espalharam pela mesa.

— Minha mãe queria ser enterrada neste cemitério e eu não sei por quê.

— Ela mora na região?

— Não, em Marselha. Ela morreu há dois meses. Ser enterrada aqui foi um dos últimos pedidos dela.

— Sinto muito. Quer um pouco de bebida no seu café?

— Costuma embriagar as pessoas tão cedo assim?

— Às vezes. Como sua mãe se chama?

— Irène Fayolle. Ela pediu para ser cremada... e para suas cinzas serem colocadas sobre o túmulo de um tal de Gabriel Prudent.

— Gabriel Prudent? Gabriel Prudent, 1931-2009. Ele está enterrado no corredor dezenove, na quadra dos Cedros.

— Você sabe o nome dos mortos de cor?

— De quase todos.

— A data da morte deles, a localização e tudo?

— De quase todos.

— Quem foi Gabriel Prudent?

— Uma mulher vem visitá-lo de tempos em tempos... Acho que é filha dele. Ele era advogado. O túmulo de mármore preto não tem epitáfio nem foto. Não me lembro mais da data do enterro dele. Mas posso olhar nos registros, se o senhor quiser.

— Registros?

— Eu anoto a data de todos os enterros e exumações.

— Eu não sabia que isso fazia parte das suas atribuições.

— Não faz. Porém, se só fizéssemos o que faz parte das nossas atribuições, a vida seria muito triste.

— É engraçado ouvir isso de uma... Como se chama sua profissão? Zeladora de cemitério?

— Por quê? Acha que eu choro o dia todo? Que minha vida é só lágrimas e tristeza?

Sirvo mais um café enquanto ele me pergunta duas vezes:

— Você mora sozinha?

Acabo respondendo que sim.

Abro minhas gavetas de registro e consulto o caderno de 2009. Procuro pelo sobrenome e imediatamente encontro Prudent, Gabriel. Começo a ler:

"18 de fevereiro de 2009, enterro de Gabriel Prudent, dilúvio.

Cento e vinte e oito pessoas compareceram ao enterro. A ex-mulher dele estava presente, assim como suas duas filhas, Marthe Dubreuil e Cloé Prudent.

A pedido do morto, não havia flores nem coroas.

A família mandou gravar uma placa na qual está escrita: *Em homenagem a Gabriel Prudent, advogado corajoso. 'A coragem, para um advogado, é essencial e, sem ela, o resto não conta. Talento, cultura, conhecimento sobre o Direito: tudo é útil a um advogado. No entanto, sem a coragem, nos momentos decisivos, ele só tem palavras, frases que se seguem, que brilham e que morrem (Robert Badinter).'*

Sem padre. Sem cruz. O cortejo ficou apenas meia hora. Quando os dois agentes funerários terminaram de colocar o caixão na cova, todos foram embora. Ainda chovia muito forte."

Fecho o caderno. O delegado parece abalado, perdido em seus pensamentos. Ele passa a mão no cabelo.

— Eu gostaria de saber por que minha mãe quer descansar perto desse homem.

Ele volta a analisar as paredes brancas por alguns minutos, sobre as quais não há absolutamente nada a analisar. Depois, volta a olhar para mim, como se não acreditasse no que li. Ele indica o registro de 2009 com os olhos.

— Posso ler?

Normalmente, só confio minhas anotações às famílias dos mortos. Hesito alguns segundos, mas acabo entregando o caderno. Ele começa a folheá-lo. Entre cada página, me encara como se as palavras sobre o ano de 2009 estivessem escritas na minha testa. Como se o caderno que tem nas mãos fosse um pretexto para olhar para mim.

— E você faz isso com todos os enterros?

— Não todos, mas quase. Assim, quando as pessoas que não puderam comparecer vêm me ver, eu conto tudo com base nas minhas anotações... O senhor já matou alguém? Quero dizer, no seu trabalho...

— Não.

— Tem uma arma?

— Às vezes ando com uma. Mas hoje, nesta manhã, não.

— O senhor trouxe as cinzas da sua mãe?

— Não. Por enquanto, elas estão no crematório... Não vou pôr as cinzas dela no túmulo de um desconhecido.

— Ele é um desconhecido para o senhor, não para ela.

Ele se levanta.

— Posso ver o túmulo desse homem?

— Pode. O senhor pode voltar daqui a uma meia horinha? Nunca vou ao cemitério de roupão.

Ele sorri pela segunda vez e sai da sala de estar/cozinha. Por costume, acendo a luz do cômodo. Nunca a acendo quando alguém entra na minha casa, só quando a pessoa vai embora. Para substituir sua presença pela luz. Um antigo costume de criança órfã.

Meia hora depois, ele me espera no carro estacionado diante dos portões. Vejo a placa: 13, de Bouches-du-Rhône. Ele deve ter cochilado com o cachecol no rosto; a bochecha está marcada, quase amarrotada.

Eu havia colocado um casaco azul-marinho sobre um vestido carmim. Tinha fechado o casaco até o topo. Ele me dava a aparência da noite, mas, por baixo, eu usava o dia. Bastaria que eu abrisse o casaco para que ele voltasse a piscar os olhos.

Nós caminhamos pelos corredores do cemitério. Expliquei que havia quatro alas: Loureiros, Evônimos, Cedros e Teixos, dois columbários e dois jardins onde podia-se espalhar cinzas. Ele me perguntou se fazia muito tempo que eu trabalhava com *aquilo*.

— Vinte anos — respondi.

Falei que antes eu havia sido vigia ferroviária. Ele me perguntou como era passar dos trens aos rabecões. Eu não soube o que responder. Tinham acontecido coisas demais entre essas duas vidas. Só achei que ele fazia perguntas estranhas para um delegado racional.

Quando chegamos perto do túmulo de Gabriel Prudent, ele empalideceu. Como se tivesse ido rezar diante do túmulo de um homem do qual nunca havia ouvido falar, mas que podia muito bem ser seu pai, tio ou irmão. Ficamos parados ali por um bom tempo. Cheguei a soprar minhas mãos, tentando aquecê-las por conta do frio intenso que fazia.

Normalmente, eu nunca fico com os visitantes. Eu os acompanho e me retiro. Mas, naquele dia, não sei por que, teria sido impossível deixá-lo sozinho. Depois de alguns instantes que me pareceram uma eternidade, ele disse que ia pegar a estrada. Voltar para Marselha. Perguntei quando achava que ia voltar para jogar as cinzas da mãe sobre a lápide do Sr. Prudent. Ele não me respondeu.

7

Sempre vai faltar alguém
para fazer minha vida sorrir:
você.

Troco os vasos de flores no túmulo de Jacqueline Victor, sobrenome de casada Dancoisne (1928-2008), e seu marido, Maurice René Dancoisne (1911-1997). São duas urzes brancas bonitas que parecem pedaços de falésias em vasos. Estão entre as raras flores que resistem ao inverno, junto com os crisântemos e as suculentas. A Sra. Dancoisne adorava flores brancas. Ela vinha toda semana ao túmulo do marido. Nós batíamos papo. Mas isso no fim, só após ela já ter se acostumado um pouco com a perda de seu Maurice. Nos primeiros anos, ficou arrasada. A tristeza nos rouba as palavras. Ou nos faz dizer besteiras. Depois, aos poucos, ela voltou a conseguir formar frases simples, perguntar sobre os outros, pedir notícias dos vivos.

Não sei por que dizemos *no* túmulo. Deveríamos dizer "*ao lado* do túmulo" ou "*próximos* ao túmulo". Com exceção da hera, dos lagartos, dos gatos e dos cachorros, ninguém sobe nos túmulos. A Sra. Dancoisne se juntou ao marido da noite para o dia. Na segunda-feira, ela estava limpando a lápide do amado e, na quinta da mesma semana, eu coloquei flores na dela. Desde o enterro, seus filhos passam aqui uma vez por ano e me pedem para cuidar de tudo no restante do tempo.

Gosto de pôr as mãos na terra das urzes, mesmo quando é meio-dia e o sol pálido de inverno tem dificuldade para aquecê-la. E, por mais que meus dedos fiquem congelados, eles adoram. Assim como quando eu os enfio na terra do meu quintal.

A alguns metros de mim, Gaston e Nono cavam uma cova e falam sobre como passaram a noite. De onde estou, ouço pedaços da conversa, dependendo da direção do vento.

— Minha mulher me disse... na TV... coceiras... não podemos... o chefe vai passar... uma omelete na casa da Violette... eu o conheci... era um cara legal... encaracolado, não é?... É, ele devia ter a nossa idade... isso foi legal... a mulher dele... metida... música do Brel... não podemos bancar o rico quando não temos um tostão... dessas vontades de fazer xixi... medo... próstata... fazer compras antes que feche... ovos para Violette... não é triste...

Amanhã vamos ter um enterro às quatro da tarde. Um novo residente para o meu cemitério. Um homem de cinquenta e cinco anos, que morreu por ter fumado demais. Enfim, isso foi o que os médicos disseram. Eles nunca dizem que um homem de cinquenta e cinco anos pode morrer por não ter sido amado, não ter sido ouvido, ter recebido contas demais, ter solicitado empréstimos demais, ter visto os filhos crescerem e irem embora, sem se despedir de verdade. Uma vida de críticas, uma vida de caras feias. Então ele gostava muito do seu cigarrinho e seu charuto para desembrulhar o estômago.

Ninguém nunca diz que podemos morrer de tantas vezes que nos sentimos chegar ao nosso limite.

Um pouco mais longe, duas senhorinhas, a Sra. Pinto e a Sra. Degrange, limpam os túmulos dos maridos. Como vêm todos os dias, elas inventam o que limpar. O espaço que cerca as covas deles é tão limpo quanto uma loja de construção que vende revestimentos para piso.

São as pessoas que vêm todos os dias visitar os túmulos que se parecem com fantasmas. Estão entre a vida e a morte.

A Sra. Pinto e a Sra. Degrange são magrinhas feito pardais no fim do inverno. Como se os maridos delas fossem os responsáveis por alimentá-las enquanto ainda estavam vivos. Eu as conheço desde que comecei a trabalhar aqui. Há mais de vinte anos, toda manhã, elas fazem um desvio antes de fazer compras, como se o cemitério fosse uma parada obrigatória. Não sei se isso é amor ou submissão. Ou os dois. Se é por aparência ou por carinho.

A Sra. Pinto é portuguesa. E, como a maioria dos portugueses que moram em Brancion, no verão, ela vai para Portugal. Isso faz com que tenha trabalho quando volta. Retorna no início da primavera, ainda muito magra, mas com a pele bronzeada e os joelhos arranhados por ter limpado os túmulos dos que morreram em seu país. Em sua ausência, eu rego as flores francesas. Então, para me agradecer, ela me traz uma boneca vestida com trajes tradicionais em uma caixinha de plástico. Todo ano tenho direito a uma boneca. E, todo ano, digo:

— Obrigada, Sra. Pinto, obrigada. Não PRECISAVA. Flores, para mim, são um prazer, não um trabalho.

Existem centenas de trajes típicos em Portugal. Então, se a Sra. Pinto ainda viver trinta anos e eu também, terei direito a mais trinta bonecas assustadoras que fecham os olhos quando deito as caixas que lhes servem de sarcófago para tirar a poeira.

Como a Sra. Pinto passa na minha casa de tempos em tempos, não posso esconder as bonecas que ela me dá. Mas não gosto de colocá-las no meu quarto e também não posso deixá-las onde as pessoas passam em busca de tranquilidade. São feias demais. Então, eu as "exponho" nos degraus da escada que leva ao meu quarto. A escada fica atrás de uma porta de vidro. Dá para vê-la da cozinha. Quando vai tomar um café na minha casa, a Sra. Pinto as observa para verificar se estão no lugar. No inverno, quando anoitece às cinco da tarde e eu vejo as bonecas com os olhinhos pretos brilhantes e as roupas de babados, imagino que vão abrir as caixas e me dar uma rasteira para que eu caia da escada.

Já notei que, ao contrário de muitas outras pessoas, a Sra. Pinto e a Sra. Degrange nunca falam com os maridos. Elas limpam os túmulos em silêncio. Como se tivessem parado de falar com eles muito antes da morte. Como se aquele silêncio fosse uma continuação. Elas também nunca choram. Seus olhos secaram há um tempão. Às vezes, elas se juntam e conversam sobre o tempo bom, os filhos, os netos e, logo, se é que dá para acreditar, os bisnetos.

Eu as vi rir apenas uma vez. Uma única vez. Foi quando a Sra. Pinto contou à outra que a neta tinha feito a seguinte pergunta a ela:

— Vovó, sabe a Toussaint? Ela nasceu no Dia de Todos os Santos?

8

Que seu descanso seja doce como seu coração foi bom.

22 de novembro de 2016, céu azul, 10°C, quatro horas da tarde. Enterro de Thierry Teissier (1960-2016). Caixão de mogno. Sem mármore. Túmulo cavado na própria terra. Único.

Cerca de trinta pessoas estão presentes. Incluindo Nono, Elvis, Pierre Lucchini e eu.

Cerca de quinze colegas de trabalho de Thierry Teissier, das fábricas DIM, trouxeram uma coroa de lírios: "Ao nosso querido colega."

Uma funcionária da oncologia de Mâcon, chamada Claire, traz um buquê de rosas brancas.

A mulher do morto está presente, assim como os dois filhos, um jovem e uma moça, de respectivamente trinta e vinte e seis anos. Na lápide, eles mandaram gravar: "Ao nosso pai."

Não há fotografia de Thierry Teissier.

Em outra placa: "Ao meu marido." Com a figura de uma ave, uma pequena toutinegra, em cima da palavra "marido".

Uma grande cruz em madeira de oliveira foi fincada na terra.

Três colegas de escola leem para ele um poema de Jacques Prévert, revezando-se.

Um vilarejo escuta desolado
O canto de um pássaro ferido
É o único pássaro do local
E foi o único gato do local
Que quase devorou o coitado
E o pássaro para de cantar
O gato para de ronronar
E de lamber o focinho
E o vilarejo fez para o passarinho
Um funeral sem falha
E o gato, que foi convidado,
Anda atrás do pequeno caixão de palha
Onde o pássaro morto está deitado
Carregado por uma menininha
Que não para de chorar
Se eu soubesse que isso ia te deixar tão triste,
Diz a ela o gato,
Eu o teria comido todo
E depois teria te contado
Que eu o havia visto voar
Voar para o fim do mundo
Lá onde é tão distante
De onde não volta ninguém de importante
Você ficaria menos chateada
Só um pouco triste e abalada
Nunca se deve fazer nada pela metade.

Antes que o caixão seja posto na cova, o padre Cédric toma a palavra:

— Lembremos das palavras de Jesus à irmã de Lázaro, que havia acabado de morrer: "Eu sou a ressurreição e a vida. Aquele que crê em mim, ainda que morra, viverá."

Claire pousa o buquê de rosas brancas perto da cruz. Todos vão embora ao mesmo tempo.

Eu não conhecia o homem. Mas o olhar que algumas pessoas lançaram para seu túmulo me faz pensar que ele era bom.

9

Sua beleza e sua juventude sorriam
para o mundo onde ele teria vivido.
Mas, de suas mãos, caiu o livro
do qual ele nada havia lido.

Existem mais de mil fotografias espalhadas pelo meu cemitério. Fotos em preto e branco, sépia, em cores vivas ou gastas.

No dia em que todas essas fotos foram tiradas, nenhum dos homens, das crianças e das mulheres que posavam inocentemente diante da lente podiam pensar que aquele instante ia representá-los para toda a eternidade. Era o dia de um aniversário ou de um almoço de família. Um passeio pelo parque no domingo, uma foto de casamento, do baile de formatura, do Ano-Novo. Um dia em que eles estavam um pouco mais bonitos, um dia em que estavam todos reunidos, um dia específico em que estavam mais elegantes. Ou então de farda militar, roupa de batismo ou primeira comunhão. Apenas inocência no olhar de todas essas pessoas que sorriem sobre seus túmulos.

Muitas vezes, na véspera de um enterro, encontramos uma nota no jornal. Uma nota que resume em algumas frases a vida do morto. De maneira breve. Uma vida não ocupa muito espaço no jornal local — um pouco mais se era um comerciante, um médico ou um técnico de futebol.

É importante pôr fotos nos túmulos. Se não, somos apenas um nome. A morte também leva os rostos.

O casal mais bonito do meu cemitério é formado por Anna Lave, sobrenome de casada Dahan (1914-1987), e Benjamin Dahan (1912-1992). Podemos vê-los em uma foto colorida artificialmente, que foi tirada no dia do casamento deles nos anos 1930. Dois rostos maravilhosos que sorriem para o fotógrafo. Ela, loura como o sol, a pele bem clarinha, e ele, o rosto fino, quase talhado; ambos com um olhar brilhante como safiras estreladas. Dois sorrisos que oferecem para a eternidade.

Em janeiro, costumo passar um pano nas fotos do meu cemitério. Só faço isso nos túmulos abandonados ou muito pouco visitados. Um pano embebido com água e uma gota de álcool. Faço a mesma coisa com as placas, mas com um pano mergulhado no vinagre de vinho branco.

Fico umas cinco ou seis semanas limpando. Quando Nono, Gaston e Elvis tentam me ajudar, eu digo que não. Que eles já têm bastante coisa para fazer com a manutenção geral.

Eu não o ouvi chegar. Isso é raro. Costumo perceber na hora os passos sobre as pedrinhas dos corredores. Sei até quando é um homem, uma mulher ou uma criança. Alguém que veio passear ou que vem com frequência. Ele anda sem fazer barulho.

Estou limpando os nove rostos da família Hesme — Étienne (1876-1915), Lorraine (1887-1928), Françoise (1949-2000), Gilles (1947-2002), Nathalie (1959-1970), Théo (1961-1993), Isabelle (1969-2001), Fabrice (1972-2003), Sébastien (1974-2011) — quando sinto seu olhar nas minhas costas. Eu me viro. Ele está contra a luz e não o reconheço na hora.

É só quando me cumprimenta, quando ouço sua voz, que entendo que é ele. E, logo depois de sua voz, com dois ou três segundos de atraso, sinto seu cheiro de canela e baunilha.

Não achei que ele fosse voltar. Faz mais de dois meses que ele veio bater na minha porta da rua. Meu coração dispara um pouco. Sinto que sussurra: *Cuidado.*

Desde o desaparecimento de Philippe Toussaint, nenhum homem fez meu coração bater um pouco mais rápido. Desde Philippe

Toussaint, meu coração não muda de ritmo, funcionando exatamente como um relógio antigo, de murmúrios tranquilos.

A não ser no Dia de Finados, quando a cadência se acelera: chego a vender até cem vasos de crisântemos e tenho que guiar os vários visitantes desacostumados que se perdem nos corredores. No entanto, esta manhã, apesar de não ser o dia dos mortos, meu coração dispara. E é por causa *dele*. Acho que consigo detectar medo — o meu medo.

Ainda estou com o pano na mão. O delegado observa os rostos que estou polindo. Ele me lança um sorriso tímido.

— São da sua família?

— Não. Só estou cuidando dos túmulos.

Sem saber o que fazer com as palavras que se agitam na minha cabeça, digo:

— Na família Hesme, as pessoas morrem jovens. Como se fossem alérgicas à vida, ou como se ela não os quisesse.

Ele balança a cabeça e fecha a gola do casaco.

— Faz muito frio aqui — me diz, sorrindo.

— Com certeza faz mais frio aqui do que em Marselha.

— Você vai para lá no próximo verão?

— Sim, vou todo verão. Eu sempre encontro minha filha lá.

— Ela mora em Marselha?

— Não, ela vive viajando.

— O que ela faz?

— Ela é mágica. Profissional.

Como se quisesse nos interromper, um jovem melro pousa sobre o túmulo da família Hesme e começa a cantar a plenos pulmões. Não quero mais polir rostos. Derramo o balde de água no cascalho, depois guardo meus panos e o álcool. Quando me abaixo, meu longo casaco cinza se abre e mostra o belo vestido com flores carmim. Percebo que isso não escapa ao delegado. Ele não me olha como as outras pessoas. Tem algo de diferente.

Para desviar a atenção dele, lembro que, para jogar as cinzas de sua mãe no túmulo de Gabriel Prudent, ele vai ter que pedir autorização da família.

— Não preciso. Antes de morrer, Gabriel Prudent tinha avisado à prefeitura que minha mãe ia ser enterrada com ele... Os dois pensaram em tudo.

Ele parece envergonhado. Esfrega as bochechas com barba por fazer. Ele está usando luvas, então não consigo ver suas mãos. O delegado me encara por tempo demais.

— Eu gostaria que você organizasse alguma coisa para o dia em que eu for espalhar as cinzas. Bom, qualquer coisa que pareça uma festa, sem ser uma festa.

O melro voa. Levou um susto com Éliane, que veio se esfregar em mim para pedir um carinho.

— Ah, mas eu não faço isso. O senhor tem que falar com Pierre Lucchini, na funerária Le Tourneurs du Val, na rua de la République.

— Funerárias são para enterros. Eu só quero que você me ajude a fazer um discurso breve no dia em que espalhar as cinzas dela no túmulo desse cara. Não vai ter ninguém aqui. Só eu e ela... E gostaria de dizer algumas coisas que ficaram entre mim e ela.

Ele se agacha para também fazer carinho em Éliane. Olha para ela enquanto fala comigo.

— Vi nos seus... registros, bom, nos seus cadernos de enterros, não sei como os chama, que você anota os discursos feitos. Talvez eu possa pegar alguns pedaços aqui e ali... dos discursos das outras pessoas, para escrever o da minha mãe.

Ele passa a mão no cabelo. Está com mais cabelo branco do que da última vez. Talvez seja porque a luz está diferente. Hoje o céu está azul e a luz, branca. Da primeira vez que o vi, o céu estava nublado.

A Sra. Pinto passa por nós.

— Oi, Violette — diz.

A senhora observa o delegado com desconfiança. Na região, sempre que um desconhecido passa por uma porta, um portão ou uma varanda, ele é observado com desconfiança.

— Tenho um enterro às quatro da tarde. Passe lá em casa depois das sete. Podemos escrever alguma coisa juntos.

Ele parece aliviado. Um peso foi tirado de suas costas. Tira um maço de cigarro do bolso, põe um na boca sem acender e me pergunta onde fica o hotel mais próximo.

— A vinte e cinco quilômetros daqui. Se não conseguir, bem atrás da igreja o senhor vai ver uma casinha com persianas vermelhas. É a casa da Sra. Bréant. Ela tem uma pousada. Tem um quarto só, mas nunca está ocupado.

Ele não está mais me ouvindo. Seu olhar está fixado em outro lugar. Ele foi embora, perdido em seus pensamentos. Mas depois volta-se para mim.

— Brancion-en-Chalon... Não houve uma tragédia aqui?

— Há muitas tragédias ao seu redor. Toda morte é a tragédia de alguém.

Ele parece revirar a memória, sem saber o que está procurando. Sopra as mãos para esquentá-las.

— Até logo — murmura, finalmente. — Muito obrigado.

O delegado vai pelo corredor principal até o portão. Seus passos ainda são silenciosos.

A Sra. Pinto passa de novo perto de mim para encher o regador. Atrás dela, Claire, funcionária do centro de oncologia de Mâcon, segue em direção ao túmulo de Thierry Teissier, com um vaso de rosas na mão. Eu me aproximo dela.

— Olá. Eu gostaria de plantar esta roseira no túmulo do Sr. Teissier.

Chamo Nono, que está no quartinho dele. Os coveiros têm um quartinho onde se trocam, tomam banho na hora do almoço e, à noite, lavam as roupas. Nono diz que o cheiro da morte não se prende às roupas, mas que não há sabão nenhum no mundo que o impeça de sujar o interior de sua cabeça.

— *Always on my mind, always on my mind...* — canta Elvis, enquanto Nono cava onde Claire quer plantar a roseira.

Nono põe um pouco de fertilizante e uma vareta para que a roseira cresça sem envergar. Ele diz a Claire que conhecia Thierry e que ele era um homem e tanto.

Claire quis me dar dinheiro para que eu regasse a roseira de Thierry de vez em quando. Eu disse que regaria, mas que nunca aceitava dinheiro. Em vez disso, ela podia colocar uns trocados no cofre em forma de joaninha que fica em cima da minha geladeira. As doações eram usadas para comprar comida para os animais do cemitério.

— Está bem — disse ela.

Claire afirmou que normalmente não fazia isso, ir ao enterro dos pacientes do seu setor. Tinha sido a primeira vez. E que Thierry Teissier era gentil demais para ser posto na terra daquele jeito, sem nada em volta. Que ela havia escolhido uma roseira vermelha pelo que ela representava, e que queria que Thierry continuasse a existir por meio dela. As flores fariam companhia a ele.

Eu a levei até um dos mais lindos túmulos do cemitério, o de Juliette Montrachet (1898-1962), no qual vários arbustos e plantas tinham crescido, misturando as cores e as folhagens de um jeito harmonioso, sem nunca precisar de cuidado. Um túmulo-jardim. Como se o acaso e a natureza tivessem feito um acordo.

— Essas flores são como degraus para o céu — disse Claire.

Ela também me agradeceu. Tomou um copo d'água na minha casa, pôs algumas notas no cofrinho de joaninha e foi embora.

10

Para que exista, falo de você,
não dizer nada seria esquecer.

Conheci Philippe Toussaint em 28 de julho de 1985, dia da morte de Michel Audiard, o roteirista famoso. Talvez fosse por isso que Philippe Toussaint e eu nunca tivéssemos muita coisa para conversar. Que nossos diálogos eram tão sem movimento quanto o encefalograma de Tutancâmon. Quando ele me disse:

— Que tal se a gente beber alguma coisa lá em casa?

Respondi, na hora:

— Claro.

Antes de sair, senti o olhar das outras garotas. As que esperavam na fila que se eternizara atrás dele, já que havia dado as costas a elas para olhar para mim. Senti seus olhos cheios de sombra e rímel me fuzilarem, me amaldiçoarem, me condenarem à morte.

Eu mal havia concordado e já estávamos na moto dele, eu com um capacete grande demais na cabeça e a mão dele no meu joelho esquerdo. Fechei os olhos. Começou a chover. Senti as gotas no meu rosto.

Os pais dele tinham alugado uma quitinete no centro de Charleville-Mézières. Enquanto subíamos a escada, continuei a esconder as unhas roídas nas mangas da blusa.

Assim que entramos na casa dele, ele se jogou sobre mim, sem dizer nada. Eu também fiquei em silêncio. Philippe Toussaint era tão bonito que me tirava o fôlego. Como quando minha professora da escola tinha dado uma aula sobre Picasso e seu período azul. Os quadros que ela nos mostrara com a régua sobre um livro tinham me deixado sem fôlego, e eu decidira que o resto da minha vida seria azul.

Dormi na casa dele, estupefata pelo prazer que ele dera ao meu corpo. Pela primeira vez, eu havia gostado de fazer sexo, e não feito em troca de alguma coisa. Comecei a torcer para acontecer de novo. E aconteceu de novo. Não fui embora, continuei a dormir na casa dele. Um dia, dois dias, depois três. Então, todas as lembranças ficam confusas. Os dias parecem colados uns aos outros. Como um trem do qual minha memória não distingue mais os vagões. Resta apenas a lembrança da viagem.

Philippe Toussaint fez de mim uma pessoa contemplativa. Uma criança maravilhada que olhava para a foto de um louro de olhos azuis em uma revista e pensava: *Essa imagem me pertence, posso colocá-la no bolso*. Eu passava horas fazendo carinho nele. Uma das minhas mãos estava sempre passando sobre alguma parte do corpo dele. Dizem que beleza não põe mesa, mas a beleza dele, para mim, punha cama, mesa e banho. E se sobrava alguma coisa, eu me servia de novo. Ele se deixava levar. Parecia gostar de mim e dos meus gestos. Ele me possuía, era a única coisa que importava.

Eu me apaixonei. Por sorte, nunca tive família, se não a teria abandonado. Philippe Toussaint se tornou meu único interesse. Concentrei nele tudo o que eu era e o que eu tinha. Todo o meu ser por uma única pessoa. Se pudesse viver nele, dentro dele, não teria hesitado.

— Venha morar aqui — ele me disse, um dia.

Não falou mais nada. Simplesmente disse isso: "Venha morar aqui."

Deixei o orfanato escondida, porque ainda não era maior de idade. Cheguei na casa de Philippe Toussaint carregando uma mala com tudo o que tinha. Ou seja, quase nada. Algumas roupas e minha primeira boneca, Caroline. Ela falava quando a ganhei — "Bom dia, mamãe. Eu me chamo Caroline. Vem brincar comigo", e depois ria —, mas as pilhas, os circuitos molhados, as mudanças de endereço, as famílias adotivas, as assistentes sociais, o ensino especializado, tudo isso também a deixara sem voz. Fotos de turma, quatro discos, dois de Étienne Daho (*Mythomane* e *La Notte, la Notte*), um de Indochine (3), um de Charles Trenet (*La Mer*), cinco HQs do Tintim (*O lótus azul, As joias de Castafiore, O centro de Ottokar, Tintin e os pícaros, O templo do sol*) e a mochila que havia usado durante minha breve escolarização com a assinatura de todos os outros pestes da escola (Lolo, Sika, So, Stéph, Manon, Isa e Angelo) em caneta Bic.

Philippe Toussaint empurrou alguns pertences para o lado para abrir espaço para os meus. Depois disse:

— Você é mesmo uma menina engraçada.

E eu respondi:

— Vamos fazer amor?

Eu não queria começar uma conversa. Nunca tive vontade de começar conversas com ele.

11

Embale seu descanso com seu canto mais doce.

Uma mosca nada em minha taça de vinho do Porto. Eu a coloco no peitoril da janela. Ao fechá-la, vejo o delegado subir a rua a pé, os postes iluminando seu casaco. O caminho que leva ao cemitério é margeado por árvores. No fim dele fica a igreja do padre Cédric. E, atrás da igreja, as poucas ruas do centro da cidade. O delegado anda rápido. Ele parece em transe de tanto frio.

Quero ficar sozinha. Como toda noite. Não falar com ninguém. Ler, ouvir rádio e tomar um banho de banheira. Fechar as cortinas. Enrolar-me no meu quimono de seda rosa. Só ficar à vontade.

Depois que os portões são fechados, o tempo é meu. Sou a única dona dele. É um luxo ser dona do próprio tempo. Acho que é um dos maiores luxos que um ser humano pode dar a si mesmo.

Ainda estou usando o inverno por cima do verão, apesar de, normalmente, a esta hora, eu usar apenas o verão. Estou um pouco irritada comigo mesma por ter proposto que o delegado passasse na minha casa, por ter lhe oferecido ajuda.

Ele bate à porta, como da primeira vez. Éliane não se mexe. Ela já começou sua noite, aconchegada nos inúmeros cobertores de sua caminha.

Ele sorri e me dá boa-noite. Um frio seco entra junto com ele. Fecho a porta logo depois e puxo uma cadeira para que ele se sente. Ele não tira o casaco. É um bom sinal. Quer dizer que não vai ficar muito tempo.

Sem perguntar nada, pego uma taça de cristal e sirvo a ele o vinho do Porto — o de 1983 — que José-Luiz Fernandez me traz. Ao ver a coleção de garrafas dentro do móvel que uso como bar, meu visitante arregala os grandes olhos pretos. Tenho centenas delas. Vinhos de mesa, licores, aguardentes, destilados.

— Não sou uma traficante de bebida. Foram todas presentes. As pessoas não têm coragem de me dar flores. Ninguém dá flores a zeladores de cemitério, ainda mais porque eu as vendo. Assim como ninguém dá flores a floristas. Com exceção da Sra. Pinto, que me traz bonecas todo ano, os outros me dão bebidas ou potes de geleia. Eu precisaria de várias vidas para conseguir consumir tudo, então dou grande parte aos coveiros.

Ele tira as luvas e toma o primeiro gole de vinho do Porto.

— O que o senhor está bebendo é o que tenho de melhor.

— É maravilhoso.

Não sei por que, mas eu nunca teria imaginado que ele pudesse enunciar a palavra "maravilhoso" enquanto estivesse provando meu vinho. A não ser pelo cabelo, que aponta para todos os lados, não há nada de fantasioso nele. Ele parece tão triste quanto as roupas que usa.

Pego coisas para escrever, me sento diante dele e peço que fale sobre a mãe. Ele parece pensar por alguns instantes e então respira fundo.

— Ela era loura — responde, finalmente. — Natural.

E, depois disso, mais nada. Ele volta a observar minhas paredes brancas como se houvesse quadros de grandes artistas presos nelas. De tempos em tempos, leva a taça de cristal à boca e toma o líquido em pequenos goles. Vejo que está degustando. E que relaxa à medida que bebe.

— Eu nunca soube fazer discursos. Penso e falo como um relatório policial ou uma carteira de identidade. Sei dizer se tal pessoa tem uma cicatriz, uma pinta, uma verruga... Se ela bebe, quanto calça... Com uma olhada rápida, sei o tamanho, o peso, a cor dos olhos e da pele, uma característica que destaca determinado indivíduo. Mas, se for pensar no que ele sente... não consigo. A não ser que a pessoa tenha algo a esconder...

Ele termina a bebida. Na hora, sirvo mais e corto algumas fatias de queijo *comté*, que sirvo em um prato de porcelana.

— Sou muito bom em detectar segredos. Um verdadeiro cão farejador... Noto na hora qualquer gesto que trai a pessoa. Bom, pelo menos era isso que eu pensava... antes de me deparar com os últimos pedidos da minha mãe.

Meu vinho do Porto causa o mesmo efeito em todo mundo. Ele age como um soro da verdade.

— E você? Não vai beber nada?

Sirvo um golinho para mim e brindo com ele.

— Só vai beber isso?

— Sou zeladora de cemitério... só bebo golinhos. Nós poderíamos falar das coisas pelas quais sua mãe era apaixonada. E, quando digo "apaixonada", não quero dizer necessariamente algo como teatro ou *bungee jumping*. Só qual era a cor preferida dela, os lugares onde ela gostava de passear, que tipo de música escutava, os filmes a que assistia, se tinha gatos, cachorros, árvores, como se ocupava, se gostava de chuva, de vento ou de sol, qual era a estação preferida dela...

Ele fica em silêncio por muito tempo. Parece procurar palavras como um transeunte perdido procura seu caminho.

— Ela gostava de neve e de rosas — diz ele, depois de terminar o vinho.

E é só isso. Ele não tem mais nada a dizer sobre ela. Parece tão envergonhado quanto desamparado.

É como se tivesse acabado de confessar que sofre de uma doença rara. A de não saber falar de um parente.

Eu me levanto e vou até o armário dos registros. Pego o de 2015 e o abro na primeira página.

— Isto é um discurso que foi escrito em 1º de janeiro de 2015 para Marie Géant. A neta dela não pôde vir ao enterro porque estava trabalhando no exterior. Ela me mandou e me pediu para lê-lo na ocasião. Acho que vai ajudar o senhor. Pegue o caderno, leia o discurso, faça anotações e me devolva amanhã de manhã.

Ele se levanta imediatamente, pondo o caderno embaixo do braço. É a primeira vez que um registro sai da minha casa.

— Obrigado, obrigado por tudo.

— O senhor vai dormir na casa da Sra. Bréant?

— Vou.

— Já jantou?

— Ela me preparou um prato.

— Vai voltar para Marselha amanhã?

— De manhã cedo. Venho entregar o registro antes de ir embora.

— Pode deixar na janela, atrás da jardineira azul.

12

Durma, vovó, durma,
mas que você ainda escute
nossas risadas infantis
nas profundezas do firmamento.

Discurso para Marie Géant

Ela não sabia andar. Ela corria. Não ficava parada. Vivia saracoteando. Falar para alguém "parar de saracotear" seria o mesmo que dizer: "Sente-se de uma vez por todas." Bom, pronto, ela se sentou de uma vez por todas.

Ela se deitava cedo e se levantava às cinco da manhã. Era a primeira a chegar às lojas, para não ter que enfrentar filas. Tinha horror a filas. Às nove horas, as compras do dia já estavam todas em sua bolsa de tricô.

Ela morreu na noite do dia 31 de dezembro para o dia 1º, um feriado, ela que trabalhou duro a vida toda. Espero que não tenha tido que ficar muito tempo na fila à porta do paraíso, com todos os farristas e vítimas de acidentes de carro.

Nas férias, a pedido meu, ela preparava para mim duas agulhas de tricô e o rolo de lã que as acompanhava. Nunca tricotei mais de dez linhas. Em todos esses anos, devo ter terminado um cachecol imaginário que ela vai pôr no meu pescoço quando me juntar a ela no paraíso. Se é que eu mereço o paraíso.

Para se identificar ao telefone, ela dizia "É a vovó", rindo.

Mandava cartas toda semana para os filhos. Seus filhos que tinham ido para longe da casa dela. Ela escrevia como pensava.

Mandava encomendas e cheques todo aniversário, festa, Natal, Páscoa, para os "pequenos". Para ela, todas as crianças eram "os pequenos".

Ela gostava de cerveja e vinho.

Fazia um sinal da cruz sobre o pão antes de cortá-lo. E dizia: "Jesus, Maria e José." Bastante. Era como uma pontuação. Um tipo de ponto final que ela colocava no fim das frases.

Em cima do aparador, sempre houve um grande rádio que ficava ligado a manhã toda. Como ficou viúva muito cedo, sempre achei que a voz masculina dos apresentadores fazia companhia a ela.

A partir do meio-dia, a TV o substituía. Para matar o silêncio. Passavam todos aqueles game shows *idiotas, até que ela dormisse na frente da novela. Ela comentava cada fala dos personagens como se eles existissem na vida real.*

Dois, três anos antes que ela começasse a tremer e fosse obrigada a deixar o apartamento e ir para a casa de repouso, alguém roubou as guirlandas e os enfeites de Natal de seu porão. Ela me ligou chorando, como se tivessem roubado todos os Natais de sua vida.

Ela costumava cantar. Bastante. Mesmo no fim da vida, dizia: "Estou com vontade de cantar." E também dizia: "Estou com vontade de morrer."

Ia à missa todo domingo.

Não jogava nada fora. Especialmente restos de comida. Sempre requentava tudo e comia de novo. Às vezes, passava mal de tanto comer e voltar a comer a mesma coisa, até acabar. Mas preferia vomitar a jogar uma migalha de pão no lixo. Um velho resquício dos tempos de guerra no estômago.

Ela comprava copos de mostarda com desenhos, que guardava para os netos — seus pequenos — quando eles iam passar as férias em sua casa.

Sempre havia algo gostoso no fogão, em uma panela de ferro. Um arroz com frango dava para a semana toda. E ela guardava o caldo da galinha para os jantares. Na cozinha dela também havia duas ou três cebolas no fundo de uma panela ou um molhinho que dava água na boca.

Sempre foi locatária. Nunca proprietária. O único lugar que pertenceu a ela foi o túmulo da família.

Quando sabia que íamos chegar nas férias, ela nos esperava à janela da cozinha. Observava os carros que paravam no estacionamentinho debaixo do prédio. Víamos seu cabelo branco pela janela. Assim que chegávamos para visitá-la, ela dizia: "Quando vocês vão voltar para ver a vovó?" Como se quisesse que fôssemos embora.

Nos últimos anos, ela não nos esperava mais. Se tivéssemos a infelicidade de chegar cinco minutos atrasados na casa de repouso para levá-la para almoçar em um restaurante, nós a encontrávamos no refeitório com os outros idosos.

Dormia com uma rede na cabeça para não desfazer os cachos.

Tomava água morna com limão toda manhã.

Sua colcha era vermelha.

Ela conheceu meu avô Lucien por meio de cartas que trocaram durante a guerra. Quando ele voltou de Buchenwald, ela não o reconheceu. Havia uma foto de Lucien em sua mesa de cabeceira. Depois, levamos a foto para a casa de repouso.

Eu adorava colocar as camisolas de nylon dela. Como pedia tudo pelo correio, ela recebia muitos presentes, bugigangas de todos os tipos. Assim que eu chegava na casa dela, pedia para mexer no armário. Ela me dizia: "Sim, vá lá." E eu mexia nele durante horas. Encontrava livros de oração, cremes Yves Rocher, lençóis, soldadinhos de chumbo, bolinhas de lã, vestidos, lenços, broches e bonecas de porcelana.

A pele de suas mãos era enrugada.

Algumas vezes, eu mesma fiz os cachos dela.

Para economizar, ela não deixava a torneira aberta quando lavava a louça.

No fim da vida, dizia: "O que eu fiz ao bom Deus para estar aqui?", falando da casa de repouso.

Comecei a deixar seu pequeno apartamento aos dezessete anos e a ir dormir na casa da minha tia, que morava a trezentos metros dela. Um apartamento bonito em cima de um café e de um cinema frequentado por jovens, com uma mesa de totó, videogames e sorvetes. Mesmo assim, ia comer na casa da minha avó, mas preferia dormir na casa da minha tia por causa dos cigarros que fumávamos escondidas, do cinema o dia todo e do bar.

Era sempre a Sra. Fève, uma senhora muito gentil, que eu via fazer a faxina e passar as roupas na casa da minha tia. Até que, um dia, dei de cara com minha avó passando o aspirador nos quartos. Ela estava substituindo a Sra. Fève, que estava de férias ou doente. Isso acontecia às vezes, como então fiquei sabendo.

No dia da morte dela, não consegui dormir a noite toda por causa "disso". Do incômodo que sentimos naquele momento. Quando tinha aberto uma porta rindo e dado de cara com minha avó fazendo faxina. Curvada sobre um aspirador para completar o salário. Tentei me lembrar o que dissemos naquele dia. Isso não me deixou dormir. Eu não parava de ver a cena, uma cena de que tinha me esquecido totalmente até o dia da morte dela. A noite toda, abri aquela porta e a vi atrás dela, fazendo faxina na casa dos outros. A noite toda, continuei rindo com meus primos, e ela, passando o aspirador.

Da próxima vez que a vir, vou fazer a seguinte pergunta: "Vovó, você se lembra do dia em que vi você fazer faxina na casa da minha tia?" Ela com certeza vai dar de ombros e responder: "E os pequenos? Os pequenos vão bem?"

13

Existe algo mais forte do que a morte:
a lembrança dos ausentes na memória dos vivos.

Acabo de achar o caderno de registro de 2015 atrás da minha jardineira azul. O delegado rabiscou "Muito obrigado. Vou ligar para você" no verso de uma propaganda de academia do oitavo distrito de Marselha. Nele, há uma foto de uma moça sorrindo. Seu corpo perfeito vai até a altura dos joelhos.

Ele não escreveu mais nada, nenhum comentário sobre o discurso para Marie Géant, nenhuma palavra sobre sua mãe. Eu me pergunto se ele está longe de Marselha. Se já chegou. A que horas pegou a estrada? Será que mora perto do mar? Será que ele o observa ou não presta mais atenção nele? Como aquelas pessoas que moram juntas há tanto tempo que se separam.

Nono e Elvis chegam no instante em que abro os portões. Eles me cumprimentam com um "Oi, Violette!" e estacionam a caminhonete da cidade no corredor principal para entrar e colocar o uniforme. Eu os ouço rir dos corredores anexos, pelos quais passo para verificar que está tudo bem. Que todo mundo está no lugar.

Os gatos vêm se esfregar nas minhas pernas. Neste momento, onze deles moram no cemitério. Cinco eram de pessoas que foram enterradas aqui, ao menos é o que me parece. Eles apareceram no dia dos enterros de Charlotte Boivin (1954-2010), Olivier Feige (1965-2012), Virginie Teyssandier (1928-2004), Bertrand Witman (1947-2003) e Florence Leroux (1931-2009). Charlotte é branca, Olivier é preto, Virginie é uma vira-lata, Bertrand é cinza e Florence (é um macho) tem manchas brancas, pretas e marrons. Os outros seis chegaram com o tempo. Eles vão e vêm. Como as pessoas sabem que, no cemitério, os gatos são alimentados e castrados, eles de vez em quando são abandonados aqui, ou até jogados por cima do muro.

É o Elvis que os batiza à medida que os encontra. Temos Spanish Eyes, Kentucky Rain, Moody Blue, Love Me, Tutti Frutti e My Way. Este último foi deixado na minha varanda em uma caixa de sapatos masculinos, tamanho quarenta e dois.

Quando Nono vê um novo gatinho chegar ao cemitério, ele já explica como são as coisas:

— Já vou avisando: a especialidade da zeladora é cortar bolas.

Mas isso nunca impede os gatos de ficarem perto de mim.

Nono instalou uma portinhola na minha casa para os que quiserem entrar. Mas a maioria se esgueira para dentro das capelas funerárias. Eles têm seus costumes e suas preferências. Com exceção de My Way e Florence, que estão sempre aconchegados em algum lugar do meu quarto, os outros me seguem até a porta, mas não entram. Como se Philippe Toussaint ainda estivesse aqui, dentro de casa. Será que veem seu fantasma? Dizem que os gatos conversam com as almas. Philippe Toussaint não gostava de animais. Eu os adoro desde muito pequena, apesar da minha infância ter sido sempre dura.

No geral, os visitantes gostam de ter os gatos do cemitério por perto. Muitos dizem que o morto usa os felinos para mandar sinais. No túmulo de Micheline Clément (1957-2013) está escrito: "Se o paraíso existir de fato, só será paraíso se eu for recebida por meus cães e gatos."

Volto para casa seguida por Moody Blue e Virginie. Quando abro a porta, Nono está conversando sobre Gaston com o padre

Cédric. Ele conta sobre a lendária falta de jeito de Gaston, o terremoto sobre o qual ele parece sempre viver. Sobre o dia em que, durante uma exumação, Gaston virou o carrinho de mão cheio de ossos no meio do cemitério e um crânio rolou para baixo de um banco, sem que ele percebesse. E Nono o chamou para dizer que ele havia esquecido "uma bola de bilhar" embaixo do banco.

Ao contrário dos padres que o precederam, Cédric passa aqui em casa toda manhã.

— Meu Deus, não é possível! Meu Deus, não é possível! — repete, ao ouvir as histórias de Nono.

Mas, toda manhã, ele volta e questiona Nono, que o enche de histórias. Entre uma frase e outra, ele cai na gargalhada, e nós também. Especialmente eu.

Adoro rir da morte, ridicularizá-la. É meu jeito de acabar com ela. Assim, ela fica menos importante. Ao brincar com a morte, deixo a vida assumir o controle, assumir o poder.

Nono é bem informal com o padre Cédric, mas o chama de "senhor padre".

— Teve a vez que ele tirou um corpo que estava quase intacto. Depois de mais de sessenta anos, senhor padre, intacto! E o problema é que o buraco para pôr os restos no ossário é pequenininho. O Elvis correu para me procurar. Com o nariz todo escorrendo, o Elvis apareceu e disse: "Nono, venha rápido, venha rápido!" Eu respondi: "Mas o que houve?" E o Elvis gritou: "O Gaston fez um cara entalar no troço!" Eu respondi: "Mas que troço?" Fui correndo para o ossário e vi que o Gaston estava empurrando o corpo para fazer o cadáver entrar no ossário! Falei para eles: "Caralho, gente, não estamos na Alemanha durante a guerra..." É a melhor, ai, a melhor de todas, que eu conto o tempo todo para o prefeito e, nossa, mas ele ri tanto... A cidade tinha nos dado um botijão de gás em um carrinho com quatro rodas e um maçarico para queimar as ervas daninhas. Então o outro, o Elvis, acendeu o maçarico e o Gaston abriu o gás... Bom, me deixe explicar, senhor padre, a gente tem que abrir o gás bem devagar, mas o Gaston abriu tudo quando o Elvis chegou com o isqueiro, então o cemitério todo fez BUM! Parecia que tinha uma guerra acontecendo ali dentro... E não foi só isso! Eles deram um jeito de...

Nono começa a dar risada. Ele continua a história, assoando o nariz com um lenço:

— Tinha uma senhora limpando um túmulo, e ela tinha deixado a bolsa em cima dele. Eles destruíram a bolsa da mulher... Eu juro pelo meu neto que é verdade, senhor padre! Que um raio caia na minha cabeça se eu estiver mentindo. O Elvis começou a pular com os pés juntos em cima da bolsa para apagar o fogo. De pés juntos em cima da bolsa!

Apoiado contra uma janela, com My Way no colo, Elvis começa a cantar baixinho:

— *I fell my temperature rising, higher, higher, it's burning through to my soul...*

— Elvis, conte ao senhor padre que os óculos da moça estavam dentro da bolsa e você quebrou os óculos! Você devia ter visto a situação, senhor padre! O Elvis dizia: "O Gaston pôs fogo na bolsa..." E a velhinha berrava: "Ele quebrou meus óculos! Ele quebrou meus óculos!"

O padre Cédric, sem conseguir parar de rir, derrama lágrimas na xícara de café.

— Meu Deus, não é possível! Meu Deus, não é possível!

Nono vê o chefe através das minhas janelas. Ele se levanta na hora. Elvis faz a mesma coisa.

— Quando a gente fala no diabo, logo aparece o rabo. E este aqui usa muito o rabo. Com licença, senhor padre! Que Deus me perdoe e, se Ele não me perdoar, não vai ser tão ruim assim. Bom, tchau, pessoal!

Nono e Elvis saem da minha casa e seguem na direção do chefe. Por ser responsável pelos serviços técnicos da cidade, é Jean-Louis Darmonville quem supervisiona os coveiros. Dizem que ele tem tantas amantes enterradas no meu cemitério quanto passam pela rua principal de Brancion. Mas ele não é muito legal. De vez em quando, ele dá uma volta pelos meus corredores. Será que se lembra de todas as mulheres que mal abraçou? Das que o chuparam? Será que fica olhando o retrato delas? Será que se lembra dos nomes? Do rosto delas? Da voz delas? Da risada delas? Do cheiro delas? O que resta desses não amores? Eu nunca o vi rezar. Apenas caminhar, com o nariz empinado. Será que vem garantir que nenhuma delas vai falar dele?

Eu não tenho chefe. Só o prefeito. O mesmo há vinte anos. E eu só vejo o prefeito nos enterros dos funcionários dele. Os comerciantes, os militares, os funcionários municipais e as pessoas influentes, os "figurões", como dizemos. Uma vez, ele veio enterrar um amigo de infância. A tristeza havia consumido tanto seu rosto que não o reconheci.

O padre Cédric também se levanta para ir embora.

— Tenha um bom dia, Violette. Obrigado pelo café e pelo bom humor. Isso faz muito bem.

— Tenha um bom dia, padre.

Ele põe a mão na maçaneta da minha porta e pensa melhor.

— Violette, você duvida às vezes?

Penso um pouco antes de responder. Sempre penso no que vou dizer. Nunca se sabe. Especialmente quando estou falando com um representante de Deus.

— Há alguns anos, duvido menos. Mas é porque sinto que aqui é meu lugar.

Ele faz uma pausa antes de continuar:

— Tenho medo de não estar à altura. Eu confesso, caso, batizo, prego, ensino o catecismo. É uma responsabilidade pesada. Costumo sentir que estou traindo as pessoas que depositam sua confiança em mim. E, sobretudo, Deus.

— O senhor não acha que Deus é o primeiro a trair os homens? — pergunto, desta vez sem ficar pensando antes.

O padre Cédric parece chocado com meu comentário.

— Deus é só amor.

— Se Deus é só amor, ele com certeza trai. Trair é próprio do amor.

— Violette, você pensa isso mesmo?

— Sempre falo o que penso, padre. O homem foi feito à imagem de Deus. Isso quer dizer que Ele mente, dá, ama, toma e trai como todo mundo.

— Deus é o amor universal. Por intermédio de toda a Sua criação, Deus evolui, graças a você, graças a nós, graças a todas as hierarquias de luz, Ele sente e vive tudo que é vivido e deseja criar sempre mais perfeição, mais beleza... É de mim que eu duvido, nunca Dele.

— Por que o senhor duvida?

Nenhum som sai da boca do padre. Ele olha para mim, desanimado.

— Pode falar, padre. Existem dois confessionários em Brancion, o da sua igreja e esta sala. Lembre-se de que, aqui, as pessoas me contam muitas coisas.

Ele abre um sorriso triste.

— Estou sentindo cada vez mais vontade de ser pai... Isso me acorda à noite... No início, vi esse desejo por ser pai como orgulho, vaidade. Mas...

Ele se aproxima da mesa, abre e fecha o açucareiro de forma robótica. My Way vem se esfregar nas pernas dele. Ele se abaixa para fazer carinho no gato.

— Já pensou em adotar?

— Não tenho direito nenhum a isso, Violette. Todas as leis proíbem. Tanto as terrestres quanto as divinas.

Ele se vira e olha mecanicamente para a janela. Uma sombra passa.

— Desculpe, padre, mas o senhor já se apaixonou?

— Eu só amo a Deus.

14

No dia em que alguém nos ama,
o céu clareia.

Nos primeiros meses da nossa vida em Charleville-Mézières, escrevi dentro de cada dia no calendário, em canetinha vermelha: AMOR LOUCO. Isso até 31 de dezembro de 1985. Minha sombra era sempre a de Philippe Toussaint. A não ser quando eu trabalhava. Ele me aspirava. Me bebia. Me envolvia. Era de uma sensualidade doida. Fazia com que eu me derretesse em sua boca feito um caramelo, ou açúcar de confeiteiro. Eu estava em um eterno estado de festa. Quando penso naquela época da minha vida, me vejo em um parque de diversões.

Ele sempre sabia onde deixar as mãos, a boca, os beijos. Nunca se perdia. Tinha um mapa do meu corpo, itinerários que ele conhecia de cor e dos quais eu nem sabia da existência.

Quando terminávamos de fazer amor, nossas pernas e lábios tremiam em uníssono. Vivíamos no fogo um do outro.

— Violette, caralho, caralho, Violette, nunca vi nada assim! — Philippe Toussaint sempre dizia. — Você é uma bruxa. Tenho certeza de que você é uma bruxa!

Acho que ele já me traía desde o primeiro ano. Que sempre me traiu. E que mentiu. Acho que ele rolava com outras assim que eu virava as costas.

Philippe Toussaint era como os cisnes, que são bonitos na água e andam de forma desajeitada em terra. Ele transformava nossa cama em paraíso, era gracioso e sensual no sexo, mas, assim que se levantava, que ficava na vertical, que deixava a horizontalidade do nosso amor, perdia muito do seu brilho. Não tinha papo nenhum e só se interessava pela moto e por videogames.

Não queria mais que eu trabalhasse na Tibourin, tinha ciúme demais dos homens que se aproximavam de mim. Tive que pedir demissão logo depois de nos conhecermos. Passei a trabalhar como garçonete em uma *brasserie*. Começava às dez da manhã para preparar o serviço do almoço e terminava por volta das seis da tarde.

Quando eu saía da nossa quitinete de manhã, Philippe Toussaint ainda estava dormindo. Eu tinha uma dificuldade absurda de deixar nosso ninho de amor para enfrentar o frio das ruas. Durante a tarde, ele dizia que ia andar de moto. Quando eu voltava à noite, ele estava deitado diante da TV. Eu abria a porta e me deitava em cima dele. Como se depois do trabalho eu mergulhasse em uma imensa piscina aquecida, imersa no sol. Eu, que queria mais azul na vida, ali estava bem servida.

Faria qualquer coisa para que ele me tocasse. Só isso. Me tocasse. Tinha a sensação de pertencer a ele de corpo e alma; e adorava isso, pertencer a ele de corpo e alma. Tinha dezessete anos e, na minha cabeça, muita alegria atrasada para recuperar. Se ele tivesse me deixado, meu corpo com certeza não teria aguentado o choque de uma segunda separação, depois da que vivi com minha mãe.

Philippe Toussaint só trabalhava de vez em quando. Quando os pais dele se irritavam. Seu pai sempre achava um amigo para contratá-lo. Ele fez de tudo. Foi pintor de prédios, mecânico, entregador, vigia noturno, trabalhou com manutenção. Era pontual no primeiro dia, mas normalmente não terminava a semana. Sempre arrumava uma desculpa para não voltar. Nós vivíamos com o meu salário, que eu depositava na conta dele. Como eu era menor de idade, era mais fácil. Guardava só as gorjetas para mim.

Às vezes, os pais dele chegavam durante o dia sem avisar. Tinham uma cópia da chave da quitinete. Passavam para dar broncas no filho único — que já tinha vinte e sete anos e não trabalhava — e para encher a geladeira dele.

Eu nunca os via, porque estava sempre trabalhando. Mas, um dia, em uma das minhas folgas, eles apareceram. Tínhamos acabado de fazer amor. Eu estava nua, deitada no sofá. Philippe Toussaint, tomando um banho. Não os ouvi entrar. Cantava Lio a plenos pulmões:

— E você diga que me ama! Mesmo que seja mentira! Porque sei que você está mentindo! A vida é tão triste! Diga que você me ama! Todos os dias são iguais! Preciso de romaaaaance!

Quando os vi, pensei: *Philippe Toussaint não se parece nem um pouco com os pais.*

Nunca vou esquecer o olhar que a mãe de Toussaint lançou para mim, sua expressão de escárnio. Nunca vou esquecer o desprezo em seu olhar. Eu mal sabia ler e tropeçava nas palavras, mas soube interpretá-lo. Como se um espelho maldoso me mostrasse a imagem de uma jovem degradada, desvalorizada, sem valor algum. Lixo, suja, uma semente do mal, uma mulher da vida.

Ela tinha cabelo castanho-avermelhado. Estava tão esticado e preso no coque que dava para ver as veias das têmporas sob sua pele fina. A boca estava fina de decepção.

As pálpebras sempre cobertas de sombra verde sobre os olhos azuis eram de um mau gosto que ela exibia permanentemente. Como uma maldição. Tinha um nariz em forma de bico, algo vindo de uma ave em extinção, e a pele muito branca, que, sem dúvida, nunca tinha sido acariciada pelo sol. Quando baixou os olhos empapados de sombra e viu minha barriga arredondada, teve que pegar uma cadeira da cozinha para se sentar.

O pai de Toussaint, um homem curvado e submisso de nascença, começou a falar comigo como se estivéssemos em uma aula de catecismo. Lembro-me das palavras "irresponsáveis" e "inconsequentes". Acho que ele até falou de Jesus Cristo. Eu me pergunto o que

Jesus faria ali, naquela quitinete. O que Ele diria ao ver os pais de Toussaint mergulhados na censura e nas belas roupas e eu, nua, enrolada em uma coberta com arranha-céus e as palavras "Nova York" impressas em vermelho?

Quando saiu do banheiro, uma toalha enrolada na cintura, Philippe Toussaint não olhou para mim. Agiu como se eu não existisse. Como se só a mãe dele estivesse presente no cômodo. Ele só olhava para ela. Senti-me ainda mais desprezada. Um vira-lata abandonado. Um nada. Como o pai de Toussaint. A mãe e o filho começaram a falar de mim como se eu não estivesse ouvindo. Especialmente a mãe.

— Mas você é o pai? Tem certeza disso? Você foi enganado, não foi? Onde você encontrou *essa garota*? É a nossa morte que você quer? É isso? Mas o aborto não existe à toa! Onde você está com a cabeça, menino?

Quanto ao pai, continuou pregando a boa palavra:

— Tudo é possível, nada é impossível, podemos mudar, basta acreditar nisso, nunca desistir...

Enrolada nos meus arranha-céus, tive vontade de rir e chorar ao mesmo tempo. Tive a sensação de estar em uma comédia italiana, sem a beleza dos italianos. Com as assistentes sociais e o pessoal do ensino especializado, já estava acostumada a ouvir falarem de mim, da minha vida, do meu futuro, como se aquilo não dissesse respeito a mim. Como se eu não fizesse parte da minha história, da minha existência. Como se eu fosse um problema a ser resolvido, não uma pessoa.

Os pais de Toussaint estavam penteados e calçados como se fossem a um casamento. Às vezes, a mãe olhava para mim, mas por um segundo. Devia achar que acabaria manchando a córnea se me encarasse por mais tempo.

Quando foram embora sem se despedir de mim, Philippe Toussaint começou a gritar, dando chutes fortes nas paredes.

— Merda! Puta que pariu!

Ele pediu que eu saísse, para que pudesse se acalmar. Senão acabaria batendo em mim. Parecia estar morrendo de medo, mas era eu quem devia estar. Não era estranha à violência. Tinha crescido perto dela, sem que ela me tocasse fisicamente. Sempre havia escapado por um triz.

Saí do apartamento. Estava frio. Andei rápido para me aquecer. Nosso dia a dia era à base da despreocupação. Foi preciso que os pais de Toussaint abrissem nossa porta para que tudo fosse pelos ares. Voltei para a quitinete uma hora depois. Philippe Toussaint tinha dormido. Não o acordei.

No dia seguinte, fiz dezoito anos. Como presente de aniversário, Philippe Toussaint anunciou que seu pai tinha achado um emprego para nós dois. Íamos nos tornar vigias ferroviários. Era preciso esperar que a vaga fosse liberada, em pouco tempo, perto de Nancy.

15

Linda borboleta,
abra suas belas asas
e vá para o túmulo
dizer a ele que o amo.

Gaston voltou a cair em uma cova. Já perdi a conta do número de vezes em que isso aconteceu. Há dois anos, durante uma exumação, ele caiu de quatro no caixão e se viu de barriga nos ossos. Quantas vezes durante os enterros ele já não havia tropeçado em fios imaginários?

Nono deu-lhe as costas por alguns minutos para levar um carrinho de terra a outro ponto a quarenta metros dali. Gaston estava conversando com a condessa de Darrieux e, quando Nono voltou, o homem tinha desaparecido. A terra havia deslizado e Gaston nadava na cova, gritando:

— Temos que chamar a Violette!

— A Violette não é salva-vidas — respondeu Nono.

Nono tinha avisado que a terra ficava frágil naquela estação, mas mesmo assim isso aconteceu. Enquanto ele ajudava Gaston a sair daquele estado caótico, Elvis cantava.

— *Face down on the street, in the ghetto, in the ghetto...*

Às vezes, tenho a sensação de viver com os Irmãos Marx. Mas a verdade me alcança todos os dias.

Amanhã vamos ter um enterro. Do Dr. Guyennot. Até os médicos acabam morrendo. Uma morte natural, aos noventa e um anos, na cama. Ele cuidou de todos em Brancion-en-Chalon e nos arredores durante cinquenta anos. Provavelmente vai ter muita gente no funeral.

A condessa de Darrieux se recupera da emoção bebendo um licor de ameixa que me foi dado pela Srta. Brulier, cujos pais descansam na quadra dos Cedros. A condessa ficou com muito medo quando viu Gaston cair na cova.

— Achei que estava vendo o campeonato mundial de natação — disse-me ela, com um sorriso malicioso.

Eu adoro essa mulher. Ela está no grupo de visitantes que me fazem bem. No meu cemitério, descansam o marido e o amante dela. Da primavera ao outono, a condessa de Darrieux põe flores nos dois túmulos. Suculentas para o marido e um buquê de girassóis em um vaso para o amante, que chama de seu "verdadeiro amor". O problema era que o verdadeiro amor dela era casado. E, quando vê os girassóis da condessa, a viúva desse verdadeiro amor joga tudo no lixo.

Já tentei pegar as coitadas das flores de volta para colocá-las em outro túmulo, mas é impossível, porque a viúva arranca todas as pétalas. E com certeza não é murmurando "Bem-me-quer, mal-me-quer" que ela despetala os girassóis da condessa.

Em vinte anos, vi muitas viúvas de luto no dia do enterro do marido, mas que, depois, nunca mais puseram os pés no cemitério. Também conheci muitos viúvos que se casaram enquanto o corpo da mulher ainda estava quente. No início, eles põem alguns centavos na joaninha para que eu continue a cuidar das flores.

Conheço algumas senhoras de Brancion que se especializam em viúvos. Elas andam pelos corredores vestidas de preto dos pés à cabeça e identificam os homens que regam sozinhos as flores do túmulo da falecida esposa. Por muito tempo, observei as tramoias de uma tal Clotilde C., que toda semana inventava novos mortos para chorar no meu cemitério. Quando encontrava o primeiro viúvo inconsolável, ela o marcava, começando uma conversa sobre o tempo e a vida que continua, e acabava conseguindo um convite para "tomar um drinque uma noite dessas". Acabou se casando com Armand Bernigal, cuja esposa (Marie Pierre Vernier, sobrenome de casada Bernigal, 1967-2002) descansa na quadra dos Teixos.

Recuperei e recolhi do lixo dezenas de placas funerárias novas ou escondidas embaixo de arbustos por famílias escandalizadas. Placas em que estava escrito "Ao meu eterno amor", que haviam sido trazidas por um ou uma amante.

E todos os dias vejo entes queridos ilegítimos virem rezar discretamente. Em especial, amantes. Grande parte das vezes são as mulheres que assombram os cemitérios, porque elas vivem mais tempo. Os amantes nunca vêm nos fins de semana, nos horários em que poderiam encontrar alguém. Vêm sempre na hora de abertura ou fechamento dos portões. Quantos já não tranquei dentro do cemitério? Não os vejo quando estão agachados diante dos túmulos, e eles têm que vir bater na minha porta para que os libere.

Lembro-me de Émilie B. Desde que seu amante, Laurent D., havia falecido, ela chegava sempre meia hora antes da abertura. Quando eu a via esperando diante do portão, colocava um casaco preto sobre a camisola e ia abri-lo de pantufas. Foi a única pessoa por quem fiz isso, mas ela me dava muita pena. Toda manhã eu lhe oferecia uma xícara de café com açúcar e um pouco de leite. Nós conversávamos um pouco. Ela me falava sobre sua paixão louca por Laurent. Falava dele como se ele estivesse presente.

— A lembrança é mais forte do que a morte — dizia ela. — Ainda sinto as mãos dele em mim. Sei que ele está me observando de onde está.

Antes de ir embora, ela deixava a xícara vazia no peitoril da janela. Quando os visitantes vinham rezar diante do túmulo de Laurent, a mulher, os pais ou os filhos dele, Émilie trocava de túmulo e esperava, espreitando de um canto. Assim que não havia mais ninguém, ela voltava a se aproximar de Laurent para rezar e conversar com ele.

Um dia, Émilie não apareceu. Achei que o luto havia acabado para ela. Porque, na maior parte dos casos, o luto acaba. O tempo solta os pontos do tricô da tristeza. Por mais imensa que ela seja. A não ser a tristeza de uma mãe ou de um pai que perderam o filho.

Eu estava enganada. O luto de Émilie B. nunca acabou. Ela voltou para o meu cemitério entre quatro tábuas. Cercada pela família. Acho que ninguém nunca soube que Laurent e ela se amaram. E, claro, Émilie não foi enterrada perto dele.

No dia do enterro dela, depois que todos foram embora, assim como plantamos uma árvore no dia de um nascimento, peguei uma muda. Émilie tinha plantado uma lavanda no túmulo de Laurent. Cortei um galho longo dessa lavanda, fiz vários pequenos talhos para favorecer o novo crescimento das raízes, cortei o topo e a enfiei em um fundo de garrafa furado, cheio de terra e um pouco de estrume. Um mês depois, o galho tinha recriado raízes.

A lavanda de Laurent também se tornaria a de Émilie. Eles teriam isso durante anos, essa flor em comum, filha da mesma planta. Cuidei da muda o inverno todo e a replantei na primavera sobre o túmulo de Émilie. Como canta Barbara, "a primavera é bonita para falar de amor". Ainda hoje, as lavandas de Laurent e Émilie estão maravilhosas e são um bálsamo para todos os túmulos ao seu redor.

16

Nunca encontramos as pessoas por acaso. Elas estão destinadas a cruzar nosso caminho por um motivo.

— Léonine.

— O que você disse?

— Léonine.

— Você ficou maluca... Que nome é esse? É marca de sabão?

— Eu adoro esse nome. Além disso, as pessoas vão chamar a menina de Léo. Gosto muito de meninas que têm nomes de menino.

— Então aproveite e chame de Henri.

— Léonine Toussaint... É muito bonito.

— Estamos em 1986! Você podia achar uma coisa mais moderna, tipo... Jennifer ou Jessica.

— Não, por favor, Léonine...

— Enfim, tanto faz, faça o que você quiser. Se for menina, você escolhe. Se for menino, eu escolho.

— E que nome você daria para o nosso filho?

— Jason.

— Espero que seja menina.

— Eu, não.

— Vamos fazer amor?

17

Eu ouço a sua voz em todos os ruídos do mundo.

19 de janeiro de 2017, céu cinzento, 8°C, três horas da tarde. Enterro do Dr. Philippe Guyennot (1924-2017). Caixão de carvalho, base do caixão em rosas amarelas e brancas. Mármore preto. Uma pequena cruz dourada sobre a lápide.

Cerca de cinquenta buquês, coroas, bases de túmulo e plantas (lírios, rosas, cíclames, crisântemos e orquídeas).

Faixas mortuárias: "Ao nosso querido pai", "Ao meu querido esposo", "Ao nosso querido avô", "Lembrança da turma de 1924", "Dos comerciantes de Brancion-en-Chalon", "Ao nosso amigo", "Ao nosso amigo", "Ao nosso amigo".

Nas placas funerárias: "O tempo passa, a lembrança fica", "Ao meu querido esposo", "Seus amigos nunca vão te esquecer", "Ao nosso pai", "Ao nosso avô", "Ao nosso tio-avô", "Ao nosso padrinho", "Tudo passa na Terra, coragem, beleza, graça e talento, tal como uma flor efêmera derrubada pelo sopro do vento".

Cerca de trinta pessoas estão presentes em torno do túmulo. Inclusive Nono, Gaston, Elvis e eu. Antes do enterro, mais de quatrocentas pessoas se reuniram na igrejinha do padre Cédric. Nem todo mundo pôde entrar, se sentar nos bancos. Deixamos primeiro os idosos se acomodarem um ao lado do outro. Muitas pessoas ficaram de pé, recolhidas no pequeno átrio da igreja.

A condessa de Darrieux me disse que ela havia se lembrado de quando aquele médico corajoso chegava à casa dela depois da meia-noite, com a camisa toda amassada, e de como, depois de ter percorrido a região, ele voltava para ver se a febre do filho mais novo dela havia baixado desde de manhã. Ela me disse: "Todos nos lembramos das nossas anginas, caxumbas, gripes feias e das certidões de óbito que ele preenchia, debruçado sobre a mesa da cozinha, porque, quando o doutor Guyennot começou, a gente ainda morria na cama, não no hospital."

Philippe Guyennot deixa um lindo legado. Durante o discurso, seu filho disse: "Meu pai era um homem dedicado, que só exigia o pagamento de uma consulta, mesmo quando passava na casa de alguém várias vezes no mesmo dia ou quando pousava o estetoscópio no coração de toda uma família. Era um grande médico, que fazia o diagnóstico certo depois de três perguntas e de ter olhado no fundo dos olhos do doente. Em um mundo em que o mundo ainda não havia inventado os genéricos."

Na lápide foi gravado um medalhão com a imagem de Philippe Guyennot. A família escolheu uma foto de uma viagem em que o médico tinha por volta de cinquenta anos. Na foto, ele está bronzeado e com um sorriso largo, e dá para ver o mar atrás dele. Um verão em que deve ter pedido um substituto e saído do campo e das quintas para fechar os olhos ao sol.

Antes de abençoar o caixão, as últimas palavras do padre Cédric são: "Philippe Guyennot, como o Pai me amou, eu o amei. Não há amor maior do que doar a vida por aqueles que amamos."

Um coquetel foi organizado no salão comunitário da prefeitura em homenagem ao morto. Sempre me convidam, mas eu nunca vou. Todos vão embora, menos Pierre Lucchini e eu.

Enquanto os marmoristas fecham de novo o túmulo da família, Pierre Lucchini me conta que o morto conheceu a esposa no dia do casamento dela com outro homem. Na abertura da pista de dança, a moça tinha torcido o tornozelo. Philippe foi chamado para cuidar dela. Quando o médico viu sua futura mulher de vestido de noiva e com gelo no tornozelo, se apaixonou. Ele a pegou nos braços para levá-la para fazer uma radiografia no hospital e nunca mais a levou de volta para o novo e breve marido. Pierre acrescenta, sorrindo: "Foi cuidando do tornozelo dela que ele pediu sua mão em casamento."

Antes do fechamento dos portões, os dois filhos de Philippe voltam. Eles observam o trabalho dos marmoristas. Soltam os cartões de pêsames presos aos buquês. Acenam para mim antes de entrarem em um carro e voltarem para Paris.

18

As folhas mortas são recolhidas com uma pá, as lembranças e os arrependimentos também.

Eu falo sozinha. Falo com os mortos, os gatos, os lagartos, as flores, Deus (nem sempre com muita delicadeza). Falo comigo mesma. Me faço perguntas. Me indago. Me incentivo.

Não me encaixo nas coisas normais. Nunca me encaixei nas coisas normais. Quando faço um teste em uma revista feminina, tipo "Você se conhece?" ou "Conheça-se melhor", nunca há uma resposta muito clara para mim. Sou um pouquinho de tudo.

Em Brancion-en-Chalon, existem pessoas que não gostam, desconfiam ou têm medo de mim. Talvez porque eu pareça estar permanentemente de luto. Se soubessem que por baixo dele carrego o verão, talvez me atirassem na fogueira. Todas as profissões que têm a ver com a morte parecem suspeitas.

Além disso, meu marido desapareceu. De um dia para o outro.

"Você tem que admitir que foi estranho. Ele saiu de moto e pronto, sumiu. Nunca mais o vimos. Era um homem bonito, ainda por cima. E a polícia não fez nada. Ela nunca se preocupou, nunca se perguntou. Não parece estar triste. Os olhos secos. Eu acho que ela está escondendo alguma coisa. Está sempre vestida de preto, muito bem-arrumada... Essa mulher é sinistra. Umas coisas pouco católicas acontecem no cemitério. Ela não me inspira confiança. Os coveiros estão sempre enfiados na casa dela. E, além disso, ela fica falando sozinha. Não me diga que é normal falar sozinha."

E tem os outros.

"Uma mulher incrível. Extremamente generosa. Dedicada. Sorridente, discreta. Uma profissão tão difícil... Ninguém mais quer trabalhar com uma coisa assim. E ainda por cima sozinha. O marido dela a abandonou. Ela tem muitas qualidades. Sempre tem uma taça de alguma coisa para oferecer aos mais tristes. E sempre uma expressão carinhosa. É muito bem arrumada, de muita elegância... Educada, sorridente, simpática. Não tenho nada a dizer sobre ela. Uma grande trabalhadora. O cemitério é impecável. Uma mulher simples, que não causa escândalos. Vive um pouco no mundo da lua, mas viver no mundo da lua nunca matou ninguém."

Sou o tema principal da guerra entre eles.

Uma vez, o prefeito recebeu uma carta que exigia minha demissão. Ele respondeu educadamente que eu nunca havia cometido erro algum.

Alguns jovens jogam pedras nas janelas do meu quarto para me assustar ou vêm bater na minha porta com força no meio da noite. Da cama, eu os ouço rir. Quando Éliane começa a latir ou eu sacudo meu sino, que faz um barulho assustador, eles fogem correndo.

Prefiro conhecer os jovens vivos, chatos, barulhentos, bêbados, burros, do que vê-los em caixões, acompanhados por pessoas curvadas de tristeza.

No verão, alguns adolescentes também acabam pulando o muro do cemitério. Eles esperam a meia-noite. Vêm em grupo e se divertem assustando uns aos outros. Escondem-se atrás de cruzes, soltando grunhidos, ou batem à porta das capelas funerárias. Alguns também fazem "sessões de espiritismo" para assustar ou impressionar as namoradas.

— Espírito, você está aí?

Durante essas sessões, ouço as meninas gritarem e saírem correndo quando veem a menor das "manifestações sobrenaturais". Manifestações que vêm dos gatos, que caçam mariposas entre os túmulos, dos ouriços que viram as tigelas de ração, ou de mim, que os observo, escondida atrás de um túmulo, com uma pistola d'água cheia de iodo.

Não suporto o fato de não respeitarem o local onde os mortos descansam. Primeiro, acendo as luzes da minha casa e toco o sino. Se isso não adianta, saco a pistola d'água e os persigo pelos corredores. O cemitério não fica iluminado à noite, então posso andar sem que ninguém me veja. Eu conheço todos os cantos. Consigo me localizar de olhos fechados.

Além de pessoas que vêm fazer sexo, uma noite descobri um grupo assistindo a um filme de terror sentado no túmulo de Diane de Vigneron, a primeira pessoa enterrada no cemitério. A moça cujo fantasma alguns moradores de Brancion viam havia séculos. Cheguei atrás dos intrusos com passos silenciosos e soprei um apito com toda a força. Eles saíram correndo como coelhinhos. Largaram até o computador sobre o túmulo.

Em 2007, tive problemas sérios com um bando de jovens de férias. Estavam de passagem. Parisienses ou alguma coisa assim. Do dia 1º ao 30 de julho, eles pularam os muros do cemitério todos os dias para dormir ao ar livre sobre os túmulos. Chamei a polícia várias vezes e Nono deu alguns chutes na bunda deles, explicando que o cemitério não era um parque de diversões, mas eles sempre voltavam no dia seguinte.

Eu podia acender as luzes da minha casa, tocar meu sino, mirar neles com a pistola de iodo, era impossível mandá-los embora. Nada parecia intimidá-los.

Por sorte, na manhã do dia 31 de julho, eles foram embora. Mas, no ano seguinte, eles voltaram. Na noite do dia 1º de julho, eles estavam lá. Eu os ouvi perto da meia-noite. Tinham se acomodado no túmulo de Cécile Delaserbe (1956-2003). E, ao contrário do ano anterior, eles fumavam, bebiam muito e largavam as garrafas por todo o cemitério. Toda manhã, tínhamos que catar as bitucas apagadas nos vasos de flores.

Então, um milagre aconteceu: na noite de 8 para 9 de julho, eles foram embora. Nunca vou me esquecer dos gritos de medo que deram. Contaram que tinham visto "alguma coisa".

No dia seguinte, Nono me disse que tinha achado "pílulas" azuis perto do ossuário, uma droga forte demais que, para aquelas almas enlouquecidas, deve ter transformado a imagem de um fogo fátuo em uma espécie de fantasma. Não sei se foi a alma de Diane de Vigneron ou de Reine Ducha, a mulher de branco, que me livrou daqueles idiotas, mas eu agradeço muito independentemente de qual das duas tenha sido.

19

Se nascesse uma flor a cada vez que eu penso em você, a terra seria um imenso jardim.

Eu ia abrir a porta de correr da nossa quitinete quando vi uma maçã vermelha na capa de um livro na vitrine: *As regras da casa de sidra*, de John Irving. Eu não soube interpretar o título. Era complicado demais para mim. Em 1986, eu tinha dezoito anos e lia feito uma criança de seis. Pro-fes-so-ra, es-co-la, eu vou, eu tenho, você tem, eu vou vol-tar pa-ra ca-sa, é, bom-dia-se-nho-ra, Panzani, Babybel, Boursin, Skip, Oasis, Ballantine's.

Comprei aquele livro de oitocentas e vinte e uma páginas, apesar de saber que, para ler uma frase e entendê-la, talvez eu precisasse de horas. Mais ou menos como se eu vestisse 50 e tivesse comprado um jeans 36. Mas o comprei porque a maçã me dera água na boca. E fazia alguns meses que tinha perdido meu desejo. Tinha começado com o sopro de Philippe Toussaint na minha nuca. O sopro que significava que ele estava pronto, que me queria. Philippe Toussaint sempre me quis, nunca me desejou. Não me mexi. Fingi que estava dormindo. Respirei fundo.

Foi a primeira vez que meu corpo não respondeu ao chamado dele. Depois, a falta de desejo passou, uma vez, duas vezes. Mais tarde, voltou, como uma geada que surgia de tempos em tempos.

Eu sempre havia encarado a vida de frente, sempre tinha visto o lado bom das coisas, quase nunca a parte ruim. Como aquelas casas na beira d'água, cujas fachadas são iluminadas pelo sol. Do barco, vemos a cor resplandecente das paredes, as cercas brancas como espelhos e os jardins verdejantes. Era raro pra mim ver o fundo dessas construções, o tipo de coisa que descobrimos ao passar pela rua, a sombra na qual ficam escondidas as lixeiras e as unidades de tratamento de esgoto.

Antes de Philippe Toussaint, apesar das famílias adotivas e das minhas unhas roídas, eu via o sol sobre as fachadas, raramente as sombras. Com ele, eu entendi o que era a desilusão. Que não bastava ter prazer com um homem para amá-lo. A imagem do homem bonito sobre papel cuchê tinha perdido a cor. Sua preguiça, sua falta de coragem diante dos pais, sua violência latente e o cheiro de outras mulheres na ponta de seus dedos tinham me roubado alguma coisa.

Tinha sido ele que havia pedido um filho meu.

— Vamos fazer bebês — me dissera ele.

O mesmo homem, dez anos mais velho, que havia sussurrado para a mãe que tinha "me tirado da rua", que eu era uma "mulher perdida" e que ele "sentia muito". E, quando sua mãe lhe dera as costas depois de fazer o milésimo cheque para ele, ele havia beijado meu pescoço, dizendo que sempre falava qualquer coisa para se livrar de "seus velhos". Mas as palavras tinham sido jogadas, cuspidas.

Eu também havia fingido naquele dia. Tinha sorrido e dito:

— Está bem, claro, eu entendo.

Aquela desilusão tinha feito outra coisa nascer em mim. Uma coisa forte. À medida que eu via minha barriga crescer, passei a querer voltar a aprender. Saber o que realmente significava ter água na boca. Não através de alguém, mas das palavras. As que estão nos livros, das quais eu tinha fugido porque me causavam medo.

Esperei que Philippe Toussaint saísse de moto para ler a quarta capa do livro *As regras da casa de sidra*. Me obriguei a ler em voz alta: para entender o sentido das palavras era preciso que as ouvisse. Como se contasse uma história para mim mesma. Eram duas cópias de mim, a que queria aprender e a que ia aprender. Meu presente e meu futuro debruçados sobre o mesmo livro.

Por que nos sentimos atraídos por livros como nos sentimos por pessoas? Por que nos sentimos atraídos por capas como por um olhar, uma voz que parece familiar, conhecida, uma voz que nos faz desviar do caminho, nos faz erguer os olhos, que chama a nossa atenção e que pode mudar o curso da nossa existência?

Depois de mais de duas horas, eu estava apenas na décima página e tinha conseguido entender vinte por cento das palavras. Eu lia e relia a seguinte frase em voz alta: "Um órfão é mais criança que as outras crianças por seu apreço pelas coisas que acontecem todos os dias em um horário fixo. Por tudo que promete durar, ficar, o órfão se mostra ávido." "Ávido." O que essa palavra queria dizer? Eu ia comprar um dicionário e aprender a usá-lo.

Até ali, eu conhecia as letras das músicas que estavam escritas nos meus discos. Eu os ouvia e tentava lê-las ao mesmo tempo, mas não as entendia.

Foi enquanto pensava em comprar o dicionário que senti Léonine mexer pela primeira vez. As palavras que tinha lido em voz alta deviam tê-la acordado. Vi seus movimentos lentos como um incentivo.

No dia seguinte, nós nos mudamos para Malgrange-sur-Nancy para nos tornar vigias ferroviários. Mas, antes disso, desci para comprar um dicionário e procurar a palavra "ávido" dentro dele: "Que deseja alguma coisa com voracidade."

20

Se a vida é só uma passagem,
nossa lembrança guardará sua imagem.

Passo um pano nas caixas de plástico das minhas bonecas portuguesas. Eu as deito sempre que possível para não ver mais seus olhos, minúsculas cabeças de alfinete pretas.

Ouvi dizer que anões de jardim somem das casas... E se eu inventasse para a Sra. Pinto que todas as minhas bonecas tinham sido roubadas?

Nono e o padre Cédric conversam animados atrás de mim. Especialmente Nono. Elvis está apoiado na janela da cozinha, observando os visitantes passarem, cantando "Tutti Frutti" baixinho. A voz de Nono cobre a dele:

— Eu era pintor. Mas pintor de prédios, não como Picasso. E aí minha mulher me largou sozinho com três crianças pequenas... e eu acabei sem emprego. Fui demitido por motivos econômicos. Então, fui contratado em 1982 como coveiro pela prefeitura.

— Que idade seus filhos tinham? — pergunta o padre Cédric.

— Eles não eram muito grandes. Os dois mais velhos tinham sete e cinco anos e o pequeno tinha seis meses. Eu os criei sozinho. Depois, tive outra filha... Nasci bem perto daqui, atrás da primeira fila de casas ao lado da sua igreja. Naquela época, a parteira ia à nossa casa. E você, senhor padre, onde nasceu?

— Na Bretanha.

— Chove o tempo todo lá.

— Pode ser, mas isso não impede as crianças de nascerem. Não fiquei muito tempo na Bretanha. Meu pai era militar. Ele era transferido o tempo todo.

— Um militar que gera um padre não é uma coisa comum.

A risada do padre Cédric ecoa entre minhas paredes. Elvis continua cantarolando. Nunca conheci nenhuma namorada dele, esse homem que passa os dias cantando canções de amor.

— Violette — grita Nono —, pare de brincar de boneca! Tem alguém batendo na porta.

Eu jogo o pano na escada e vou abrir a porta para o visitante que, com certeza, está procurando um túmulo.

Quando abro a porta que dá para o cemitério, vejo que é o delegado. É a primeira vez que ele chega por esta porta. Não está com a urna. Continua despenteado. Ainda tem cheiro de canela e baunilha. Seus olhos brilham como se tivesse chorado, mas com certeza é cansaço. Ele me lança um sorriso tímido. Elvis fecha a janela e o barulho que faz encobre meu bom-dia.

O delegado vê Nono e o padre Cédric sentados à mesa.

— Estou incomodando? — pergunta. — Quer que volte mais tarde?

Respondo que não. Que dali a duas horas vamos ter um enterro e eu não vou mais ter tempo.

Ele entra. Cumprimenta Nono, Elvis e o padre Cédric com um aperto de mão sincero.

— Estes são Norbert e Elvis, meus colegas, e nosso padre, Cédric Duras.

O delegado então se apresenta. É a primeira vez que o ouço pronunciar seu nome: Julien Seul. Meus três camaradas saem juntos, como se o nome do delegado os tivesse assustado.

— Até mais tarde, Violette! — grita Nono.

Eu me apresento pela primeira vez.

— Eu me chamo Violette. Violette Toussaint.

— Eu sei — responde o delegado.

— O senhor sabe?

— No início, achei que fosse um apelido, um tipo de brincadeira.

— Uma brincadeira?

— Tem que admitir que, para uma zeladora de cemitério, não é banal ter o sobrenome "Todos os Santos".

— Na verdade, meu sobrenome é Trenet. Violette Trenet.

— Trenet é melhor do que Toussaint.

— Toussaint era o sobrenome do meu marido.

— Por que era?

— Ele desapareceu. Sumiu de um dia para o outro. Enfim, não de um dia para o outro... Digamos que ele prolongou uma das ausências dele.

— Eu também sei disso — comenta ele, incomodado.

— Sabe?

— A Sra. Bréant tem persianas vermelhas e uma língua afiada.

Vou lavar as mãos. Derramo sabonete líquido na palma delas, um sabonete doce com cheiro de rosa. Na minha casa, tudo tem aroma de rosa e talco, minhas velas, meu perfume, meus lençóis, meu chá, os biscoitinhos que mergulho no café. Depois, hidrato as mãos com creme de rosa. Passo horas com os dedos na terra, cuidando do jardim. É preciso protegê-los. Adoro ter mãos bonitas. Faz anos que minhas unhas não são mais roídas.

Enquanto isso, Julien Seul observa de novo minhas paredes brancas. Ele parece preocupado. Éliane esfrega o focinho nele e ele faz carinho nela, sorrindo.

Enquanto sirvo uma xícara de café para ele, pergunto-me o que a Sra. Bréant pode ter lhe contado.

— Eu escrevi o discurso para a minha mãe.

Ele tira um envelope do bolso interno do paletó e o apoia contra o cofrinho de joaninha.

— O senhor acabou de viajar quatrocentos quilômetros para me trazer o discurso para a sua mãe? Por que não me mandou pelo correio?

— Não, na verdade, eu não vim por causa disso.

— Trouxe as cinzas dela?

— Também não.

Ele faz uma pausa. Parece cada vez mais incomodado.

— Posso fumar na janela?

— Pode.

Ele tira um maço amassado do bolso e saca um cigarro, light.

— Tem outra coisa — me diz ele, antes de acender um fósforo.

Ele vai até a janela e abre um pouquinho. Vira de costas para mim. Dá uma tragada e sopra a fumaça para fora.

— Sei onde seu marido está — é o que parece que ele me diz, em meio à fumaça.

— Oi?

Ele apaga o cigarro na parte de fora da parede, põe a bituca no bolso e se vira para mim.

— Sei onde seu marido está — repete.

— Que marido?

Começo a me sentir mal. Me recuso a entender o que ele está dizendo. É como se ele tivesse acabado de ir até meu quarto sem a minha permissão e estivesse abrindo todas as minhas gavetas para vasculhá-las e tirar o que guardo nelas, sem que eu pudesse impedi-lo. Ele olha para baixo.

— Philippe Toussaint... Eu sei onde ele está — sussurra, com uma voz quase inaudível.

21

A escuridão nunca é completa.
Sempre há uma janela aberta
no fim do caminho.

Os únicos fantasmas nos quais acredito são as lembranças. Sejam elas reais ou imaginárias. Para mim, as entidades, os mortos-vivos, os espíritos, todas essas coisas sobrenaturais só existem na cabeça dos vivos.

Algumas pessoas se comunicam com os mortos, e acho que são sinceras, mas, quando alguém morre, morre. Se volta, é porque um vivo o ressuscitou através do pensamento. Se fala, é porque um vivo empresta sua voz; se aparece, é porque um vivo o projeta com seu espírito, como um holograma, uma impressora 3D.

A saudade, a dor e o insuportável podem nos fazer ressuscitar e sentir coisas que superam a imaginação. Quando alguém se vai, se vai. Menos na alma das pessoas que ficam. E a alma de um único homem é muito maior do que o universo.

No início, eu repetia para mim mesma que o mais difícil seria aprender a andar de monociclo. Mas eu estava enganada. O mais difícil foi o medo. Controlar esse sentimento na noite em que fiz aquilo. Reduzir a velocidade dos batimentos do meu coração. Não tremer. Não perder a coragem. Fechar os olhos e sair correndo. Eu precisava me livrar do problema. Senão, aquilo nunca ia acabar.

Tinha tentado de tudo. Gentileza, intimidação e outros meios. Eu não dormia mais. Só pensava nisso: livrar-me do problema. Mas como?

Em um monociclo ou uma bicicleta, isto é, com uma roda ou duas, é quase a mesma coisa, é uma questão de equilíbrio. Por outro lado, para treinar sobre o cascalho do cemitério, era melhor eu fazer isso à noite. Ninguém devia ver a zeladora andando de monociclo entre os túmulos. Então, treinei depois do cair da noite, com os portões fechados, por vários dias seguidos. Eu tinha que trabalhar a redução e o aumento de velocidade. Era inimaginável que, na hora, eu pudesse cair.

O mais demorado, o mais cansativo, foi costurar o sudário, o pedaço de tecido usado para enrolar cadáveres. Eu reuni os metros e metros de tecidos brancos: musseline, seda, lençóis de algodão, tule. Passei muito tempo costurando tudo isso para dar ao conjunto um lado realista e surrealista ao mesmo tempo. Pensei, rindo, durante as noites em que confeccionava "aquela coisa", que era o vestido de noiva que não tinha usado no dia do meu casamento com Philippe Toussaint. Tenho certeza de que acabamos rindo de tudo. Ou pelo menos sorrindo. Acabamos sorrindo de tudo.

Depois, pus o sudário na máquina, na lavagem a frio, com quinhentos gramas de bicarbonato de sódio para que ficasse fluorescente. Antes de costurar o forro, colei faixas fosforescentes que se recarregam quando são expostas à luz. Eu tinha pegado vários metros delas da caminhonete dos agentes de urbanização da cidade. Normalmente, eles as utilizam como placas de sinalização ao ar livre. A iluminação fica bem forte. Basta colocá-las sob a luz pouco antes de usá-las. Um banho de sol ou uma exposição prolongada sob uma lâmpada.

Meu rosto e meu cabelo precisavam ficar totalmente escondidos. Peguei um dos gorros pretos de Nono. Eu o cortei na altura dos olhos e, por baixo dele, pus um véu de noiva. Um agente funerário que havia passado pela região tinha me dado um chaveiro em forma de anjo. Ele projetava uma luz bem forte quando o apertávamos. Um tipo de lanterna de emergência, mas pequena e macia. Eu o prendi entre os lábios.

Quando me olhei no espelho, achei que estava assustadora. Muito assustadora. Eu parecia saída diretamente do filme de terror a que os jovens estavam assistindo em cima do túmulo de Diane de Vigneron no dia em que largaram o computador depois dos meus apitos. Vestida daquele jeito — um vestido branco longo e fantasmagórico, o rosto escondido por um véu de noiva, o corpo brilhando como a neve nos faróis, a boca iluminada conforme fechava ou apertava os lábios —, em um contexto específico, ou seja, em um cemitério à noite, onde a quebra de qualquer graveto assume proporções irracionais, eu podia provocar um infarto.

Ainda faltava o som. Eu tinha a imagem, mas não a trilha sonora. Foi o que pensei quando parei de rir sozinha. Existem muitos barulhos que aterrorizariam qualquer pessoa em um cemitério à noite. Gemidos, resmungos, rangidos, o vento, passos, uma música lenta. Optei por um radinho sintonizado numa frequência errada. Eu o prendi ao monociclo e, quando chegasse o momento, eu o ligaria.

Perto das dez da noite, me escondi dentro de uma capela mortuária, o coração batendo contra meus acessórios, o monociclo na mão.

Não tive que esperar muito tempo. As vozes deles precederam seus passos. Eles passaram por cima do muro do lado leste do cemitério. Eram cinco naquela noite. Três meninos e duas meninas. Isso variava.

Esperei que eles "se instalassem". Que começassem a abrir as latas de cerveja e usar os vasos de flores como cinzeiros. Eles se deitaram sobre o túmulo da Sra. Cedilleau, uma mulher incrível que eu tinha conhecido bem da época em que ela vinha pôr flores no túmulo da filha. Vê-los deitados sobre a mãe e a filha me deu forças.

Comecei subindo no monociclo e colocando o vestido longo do jeito certo. Ele não podia prender na roda. Meu vestido podia ser visto de muito longe. Eu tinha deixado as faixas por duas horas sob uma lâmpada. Abri a porta da capela mortuária fazendo muito barulho, um ruído seco. As vozes deles se calaram. Eu estava a várias centenas de metros do grupo. Comecei a pedalar. Devagar. Como se o ar me carregasse.

Estava a cerca de quatrocentos metros deles quando um dos garotos me viu. Eu estava morrendo de medo. Sentia a umidade das minhas mãos, o tecido nas minhas pernas, o calor na cabeça. O garoto não conseguiu falar nada. Mas, ao ver sua expressão, seu espanto, horrorizado, uma das meninas se virou para mim, com um cigarro na boca; ela, sim, berrou. Berrou tão alto que minha boca ficou seca, muito seca. O grito dela assustou os outros três. Eles, que até então davam gargalhadas, em um instante pararam de rir.

Os cinco me encararam. Isso durou um ou dois segundos apenas. Parei a cerca de duzentos metros deles. Apertei os lábios e a luz se projetou na direção do grupo. Abri os braços em forma de cruz e voltei a andar na direção deles, mas, desta vez, muito mais rápido, ameaçadora.

Na minha cabeça, tudo isso aconteceu em câmera lenta e tive tempo de dissecar cada segundo. Se cometesse um erro, se fosse desmascarada, se eles me perseguissem, eu estaria ferrada. Mas eles não pensaram. Quando perceberam que um fantasma ia passar flutuando por cima deles, a toda velocidade, os braços abertos, eles saíram correndo em disparada. Ninguém nunca se levantou tão rápido. Três deles seguiram gritando em direção aos portões; e dois, para o fundo do cemitério.

Preferi ir atrás dos três. Um deles caiu, mas logo se recuperou.

Não sei como conseguiram pular o portão, que tem três metros e cinquenta de altura. É prova de que o medo dá asas.

Nunca mais os vi. Sei que eles contaram para quem queria ouvir que o cemitério era assombrado. Catei as bitucas e as latas vazias. Lavei o túmulo da Sra. Cedilleau com água quente.

Tive dificuldade para dormir. Não parava de rir. Assim que fechava os olhos, voltava a vê-los, correndo como coelhinhos.

Na manhã do dia seguinte, guardei o monociclo e o disfarce de fantasma no sótão. Antes de escondê-lo em uma mala, eu agradeci. Guardei-o feito um vestido de noiva, que de tempos em tempos tiramos do armário para ver se ainda cabemos nele.

22

Pequena vida em flor.
Seu perfume é eterno,
mesmo que a humanidade
a tenha colhido com ardor.

— Philippe Toussaint morreu. A única diferença que existe entre ele e os mortos deste cemitério é que às vezes eu rezo nos túmulos dos mortos.

— Philippe Toussaint está na lista telefônica. Enfim, o nome da oficina dele está na lista.

Fazia mais de dezenove anos que ninguém pronunciava o nome e o sobrenome dele em voz alta na minha frente. Philippe Toussaint tinha desaparecido até das palavras dos outros.

— A oficina dele?

— Achei que você fosse querer saber, que o tivesse procurado.

Não consigo responder ao delegado. Não procurei Philippe Toussaint. Eu o esperei por muito tempo, é diferente.

— Constatei que houve uma movimentação na conta bancária do Sr. Toussaint.

— A conta bancária dele...

— A conta-corrente dele foi esvaziada em 1998. Eu mesmo fui verificar na agência em que o dinheiro tinha sido retirado, para saber se havia sido fraude, roubo de identidade ou se o próprio Toussaint havia retirado aquele dinheiro.

Sinto-me gelada da cabeça aos pés. Toda vez que ele menciona aquele nome, quero que se cale. Gostaria que ele nunca tivesse entrado na minha casa.

— Seu marido não desapareceu. Ele mora a cem quilômetros daqui.

— Cem quilômetros...

E aquele dia havia começado bem, a chegada de Nono, do padre Cédric, Elvis cantando à janela, o bom humor, o cheiro de café, as risadas dos homens, minhas bonecas horrorosas, a poeira a ser retirada, o calor na escada...

— Mas por que o senhor foi investigar Philippe Toussaint?

— Quando a Sra. Bréant me disse que ele havia desaparecido, eu quis saber, ajudar.

— Sr. Seul, se nossos armários têm tranca, é para que ninguém os abra.

23

Se a vida é apenas uma passagem,
pelo menos podemos semear flores nela.

Chegamos à cancela de Malgrange-sur-Nancy no fim da primavera de 1986. Na primavera, tudo parece possível, toda a luz e as promessas. Sentimos que a queda de braço entre o inverno e o verão já foi ganha. Que os dados estão viciados. Um jogo definido com antecedência, mesmo quando chove.

"Meninas de orfanato se contentam com pouco." Foi o que uma assistente social disse à minha terceira família adotiva provisória, quando eu tinha sete anos, como se eu não ouvisse, como se não existisse.

Ser abandonada ao nascer devia me dar o status de invisível. Além disso, o que é "pouco"?

Eu tinha a sensação de ter tudo: minha juventude, minha vontade de aprender a ler *As regras da casa de sidra*, um dicionário, um filho na barriga, uma casa, um emprego, uma família que seria a minha primeira. Uma família instável, mas mesmo assim uma família. Desde que havia nascido, eu nunca tivera nada, a não ser meu sorriso, algumas peças de roupa, minha boneca Caroline, meus discos de Daho, Indochine e Trenet e meus *Tintins*. Aos dezoito anos, teria um emprego formal, uma conta no banco e uma chave própria, só minha.

Uma chave em que ia pôr um monte de penduricalhos que fariam barulho para me lembrar de que tinha uma chave.

Nossa casa era quadrada, com um teto de telhas cobertas de musgo, igualzinha às que as crianças desenham no maternal. Dois arbustos de sinos-dourados haviam florido de ambos os lados da casa. Parecia que aquele barraquinho branco de janelas vermelhas usava brincos amarelos. Uma sebe de roseiras vermelhas em flor separava os fundos da casa da linha férrea. A estrada principal, atravessada pelos trilhos, fazia curva a dois metros da porta, onde terminava uma varanda cansada.

Os vigias anteriores, o Sr. e a Sra. Lestrille, iam se aposentar dois dias depois. Tinham dois dias para nos ensinar tudo. Explicar os detalhes do trabalho: baixar e abrir a cancela.

O Sr. e a Sra. Lestrille iam deixar seus móveis velhinhos, o linóleo e os sabonetes escurecidos. Os quadros, pendurados nas paredes havia anos, tinham acabado de ser retirados: retângulos um pouco mais claros marcavam o papel de parede florido em alguns lugares. Tinham largado uma *Mona Lisa* em tecido perto da janela da cozinha.

A cozinha que não era bem uma cozinha. Era apenas um cômodo engordurado, dominado por um fogão antigo e três armários sustentados por parafusos enferrujados. Quando abri a geladeira minúscula, quase abandonada atrás de uma porta, achei um pedaço de manteiga amarelada e mal embalada.

Apesar da velhice e da sujeira do lugar, consegui ver o que faria com ele. Como transformaria aqueles cômodos com algumas pinceladas. Consegui sorrir diante da cor das paredes pintadas que se escondiam atrás das flores murchas do papel de parede que datava do pré-guerra. Eu ia reformar tudo. Especialmente as prateleiras que me ajudariam a sustentar nossa futura vida. Philippe Toussaint prometeu em um sussurro que ia pôr papéis de parede novos por toda a casa assim que os Lestrille virassem as costas.

Antes de ir embora, o casal de idosos nos deixou uma lista de números de telefone de emergência para o caso de a cancela travar.

— Desde que paramos de erguer a cancela à manivela, os circuitos às vezes travam; esse tipo de chatice acontece várias vezes por ano.

Eles nos deixaram os horários dos trens. Horários de verão. Horários de inverno. Não havia mais muita coisa a acrescentar. Nos feriados, dias de greve e domingos, havia menos tráfego e menos trens. Eles esperavam que tivessem nos avisado que os horários seriam difíceis e o ritmo de trabalho cansativo. Era função para duas pessoas. Ah, claro, e eles já iam esquecendo: tínhamos três minutos entre o início do sinal sonoro e o momento em que o trem ia passar para baixar a cancela. Três minutos para apertar o botão no posto de comando que ativava a cancela e bloqueava a circulação. Depois que o trem tivesse passado, a regra exigia um minuto de espera antes de ativar a subida da cancela.

— É possível que um trem esconda outro — explicou o Sr. Lestrille, colocando o casaco —, mas, em trinta anos de cancela, nunca vimos isso acontecer.

À porta, a Sra. Lestrille se virou para nos avisar:

— Tomem cuidado com os carros que tentarem passar quando a cancela estiver abaixada. Sempre vão ter uns malucos. Bêbados também.

Com pressa de se aposentar, eles nos desejaram boa sorte.

— Agora somos nós que vamos pegar o trem — acrescentaram então, sem sorrir.

E nós nunca mais os vimos.

Assim que eles saíram, em vez de trocar todo o papel de parede, Philippe Toussaint me abraçou.

— Ah, minha Violette, como vamos ficar confortáveis aqui quando você arrumar tudo! — exclamou.

Não sei se o que me deu forças foi *As regras da casa de sidra*, que havia começado no dia anterior, ou o dicionário, que tinha comprado naquela mesma manhã, mas tive coragem de pedir dinheiro a ele pela primeira vez. Fazia um ano e meio que meus salários eram depositados na conta dele e eu me virava com as gorjetas de garçonete, mas eu já não tinha um centavo no bolso.

Ele generosamente me deu três notas de dez francos que tirou com imensa dificuldade da carteira. Carteira à qual nunca tive acesso. Todos os dias, ele contava as notas para garantir que nada havia desaparecido. Toda vez que fazia isso, ele me perdia um pouco mais. Não a mim, mas o amor de que era feita.

Na cabeça de Philippe Toussaint, era tudo bem simples: eu era uma mulher perdida que ele havia achado em uma boate, e ele me fazia trabalhar em troca de comida e abrigo. Além disso, eu era jovem e bonita, não o irritava, era de boa índole, bastante corajosa e ele adorava me possuir fisicamente. E, em uma subcamada mais perversa de sua alma, ele havia percebido que eu tinha um medo gigante do abandono, então não iria embora. E, com um filho dele, Philippe Toussaint sabia que tinha me prendido ali, a seu alcance.

Eu tinha uma hora e quinze minutos antes do trem seguinte. Atravessei a rua com meus trinta francos no bolso e entrei no mercado para comprar um balde, um esfregão, esponjas e sabão em pó. Comprei tudo do mais barato. Tinha dezoito anos, não sabia nada sobre produtos de limpeza. Normalmente, nessa idade, compramos discos.

— Olá, sou Violette Trenet — apresentei-me à caixa. — Sou a nova vigia ferroviária da casa do outro lado da rua. Vou substituir o Sr. e a Sra. Lestrille.

A caixa — cujo nome, Stéphanie, estava indicado no crachá — não me ouviu. Seu olhar estava fixado na minha barriga redonda.

— É a filha dos novos vigias? — perguntou-me ela.

— Não, não sou filha de ninguém. Sou a nova vigia ferroviária.

Tudo era redondo em Stéphanie: seu corpo, seu rosto, seus olhos. Parecia que ela havia sido desenhada a lápis para ilustrar uma história em quadrinhos, uma heroína pouco astuta, inocente e carinhosa, com uma expressão sempre impressionada. Os olhos permanentemente arregalados.

— Mas quantos anos você tem?

— Dezoito.

— Ah, está bem. E para quando é o bebê?

— Setembro.

— Ah, que ótimo. Então vamos nos ver sempre.

— É, vamos, sim. Tchau.

Comecei lavando as prateleiras do quarto, antes de guardar nossas roupas.

Embaixo do carpete nojento, havia um piso de ladrilhos. Eu estava retirando o material encarpetado quando o alarme da cancela começou a apitar. O trem de 15h06 ia passar.

Corri até o cruzamento. Apertei o botão vermelho que correspondia à descida da cancela. Fiquei aliviada ao vê-la baixar. Um carro diminuiu a velocidade e parou ao meu lado. Um longo carro branco, cujo motorista me lançou um olhar sombrio, como se eu fosse responsável pelos horários dos trens. O de 15h06 passou. Os trilhos tremeram. Eram os passageiros de sábado. Grupos de meninas que iam passar a tarde em Nancy para fazer compras e flertar.

Pensei: *Talvez sejam meninas de orfanato, as que se contentam com pouco.* Ao apertar o botão verde para levantar a cancela, sorri: tinha um trabalho, uma chave, uma casa para pintar, um filho na barriga, um carpete para retirar, um homem instável a quem eu não podia esquecer de devolver o troco das compras, um dicionário, discos de música e *As regras da casa de sidra* para ler.

24

Temos que aprender a oferecer nossa ausência àqueles que não entenderam a importância da nossa presença.

A morte não faz pausas. Ela não sabe o que são férias, feriados nem consultas ao dentista. Os dias de folga, os períodos de muitas partidas, a autoestrada entre Paris e Lyon, as trinta e cinco horas de trabalho por semana, as férias pagas, as festas de fim de ano, a alegria, a juventude, a tranquilidade, o tempo bom — ela não liga para nada disso. Está presente em todo lugar, o tempo todo. Ninguém pensa nela de verdade, senão enlouquece. Ela é como um cachorro que passa pelas nossas pernas o tempo todo, mas cuja presença só percebemos no dia em que ele nos morde. Ou pior, quando morde alguém que amamos.

Há um cenotáfio no meu cemitério. Ele fica no corredor três, na quadra dos Cedros. Um cenotáfio é um memorial fúnebre erguido sobre o vazio. Um vazio deixado por um morto que desapareceu no mar, nas montanhas, em um avião ou em uma catástrofe natural. Um vivo que desapareceu, mas cuja morte parece inegável. O cenotáfio de Brancion não tem mais placa. É muito antigo, e eu nunca soube em memória de quem ele foi construído. Ontem, por acaso, Jacques Lucchini me explicou que tinha sido erigido em 1967 para um jovem casal que desapareceu em uma montanha.

— Estavam escalando — contou ele, antes de entrar no carro funerário. — Parece que caíram de um penhasco.

Costumo ouvir que "não há nada pior do que perder um filho". Mas também ouço dizer que o pior é não saber. Que existe algo pior do que um túmulo: o rosto de um desaparecido em postes, muros, vitrines, jornais e telas de TV. Fotos que envelhecem, mas nunca o rosto que elas representam. Que existe algo pior do que um enterro: a data do aniversário do desaparecimento, as matérias, os balões lançados no ar, a caminhada silenciosa em homenagem àquela pessoa.

A alguns quilômetros de Brancion, uma criança desapareceu trinta anos atrás. A mãe dela, Camille Laforêt, vem ao cemitério toda semana. A prefeitura fez uma exceção e cedeu um túmulo no qual ela pôde colocar o nome do filho desaparecido: Denis Laforêt. Não há provas de que Denis esteja morto. Ele tinha onze anos quando desapareceu entre a sala de aula e o ponto de ônibus em frente à escola. Denis tinha saído da aula uma hora antes dos colegas. Tinha que estudar. Depois disso, mais nada. Sua mãe o procurou em todos os lugares. A polícia também. Todas as famílias da região conheciam o rosto de Denis. É o "desaparecido de 1985".

Camille Laforêt me disse várias vezes que o nome de Denis naquele túmulo falso salvou a vida dela. Que aquele nome gravado no mármore a mantinha entre o possível e o impossível: imaginar que ele ainda estava vivo, em algum lugar, sozinho, sem amor, sofrendo. E, toda vez que ela abre minha porta, senta-se à minha mesa, toma um café e me diz "Tudo bem, Violette?", acrescenta: "Existe coisa pior do que a morte; é o desaparecimento."

Eu tinha me acostumado, de verdade, ao desaparecimento de Philippe Toussaint. Nunca quis saber.

Abro o envelope que contém o discurso que Julien Seul escreveu para a mãe. O que ele vai ler no dia em que aceitar espalhar as cinzas dela no túmulo de Gabriel Prudent. Maldito encontro desses dois. Se Irène Fayolle não tivesse conhecido Gabriel Prudent, Julien Seul nunca teria colocado os pés no meu cemitério.

Irène Fayolle era minha mãe. Tinha um cheiro bom. Usava o perfume L'Heure Bleue.

Apesar de ter nascido em Marselha no dia 27 de abril de 1941, ela nunca teve sotaque da região do Midi. Não tinha o Sul nos genes. Era reservada, distante, falava pouco. Sempre preferiu o frio ao calor, os dias nublados ao sol. Até sua aparência confirmava isso. Ela tinha a pele clara, sardas e cabelo louro.

Adorava bege. Nunca a vi usar roupas coloridas nem sandálias abertas, a não ser um vestido amarelo em uma foto de uma viagem para a Suécia, antes de eu nascer. Uma roupa que parecia um erro de percurso.

Ela adorava chás ingleses. Adorava a neve. Tirava fotos dela. Nos álbuns de família, só há fotos tiradas na neve.

Ela sorria pouco. Costumava ficar perdida em seus pensamentos.

Quando se casou com meu pai, se tornou a Sra. Seul. Como achava que pareceria um erro de digitação, manteve o nome de solteira.

Só teve um filho, eu. Por muito tempo me perguntei se foi por minha causa ou do nosso sobrenome que meus pais não tiveram mais vontade de se reproduzir.

Primeiro, foi cabeleireira, depois se tornou horticultora. Criou diversas variedades de rosas que não temem o inverno. Rosas à sua imagem.

Um dia, ela me disse que gostava de vender flores, mesmo quando eram usadas para enfeitar túmulos. Que uma rosa era uma rosa e, fosse ela destinada a um casamento ou a um cemitério, não fazia diferença. Que em todas as vitrines de floriculturas estava escrito: "Casamento e luto." Um não existia sem o outro.

Não sei se ela estava pensando no desconhecido com o qual escolheu descansar por toda a eternidade no dia em que me disse isso.

Respeito sua escolha como ela sempre respeitou as minhas.

Descanse em paz, mamãe querida.

25

O amor de uma mãe é um tesouro que Deus só nos dá uma vez.

Léonine me esperou terminar de pintar todas as paredes da casa dos vigias para aparecer.

Na noite de 2 para 3 de setembro de 1986, senti uma primeira contração que me acordou. Philippe Toussaint estava dormindo ao meu lado. Minha filha escolheu uma boa noite para chegar: a de sábado, quando há um intervalo de nove horas entre o último trem e o do domingo de manhã. Acordei Philippe Toussaint. Ele tinha quatro horas para me levar à maternidade e voltar para baixar a cancela às 7h10.

Léonine demorou demais para que seu pai estivesse presente quando ela deu seu primeiro grito. Era meio-dia quando a expulsei para a vida.

Ondas de amor e de medo me tomaram. Uma vida que seria muito mais importante do que a minha e pela qual eu era responsável. Tive dificuldade de respirar. Posso dizer que Léo me tirou o fôlego. Comecei a tremer da cabeça aos pés. A emoção e o medo me faziam bater os dentes.

Ela parecia uma velhinha. Por alguns segundos, senti que ela era a ancestral e eu, a criança.

Sua pele na minha, sua boca que procurava meu seio. Sua cabecinha na palma da minha mão. A moleira, o cabelo escuro, a gosma verde sobre a pele, uma boca em forma de coração. A palavra "terremoto" não seria exagero.

Quando Léonine nasceu, minha juventude foi destruída com tanta violência quanto um vaso de porcelana estatelado sobre o piso frio. Foi ela que enterrou minha vida de adolescente. Em alguns minutos, passei do riso às lágrimas, do sol à chuva. Como um céu de primavera, eu era as estiagens e as tempestades ao mesmo tempo. Todos os meus sentidos acordaram, ficaram mais afiados, como os de uma cega.

A vida toda, ao ver meu reflexo no espelho, eu me perguntava como eram meus pais. Quando os grandes olhos dela me encararam, achei que ela parecia o céu, o universo, um monstro. Eu a achei feia e bonita. Furiosa e doce. Parte de mim e uma estranha. Uma maravilha e um veneno na mesma pessoa. Falei com ela como se estivéssemos continuando uma conversa que havia se iniciado muito tempo antes.

Dei boas-vindas à minha filha. Fiz carinho nela. Eu a engoli com os olhos, a inspirei, a expirei. Analisei cada centímetro de sua pele e a lambi com o olhar.

Quando a pegaram para pesá-la, medi-la e lavá-la, cerrei os punhos. Assim que ela saiu do meu campo de visão, eu me senti uma criança, muito pequena, desarmada, desamparada. Chamei pela minha mãe. Não estava com febre, mas a chamei.

Revi minha infância em um ritmo acelerado. Como ia fazer para que minha filha nunca tivesse que passar pelo que eu havia passado? Será que iam tirá-la de mim? Desde que Léo chegou na minha vida, tive medo de que fôssemos separadas. Tive medo de que ela me abandonasse. E, paradoxalmente, tive vontade de que ela desaparecesse e voltasse depois, quando eu fosse mais velha.

Philippe Toussaint nos encontrou à tarde, entre os trens de 15h07 e 18h09. Eu o havia decepcionado. Ele queria um filho. Não disse nada. Só olhou para a gente. Sorriu. Beijou meu cabelo. Eu o achei bonito com nossa filha nos braços. Pedi que ele nos protegesse, sempre.

— Claro — respondeu.

E então veio o segundo terremoto. Léo tinha dois dias. Tinha acabado de mamar. Eu a havia pousado sobre as coxas dobradas, sua cabecinha erguida pelos meus joelhos, os pequenos pés contra minha barriga, os dois punhos agarrados nos meus indicadores. Eu estava olhando para ela. Buscava o passado em seu rosto, como se meus pais fossem aparecer para mim. Eu a olhava tanto que as parteiras me diziam que ia acabar gastando a menina. Ela me encarava enquanto eu falava. Não me lembro mais do que estava contando. Dizem que os bebês não sorriem, que eles sorriem para os anjos. Não sei que anjo ela viu através de mim, mas claramente me encarou e sorriu. Como se quisesse me tranquilizar. Como se quisesse me dizer: "Vai ficar tudo bem." Nunca senti um amor tão perturbador.

Na véspera do dia em que tive alta, o pai e a mãe de Toussaint vieram à maternidade vestidos com suas roupas bonitas. Ela com pedras preciosas nos dedos, e ele em sapatos caros com detalhe de tassel. O pai me perguntou se eu ia batizar "a criança", a mãe a pegou nos braços enquanto Léonine dormia profundamente em sua cama transparente. Pegou-a sem jeito, sem me perguntar nada, como se a menina pertencesse a ela. A madrasta malvada fez desaparecer a moleira de Léo no tecido de sua camisa. O ódio me dominou. Mordi com força o interior da boca para não chorar de raiva.

Foi naquele dia que entendi que podiam fazer ou falar o que quisessem, que, durante o parto, minha pele e minha alma de Violette tinham sido impermeabilizadas contra qualquer tipo de destruição. Por outro lado, tudo que tocasse minha filha penetraria em mim. Eu absorveria tudo que a envolvesse, uma mãe porosa.

Enquanto ninava minha filha, a mãe de Toussaint se dirigiu a ela, chamando-a de Catherine.

— Ela se chama Léonine — corrigi.

— Catherine é muito mais bonito — respondeu a mãe de Toussaint.

Nesse momento, o pai de Toussaint se dirigiu à mulher:

— Chantal, você está exagerando.

Foi assim que eu soube que a mãe de Toussaint tinha nome...

Léo começou a chorar, com certeza por causa do cheiro da velha, da voz, dos dedos enrijecidos, da pele áspera. Pedi para a mãe de Toussaint me dar a bebê. Coisa que ela não fez. Pôs Léo gritando na cama e não nos meus braços.

Depois voltamos para a "casa dos trens", como ela passou a chamá-la mais tarde. Eu a colei contra meu corpo, na nossa cama, no nosso quarto. Philippe Toussaint dormia do lado direito, eu, do lado esquerdo, e Léo, ainda mais à esquerda. Nos nossos dois primeiros meses de vida comum, eu só a deixava para erguer e baixar a cancela. Eu a trocava embaixo das cobertas. Esquentava bastante nosso banheiro para dar banho nela todos os dias.

Então veio o inverno, os gorros, os cachecóis, ela quase sufocando no carrinho. O nascimento dos dentes, as gargalhadas, a primeira otite. Eu passeava com Léo entre um trem e outro. As pessoas se debruçavam sobre ela para observá-la e diziam:

— Ela se parece com você.

E eu respondia:

— Não, ela se parece com o pai.

Depois, veio a primeira primavera, um cobertor estendido sobre a grama, em uma parte com sombra entre a casa e os trilhos. Seus brinquedos, ela começando a ficar sentada com firmeza, colocando tudo na boca entre um e outro sorriso, a cancela subindo e descendo, Philippe Toussaint, que ia dar uma volta, mas sempre voltava na hora certa de pôr os pés embaixo da mesa. E saía de novo para dar uma volta. Léo o fazia rir muito, mas nunca por mais de dez minutos.

Acho que consegui cuidar bem da minha filha, apesar de ser tão jovem. Soube descobrir os gestos, a voz, o tato, a escuta. Com os anos, o medo de perdê-la se aquietou. Acabei entendendo que não haveria motivo nenhum para nos abandonarmos.

26

Nada se opõe à noite, nada justifica isso.

Como a sombra ganha
Como não há montanha
Além dos ventos mais altos que os degraus do esquecimento
Já que temos que aprender
porque somos obrigados a entender
A sonhar nossos desejos e viver dos "assim seja"
E como você intima
Como uma prova íntima
Que às vezes dar tudo nem sempre basta
Porque é em outro lugar
Que vai fazer seu coração voar
E como nós amamos você demais para prendê-lo
Como você vai embora...

"Puisque tu pars", de Jean-Jacques Goldman, é a música mais ouvida nos enterros. Na igreja e no cemitério.

Em vinte anos, já ouvi de tudo. De "Ave Maria" a "L'envie d'avoir envie", de Johnny Hallyday. Em certa exumação, a família pediu a música "Le zizi", de Pierre Perret, porque era a preferida do morto. Pierre Lucchini e o antigo padre não permitiram. Pierre explicou que não podia realizar todos os últimos pedidos, nem na casa de Deus nem no "jardim de almas" — é assim que ele chama meu cemitério. A família não entendeu a falta de humor do protocolo funerário.

É comum visitantes colocarem música para tocar sobre os túmulos. Eles nunca põem o som alto, como se não quisessem incomodar os vizinhos.

Também já vi uma senhora pôr o radinho no túmulo do marido "para que ele escutasse as notícias". Uma menina colocar fones de ouvido dos dois lados da cruz do túmulo de um garoto morto no ensino médio, para que ele pudesse ouvir o último CD do Coldplay.

Há também os aniversários, celebrados com flores sobre o túmulo ou música no celular.

Todo 25 de junho, uma mulher chamada Olivia vem cantar para um morto cujas cinzas foram espalhadas em um dos jardins. Ela chega na hora da abertura dos portões. Toma um chá sem açúcar, sem dizer uma palavra na minha cozinha, a não ser talvez um comentário sobre o tempo. Perto das nove e dez, vai para o jardim. Eu nunca a acompanho. Ela sabe muito bem o caminho. Quando o dia está bonito e minhas janelas, abertas, ouço a voz dela da minha casa. Sempre canta a mesma música: "Blue Room." "*We'll have a blue room, a new room for two room, where ev'ry day's a holiday because you're married to me...*"

Ela canta com calma. Alto, mas devagar, para fazê-la durar. Faz grandes pausas entre cada estrofe, como se alguém a respondesse, repetisse as frases. Depois, fica sentada por alguns minutos, no chão mesmo.

Junho passado, tive que emprestar um guarda-chuva para ela, porque chovia horrores. Quando voltou à minha casa para devolvê-lo, perguntei se era cantora, por causa daquela voz linda. Ela tirou o casaco, depois se sentou perto de mim. Começou a falar comigo como se eu tivesse feito um monte de perguntas, apesar de, em vinte anos, eu ter feito apenas uma.

Falou do homem para quem vinha cantar todo ano, François. Olivia estava no ensino médio em Mâcon quando o conheceu. Era seu professor de francês. Ela se apaixonou na hora, na primeira aula. Tinha perdido o apetite por causa disso. Vivia só para encontrá-lo. As férias escolares eram poços sem fundo. Claro, ela dava um jeito de sempre se sentar na frente, na primeira fileira. Passou a se dedicar apenas ao francês e a tirar notas excelentes na aula. Estava redescobrindo a língua materna. Naquele ano, havia tirado 9,5 em uma redação. Tinha escolhido o tema "O amor é uma ilusão?". Escrevera de maneira brilhante dez páginas sobre o amor que um homem, um professor, sentia por uma das alunas. Amor que ele rejeitava totalmente. Olivia havia construído o texto como um romance policial cujo culpado era ninguém menos do que ela mesma. Tinha mudado o nome de todos os personagens (os alunos de sua turma) e o local onde a ação se desenrolava. Levara o roteiro para um colégio inglês.

— Senhor, por que 9,5? Por que não dez? — havia perguntado a François, descaradamente.

— Porque a perfeição não existe, senhorita — respondera ele.

— Mas, então — insistira ela —, por que o dez foi inventado, se a perfeição não existe?

— Para a matemática, para a resolução de problemas. No francês, existem poucas soluções infalíveis.

Como comentário ao lado do 9,5, ele havia rabiscado em caneta vermelha: "Estilo direto perfeito. Você soube pôr sua imaginação prodigiosa a serviço de uma construção literária implacável. O tema é emocionante e tratado com coragem, leveza, humor e seriedade. Parabéns. Você demonstrou muita maturidade na escrita."

Ela havia surpreendido o olhar dele pousado sobre ela milhares de vezes enquanto estava mergulhada nos cadernos. Mastigara muitas tampas de caneta naquele ano, enquanto o observava explicar os sentimentos de Emma Bovary.

Tinha certeza de que aquele amor era recíproco. E, o mais estranho, os dois tinham o mesmo sobrenome. Aquilo a havia abalado, apesar de Leroy ser um sobrenome comum.

— Sr. Leroy, se a gente se casasse, não ia mudar nada — se arriscara a dizer Olivia, alguns dias antes de prestar vestibular, entre um grupo de alunos que estudava com François. — Não íamos precisar fazer nenhum pedido de alteração do sobrenome, nem na minha carteira de identidade nem nas contas.

O grupo tinha caído na gargalhada e François ficara vermelho. Olivia havia feito o exame de francês e conseguido 9,5 na prova oral e 9,5 na escrita. Ela mandara um recado para François: "Professor, não tirei dez porque o senhor ainda não achou uma solução para o nosso problema."

Ele havia esperado que ela fizesse a prova antes de pedir para vê-la sozinha. Depois de um longo silêncio que ela vira como emoção, ele dissera:

— Olivia, um irmão e uma irmã não podem se casar.

Na hora, ela riu. Tinha rido porque ele havia usado seu nome, apesar de sempre tê-la chamado de "senhorita". Depois tinha parado de rir, porque ele continuara a encará-la. Ela havia ficado muda quando François contara que os dois eram filhos do mesmo pai. François tinha nascido de uma união anterior, vinte anos antes de Olivia, perto de Nice. O pai e a mãe de François haviam morado juntos por dois anos, depois se separado de maneira violenta. E os anos se passaram.

Muito tempo depois, François havia pesquisado e descoberto que seu pai era também pai de uma menininha chamada Olivia. O homem escondera a existência de François da segunda família. Os dois voltaram a se encontrar. François tinha se mudado para Mâcon para ficar mais perto dele.

Ficara abalado ao saber que sua irmã ia ter aula com ele. Ao chamar seu nome, no primeiro dia de aula, ele acreditara ser uma terrível coincidência quando a viu descolar a boca do ouvido da vizinha de cadeira para erguer o dedo ao ouvir seu nome.

— Presente — sussurrara Olivia, olhando nos olhos dele.

Ele a havia reconhecido porque os dois se pareciam. Ele notara porque sabia. Ela não, porque ignorava tudo.

No início, Olivia não quisera acreditar. Não acreditara que o pai pudesse esconder a existência de François. Tinha pensado que ele havia inventado aquela história para acabar com suas atitudes provocantes de menina mimada. Depois, quando entendera que a história era verdadeira, lançara para François com uma falsa leveza:

— Nós não viemos do mesmo ventre. Isso não conta. Eu amo o senhor de verdade.

— Não, esqueça — respondera ele, com uma raiva fria. — Esqueça isso agora mesmo.

Ela ainda teve mais um ano de escola. Os dois se esbarravam nos corredores. Sempre que o via, sua vontade era de se jogar nos braços dele. Mas não como uma irmã nos braços do irmão.

Ele a evitava, abaixava a cabeça. Irritada, ela desviava para provocá-lo.

— Bom dia, Sr. Leroy! — quase gritava.

— Bom dia, Srta. Leroy — respondia ele, timidamente.

Não ousara perguntar nada ao pai. Não fora necessário. Tinha visto como ele observara François no dia da entrega dos diplomas, no fim do ano.

Olivia havia surpreendido um sorriso entre François e o pai deles. Tivera vontade de pegar um para matar o outro. As lágrimas e a raiva haviam crescido. Ela não via nenhuma solução, senão esquecer.

Depois da entrega dos diplomas, houve uma festa. Alunos e professores tinham se apresentado sucessivamente no palco. Depois de ouvir covers de grupos como Trust e Téléphone, François havia cantado "Blue Room" *a capella*, com a mesma intensidade que Chet Baker: "*We'll have a blue room, a new room for two room, where ev'ry day's a holiday because you're married to me...*"

Cantara para ela, olhando em seus olhos. Ela havia entendido que nunca mais amaria outro homem. E que aquele amor impossível era recíproco.

Então ela fora embora. Dera várias voltas ao mundo e estudado muito para também se tornar professora de literatura. Havia se casado em outro lugar, com outro homem. Tinha trocado de sobrenome.

Sete anos depois, aos vinte e cinco anos, ela voltara a morar perto de François. Um dia, batera na porta dele.

— Agora podemos morar juntos — dissera. — Não tenho mais o mesmo sobrenome que você. Não vamos nos casar, não vamos ter filhos, mas pelo menos vamos morar juntos.

— Está bem — respondera François.

Os dois haviam mantido a formalidade entre eles sempre. Como se quisessem manter distância um do outro. Para continuar em um começo, um primeiro encontro. A vida tinha dado a eles vinte anos de vida em comum. O mesmo número de anos que os separava.

— Nossa família nos rejeitou, mas não sofremos muito — me disse Olivia, tomando um gole de vinho do Porto. — Nossa família éramos nós. Quando François morreu, como punição, a mãe dele mandou que ele fosse cremado aqui em Brancion-en-Chalon, a cidade natal dela. Para fazer o filho desaparecer completamente, ela espalhou as cinzas no jardim do cemitério. Mas ele nunca vai desaparecer. Sempre vou levá-lo comigo. Ele foi minha alma gêmea.

27

Um amanhecer lânguido derrama nos campos a melancolia dos entardeceres brandos.

Assim que Léonine nasceu, encomendei um livro didático para reaprender a ler: *O dia dos pequeninos*. Método Boscher, dos professores M. Boscher, V. Boscher e J. Chapron e de M. J. Carré. No fim da minha gravidez, eu havia escutado uma professora falar no rádio. Ela tinha contado que um de seus alunos havia repetido o primeiro ano da escola por causa do iletrismo. Ele não tentava ler, e sim adivinhar. Acabava dizendo qualquer coisa ou usava a memória para fingir que estava lendo, apesar de estar recitando algo que havia decorado. Era exatamente isso que eu fazia desde sempre. A professora então tinha usado aquele método de leitura e, em seis meses, o aluno lia praticamente como os outros da turma. Esse método antigo era inteiramente silábico. Ele proibia o global: era impossível enganar alguém, tentar reconhecer ou adivinhar as palavras ou as frases.

Durante horas, enquanto Léonine ainda era um bebê no carrinho, eu lia as palavras em voz alta:

— A rua ao meio-dia, i u i i u u i u, iglu, lia, bolinho, bolinhas. A festa de Natal. u o a i o u a o, azeitonas, avião, dominós, feijão, damasco. Totó era teimoso. Ta. Té. Ti. Te. Tu. Tê. To. Tó. Émile.

A lua. A loto. A lama. A lima. Émile foi educada na escola. Vou. Sou. Dou. Voo. Doo. Enjoo. Soo. O sol da do. A vol ta. A bol sa. A pol pa. O ol fa to. A zo o lo gi a. O mi cro on das. O ál co ol. O en jo o. Éliane compra uma bolsa, eu abro o álcool, minha mãe vai cortar a polpa e me poupar do enjoo.

Léonine abria seus olhos grandes e me escutava sem julgar a lentidão da minha leitura, as repetições, os erros de pronúncia, as palavras que travavam ou o que elas significavam. Todos os dias, eu repetia para ela as mesmas sílabas, até que elas começaram a sair sozinhas.

As ilustrações eram muito coloridas, alegres e inocentes. Logo, ela começou a pôr os dedinhos sobre elas. Meu caderno escolar foi manchado assim que Léonine conseguiu pegá-lo e amassá-lo. Baba, chocolate, molho de tomate, canetinha. Ela chegou até a enfiar os dentes na capa. Levava-o à boca como se quisesse engoli-lo.

Nos primeiros anos, mantive o livro escondido. Não queria que Philippe Toussaint o encontrasse por acaso. Se ele descobrisse que eu estava aprendendo a ler direito, seria insuportável. Significaria que eu era mesmo a coitada, mal-educada, desprezada pela mãe dele.

Eu pegava o caderno assim que ele saía para dar uma volta. Quando via o manual, Léonine dava gritos de alegria, pois sabia que a leitura ia começar. Ela ia se deixar ninar pela minha voz e observar os desenhos que já tinha decorado. Menininhas de cabelo louro e vestido vermelho, galinhas, patos, árvores de Natal, verduras, flores, cenas do dia a dia destinadas a crianças muito pequenas. Vidas simplificadas e felizes. Eu havia chegado à conclusão de que tinha três anos para ler fluentemente, que, quando ela entrasse para o maternal, eu já saberia. Mas consegui muito antes disso. Quando Léonine soprou a primeira velinha, eu já estava na página sessenta.

Reaprendi a ler direito, sem tropeçar nas palavras, graças ao método Boscher. Adoraria ter contado isso à professora do rádio, dito que seu depoimento havia mudado o curso da minha vida. Liguei para a estação e disse à telefonista que havia ouvido uma professora dar um depoimento em um programa de Fabrice em agosto de 1986, mas ela respondeu que seria impossível encontrá-la se não tivesse a data exata, e eu não tinha.

Aprender a ler é como aprender a nadar. Depois que os movimentos das braçadas são compreendidos, que o medo de se afogar passa, atravessar uma piscina ou um oceano dá no mesmo. É só uma questão de fôlego e treino.

Rapidamente cheguei à penúltima página, e a história contada nela se tornou a preferida de Léonine. Ela foi retirada de um conto de Andersen, "O pinheirinho".

"Era uma vez, na floresta, o pinheirinho mais lindo que podíamos imaginar. Ele crescia em um lugar bom, onde o sol podia aquecê-lo, com bons amigos ao seu redor: abetos e pinheiros. Mas ele só tinha uma vontade: crescer bem rápido. As crianças se sentavam perto dele e, ao olhar para a árvore, diziam:

— Como é fofo este pinheirinho.

E o pinheiro não aguentava aquilo. Crescer, crescer, tornar-se alto e antigo, essa é a única alegria possível na Terra, pensava ele... No fim do ano, os lenhadores sempre vinham derrubar algumas árvores, sempre as mais bonitas. Para onde será que elas vão?, *pensava o pinheirinho... Uma cegonha explicou:*

— Acho que as vi. Elas ficam postadas, de cabeça erguida, em belos barcos novos e percorrem o mundo.

Quando o Natal chegava, todos os anos, os jovens arbustos eram derrubados, escolhidos entre os mais bonitos, os mais bem formados. Para onde será que eles vão?, *se perguntava o pinheirinho. Por fim, um dia foi sua vez. E ele foi levado para uma grande e bela sala, onde havia lindas poltronas. Em todos os seus galhos, brinquedos brilhavam e luzes cintilavam. Quanto brilho! Quanto luxo! Só alegria! No dia seguinte, o pinheiro foi levado para um canto e esquecido. Ele teve tempo para pensar. Pensando na juventude feliz na floresta, na noite feliz de Natal, ele suspirou:*

— Passado, tudo isso é passado! Ah, se ao menos eu tivesse conseguido aproveitar o ar livre e o sol gostoso quando ainda dava tempo!"

Comprei livros infantis. Li e reli todos, centenas de vezes, para Léonine. Com certeza ela foi a menina que mais ouviu histórias na vida. Isso se tornou um ritual diário. Ela nunca dormia sem uma história. Mesmo durante o dia, corria atrás de mim com livros nas mãos.

— História, história — balbuciava.

Então eu a colocava no colo e abríamos um livro juntas. Ela ficava paradinha, fascinada pelas palavras.

Eu havia fechado *As regras da casa de sidra* na página vinte e cinco. Tinha escondido o livro em uma gaveta, como escondemos uma promessa. Férias adiadas. Voltei a abri-lo quando Léonine fez dois anos. Nunca mais o fechei. E ainda hoje o releio várias vezes por ano. Reencontro os personagens como se reencontrasse minha família adotiva. O doutor Wilbur Larch é meu pai de coração. Fiz do orfanato Saint Cloud's, no Maine, a casa onde cresci. O órfão Homer Wells é meu irmão mais velho, e as enfermeiras Edna e Angela, minhas duas tias imaginárias.

Essa é a grande escolha dos órfãos. Eles fazem o que querem. Também podem decidir quem são seus pais.

As regras da casa de sidra foi o livro que me adotou. Não sei por que nunca fui adotada. Por que razão me deixaram ser arrastada de lar provisório para lar provisório, em vez de me entregarem para a adoção. Será que minha mãe biológica pedia notícias minhas de tempos em tempos e por isso eu nunca era adotada?

Voltei para Charleville-Mézières em 2003 para consultar o arquivo do meu caso. Como já era de se esperar, estava vazio. Nenhuma carta, joia, foto, desculpa. Era um arquivo que também podia ser consultado pela minha mãe, caso ela quisesse. Coloquei meu romance adotivo dentro dele.

28

Não existe solidão que não seja compartilhada.

Hoje de manhã, enterramos Victor Benjamin (1937-2017).

O padre Cédric não estava na cerimônia. Victor Benjamin queria um enterro laico. Jacques Lucchini instalou uma caixa de som perto do túmulo e todos se recolheram ouvindo a música "Mon vieux", de Daniel Guichard: "Em seu velho casaco gasto, ele saía, no inverno, no verão, nas madrugadas frias, meu velho..."

Nenhuma cruz, nenhuma flor, nenhuma coroa, a pedido de Victor. Apenas algumas placas funerárias deixadas por amigos e colegas, sua mulher e seus filhos. Um dos filhos de Victor segurava seu cachorro em uma coleira. Ele assistiu ao enterro do dono e se sentou quando Daniel Guichard cantou: "Nós conhecemos a música, todos passavam por lá, burgueses, patrões, a esquerda, a direita, até o Bom Deus, com meu velho."

A família foi embora a pé, seguida pelo cachorro, que pareceu agradar Éliane. Ela os seguiu por um tempo, depois voltou para se deitar na caminha, toda encolhida. Era velha demais para o amor.

Quando voltei para casa, senti uma tristeza profunda. Nono percebeu. Foi comprar uma baguete crocante e ovos caipiras, então fizemos uma bela omelete com o queijo *comté* que eu tinha ralado. Achamos uma rádio que tocava jazz.

Na minha mesa, em meio às propagandas de marcas de grãos para salada e podas de ciprestes, recibos de plantas e catálogos da Willem & Jardins, o carteiro havia deixado uma carta. Vi o carimbo com o Castelo de If. Tinha sido postada em Marselha.

Violette Trenet-Toussaint,
Cemitério de Brancion-en-Chalon (71)
Saône-et-Loire.

Esperei que Nono fosse embora para abri-la.

Não havia nenhum "Cara Violette", nem "Senhora". Julien Seul começara a carta sem nenhum pronome de tratamento.

O tabelião abriu uma carta destinada a mim. Minha mãe não devia confiar em mim. Ela queria que as coisas fossem "oficiais". Queria que ele lesse seus últimos pedidos para mim para que eu não pudesse deixar de cumpri-los, imagino eu.

Só havia um pedido. A de ser enterrada perto de Gabriel Prudent, no seu cemitério. Pedi que o tabelião repetisse o nome do homem que não conhecia. Gabriel Prudent.

Falei que ele devia estar enganado. Que minha mãe era casada com meu pai, Paul Seul, que estava enterrado no cemitério de Saint-Pierre, em Marselha. O tabelião me disse que não havia erro. Que realmente aquela era a última vontade de Irène Fayolle, cujo sobrenome era Seul por parte do marido, nascida em 27 de abril de 1941, em Marselha.

Entrei no meu carro e, no GPS, coloquei as seguintes informações: "Brancion-en-Chalon, estrada para o cemitério" porque "cemitério" não estava na lista de locais propostos. Trezentos e noventa e sete quilômetros. Era preciso adentrar a França, em linha reta. Sem desvio nem retorno, só seguir a autoestrada para Mâcon. Sair na altura de Sancé e andar por dez quilômetros em estradas rurais. O que minha mãe tinha ido fazer lá?

Pelo restante do dia, tentei trabalhar, mas não consegui. Peguei a estrada perto das nove da noite. Viajei por horas. Parei na altura de Lyon para tomar um café, encher o tanque e digitar "Gabriel Prudent" no navegador do celular. A única coisa que achei foi uma definição de "prudência" na Wikipédia: "Baseada na aversão ao risco e ao perigo."

Enquanto seguia na direção desse homem morto e enterrado, tentei me lembrar da minha mãe, dos meus momentos com ela nos últimos anos. Os últimos almoços de domingo, um café na rua Paradis, às vezes, quando passava no bairro dela. Ela comentava as notícias, não me perguntava nunca se eu estava feliz. Eu também nunca perguntava se ela estava. Ela me fazia perguntas sobre a minha profissão. Parecia decepcionada com as minhas respostas — esperava sangue e histórias de crimes passionais, enquanto eu só oferecia tráfico de drogas, crimes violentos e roubos à mão armada. Antes de ir embora, porém, ao me dar um beijo no corredor, ela sempre me aconselhava, se referindo ao meu trabalho: "Mas não deixe de tomar cuidado."

Tentei descobrir algo que ela pudesse ter me deixado ver da sua vida privada, mas não havia nada. Não achei nenhum vestígio daquele homem nas minhas lembranças, nem mesmo uma sombra.

Cheguei a Brancion-en-Chalon às duas da manhã. Estacionei na frente do cemitério, cujos portões estavam fechados, e dormi. Tive pesadelos. Senti frio. Voltei a ligar o motor para me aquecer. Dormi de novo. Acordei perto das sete.

Vi a luz acesa na sua casa. Bati na sua porta. Não esperava que quem me atendesse fosse alguém como você. Ao bater na porta de um zelador de cemitério, eu esperava encontrar um senhorzinho corado e barrigudo. Eu sei, os preconceitos são ridículos. Mas quem poderia esperar que fosse você? Com seu olhar afiado, assustado, doce e desconfiado?

Você me pediu para entrar e me ofereceu um café. Sua casa estava quente e tinha um cheiro gostoso. E você também. Você usava um roupão cinza, uma roupa de senhorinha, apesar de algo na sua pessoa irradiar juventude. Não sei como explicar. Uma energia, alguma coisa que o tempo não havia roubado. Parecia que aquele roupão era um disfarce. É isso. Parecia uma criança que havia pegado a roupa de um adulto.

Seu cabelo estava preso em um coque. Não sei se foi o choque que tinha sentido com o tabelião, a viagem durante a noite ou o cansaço que perturbava minha visão, mas achei você incrivelmente surreal. Mais ou menos como um fantasma, uma aparição.

Ao encontrá-la, senti que, pela primeira vez, minha mãe estava compartilhando sua estranha vida paralela comigo. Que ela me levara para o lugar onde realmente havia morado.

E, então, você pegou os registros dos enterros. Foi nesse instante que entendi que você era singular. Que existem mulheres que não se parecem com nenhuma outra. Você não era a cópia de alguém, era alguém.

Enquanto você se arrumava, voltei para o meu carro, liguei o motor e fechei os olhos. Não consegui dormir. Na minha mente, a vislumbrei de novo atrás daquela porta. Você a abriu para mim por uma hora. Era como um trecho de um filme que eu revia em sequência para ouvir a música da cena que tinha acabado de viver.

Quando voltei a sair do carro e vi você no seu longo casaco azul-marinho, me esperando atrás do portão, pensei: Tenho que saber de onde ela é e o que ela está fazendo aqui.

Depois você me levou até o túmulo de Gabriel Prudent. Você tinha a postura bem ereta e um perfil lindo. A cada passo seu, eu via o vermelho sob o casaco. Como se você escondesse segredos profundos. E pensei de novo: Tenho que saber de onde ela é e o que ela está fazendo aqui. *Eu devia ter ficado triste naquela manhã de outubro no seu cemitério gelado e sinistro, mas senti exatamente o oposto.*

Diante do túmulo de Gabriel Prudent, sofri o mesmo que um homem que se apaixona por uma convidada no dia de seu casamento.

Durante minha segunda visita, eu a observei por muito tempo. Você limpando os retratos dos mortos nos túmulos e falando com eles. E pensei, pela terceira vez: Tenho que saber de onde ela é e o que ela está fazendo aqui.

Não precisei perguntar à Sra. Bréant, a dona da pousada, que me disse que você morava sozinha, que seu marido tinha "desaparecido". Achei que "desaparecido" queria dizer "morrido". E confesso que, na hora, fiquei contente. Senti uma alegria obscura ao pensar: Ela é solteira. *Quando a Sra. Bréant explicou que seu marido tinha sumido de um dia para o outro, vinte anos antes, senti que ele poderia voltar. Que aquele estado surreal no qual eu a havia encontrado atrás daquela porta, na primeira noite, dependia disso. Dessas horas suspensas dentro das quais esse desaparecimento havia prendido você, entre uma vida e outra. Uma sala de espera onde você estava sentada havia anos, sem que ninguém viesse chamá-la nem pronunciasse seu nome. Como se Toussaint e Trenet não quisessem essa responsabilidade. Com certeza era isso, essa sensação de disfarce, sua juventude sob um roupão cinza.*

Quis saber por você. Quis libertar a princesa. Bancar o herói de história em quadrinhos. Retirar o casaco azul-marinho para vê-la de vestido vermelho. Será que tentei saber, por meio de você, o que ignorava sobre minha própria mãe, logo, minha própria existência? Com certeza. Invadi sua vida privada para aliviar a minha. E peço desculpas por isso.

Desculpe.

Em vinte e quatro horas, fiquei sabendo o que você parecia ignorar havia vinte anos. Não foi difícil conseguir uma cópia da sua denúncia na delegacia. Nas anotações do sargento que a tinha recebido em 1998, li que seu marido sumia com frequência. Que ele costumava viajar por vários dias, até várias semanas, sem informá-la onde ficava durante aqueles períodos de ausência. Nenhuma busca havia sido feita. O desaparecimento não tinha sido considerado preocupante. O perfil psicológico e moral, bem como o estado de saúde dele, levavam a crer que aquele homem tinha ido embora por vontade própria. Descobri que o desaparecimento dele era só uma lenda. Sua e dos moradores de Brancion.

Uma pessoa maior de idade tem liberdade para nunca mais entrar em contato com seus parentes e, se seu endereço é descoberto, eles só são comunicados com o consentimento dela. Não tenho o direito de lhe passar o endereço de Philippe Toussaint, mas estou mandando mesmo assim. Foi você mesma quem me disse: "Se só fizéssemos o que faz parte das nossas atribuições, a vida seria muito triste."

Faça o que quiser com esse endereço. Eu o anotei e coloquei no envelope em anexo. Abra-o se quiser.

Com meus sinceros votos,
Julien Seul.

Foi a primeira carta de amor que recebi na vida. Uma carta de amor estranha, mas mesmo assim uma carta de amor. Ele só escreveu algumas frases para homenagear a mãe. Palavras que parece ter tido muita dificuldade de expressar. Mas me mandou várias folhas. Definitivamente, é muito mais fácil abrir o coração para uma completa desconhecida do que em uma reunião de família.

Vejo o envelope lacrado em anexo que contém o endereço de Philippe Toussaint. Eu o coloco entre as páginas de uma edição de *Roses Magazine*. Ainda não sei o que vou fazer com ele: mantê-lo no envelope fechado, jogá-lo fora ou abri-lo. Philippe Toussaint mora a cem quilômetros do meu cemitério. Não consigo acreditar nisso. Eu o imaginava no exterior, do outro lado do mundo. Um mundo que há muito tempo não é mais meu.

29

As folhas caem, as estações passam;
só as lembranças são eternas.

Philippe Toussaint se casou comigo no dia 3 de setembro de 1989, aniversário de três anos de Léonine. Ele não me pediu em casamento ajoelhando-se diante de mim nem nada do tipo.

— Seria bom a gente se casar, por causa da menina — simplesmente me disse um dia, em um intervalo entre dois "Vou dar uma volta".

Ponto final.

Algumas semanas depois, ele me perguntou se eu tinha ligado para a prefeitura para estabelecer uma data. Ele disse exatamente isso, "estabelecer uma data". A palavra "estabelecer" não fazia parte do seu vocabulário. Foi assim que entendi que ele só estava repetindo uma frase que tinham sussurrado para ele. Philippe Toussaint se casou comigo a pedido da mãe. Para que eu não pudesse ficar com a guarda de Léonine em caso de separação. Nem ir embora de um dia para o outro sem deixar vestígios, como faz "esse tipo de mulher". Afinal, aos olhos da mãe de Toussaint, eu sempre seria "a outra", "a tal", "aquela mulher". Eu nunca teria nome. Assim como ela nunca seria Chantal para mim.

Na tarde do nosso casamento, pedimos para ser substituídos na cancela pela primeira vez desde que havíamos chegado a Malgrange-sur-Nancy. Nós nos revezávamos para tirar folga, mas nunca tínhamos deixado a cancela juntos. Isso era bom para Philippe Toussaint. Assim nunca podíamos tirar férias. E, durante as minhas folgas, como ele não mudava de comportamento, eu trabalhava.

A prefeitura ficava a trezentos metros do cruzamento da ferrovia, na rua principal. Fomos até lá a pé: Philippe Toussaint, seus pais, Stéphanie — a caixa do mercado —, Léonine e eu. A mãe de Toussaint ia ser a testemunha do filho e Stéphanie, a minha.

Desde o nascimento de Léo, os pais de Toussaint vinham nos ver duas vezes por ano. Quando estacionavam o carro enorme na frente da nossa casa, nosso barraquinho desaparecia. A riqueza deles devorava nossa miséria em segundos. Não éramos pobres, mas também não éramos ricos. Ao menos juntos. Com o passar dos anos, soube que Philippe Toussaint tinha muito dinheiro, mas que havia posto em uma conta à parte, e que sua mãe era sua procuradora. Claro, nós nos casamos em regime de separação de bens. Também não pisamos em uma igreja, para o grande desespero do pai dele. Mas Philippe Toussaint não quis ceder.

A mãe de Toussaint nos telefonava sempre, normalmente nos piores momentos: quando Léonine estava no banho, quando íamos comer, quando era preciso sair de casa para abaixar a cancela e Léo estava no banho. Ligava várias vezes por dia para conseguir falar com o filho, que se ausentava várias vezes para "dar uma volta". Como era eu quem atendia na maior parte do tempo, ouvia o suspiro exasperado da voz dela, que estalava como um chicote.

— Passe para o Philippe.

Não tenho tempo a perder. Estou ocupada demais. Quando ela conseguia, por fim, falar com o filho e eu acabava sendo mencionada na conversa, Philippe Toussaint saía da sala. Eu o ouvia diminuir a voz como se eu fosse uma inimiga, como se ele precisasse desconfiar de mim. O que ele devia falar? Ainda hoje me pergunto o que ele dizia à mãe. Como ele me via? Aliás, será que me via? Eu era a pessoa que o alimentava, que fazia seu trabalho, que lavava, que pintava as paredes e que criava sua filha. Será que ele inventava Violette Trenet? Criava hábitos para mim? Manias? Usava todas as suas amantes para falar apenas de uma mulher, a dele? Pegava um pouco de uma, um pouco da outra, um pouco de uma e da outra para me reconstituir?

A cerimônia foi feita pelo assistente do assistente do prefeito, que leu três frases do Código Civil. Quando pronunciou as palavras "jura amor e fidelidade até que a morte os separe", o trem de 14h07 encobriu sua voz.

— Mamãe, o trem! — gritou Léonine.

Ela não entendeu por que eu não havia saído para baixar a cancela. Philippe Toussaint respondeu "sim". Eu respondi "sim". Ele se inclinou para me beijar.

— Eu os declaro casados — disse o assistente, colocando o paletó, porque o estavam esperando em outro lugar.

Os assistentes dos assistentes com certeza fazem o mínimo exigido pelo sindicato quando a noiva não está de branco. Como ainda dá para ver na única foto tirada por Stéphanie, e o que me resta dessa união, Philippe Toussaint e eu estávamos lindos.

Fomos todos almoçar no Gino, uma pizzaria tocada por alsacianos que nunca haviam posto os pés na Itália. Léonine soprou suas três velinhas entre uma ou outra gargalhada. A luz em seus olhos. Sua expressão maravilhada ao ver o bolo enorme de aniversário que eu havia pedido que preparassem. Ainda posso sentir e voltar a sentir aquele momento, revivê-lo quando quero. Léo e os mesmos cachinhos do pai.

Léo fez de mim uma mãe carinhosa. Eu estava sempre com ela no colo.

— Você não pode largar essa menina um pouco? — Philippe Toussaint costumava dizer.

Minha filha e eu misturamos nossos presentes de casamento e aniversário, então os abrimos de forma aleatória. Foi uma festa alegre. Bom, eu estava feliz, de qualquer forma. Não estava de branco no dia do meu casamento, mas, graças ao sorriso de Léo, usava o vestido mais lindo, o da infância da minha filha.

Entre os presentes, havia uma boneca, um jogo de panelas, massinha de modelar, um livro de receitas, gizes de cera, uma assinatura de um ano do *France Loisirs*, vários adereços de princesa e uma varinha de condão.

Peguei a varinha emprestada de Léo e, com um gesto, disse à pequena plateia que comia o prato do dia com o nariz enfiado na comida:

— Que a fada Léonine abençoe este casamento.

Ninguém me ouviu, com exceção de Léo, que caiu na gargalhada.

— Minha, minha, minha — disse ela, estendendo a mão na direção da varinha.

30

Diante deste rio onde você gostava de sonhar,
os peixes prateados deslizando com tanta leveza,
guarde nossas lembranças que não podem morrer.

Tem muita gente na minha casa hoje. Nono conta suas histórias ao padre Cédric e aos três apóstolos. É raro ter os irmãos Lucchini reunidos. Um sempre está ocupado na loja, mas faz dez dias que ninguém morre.

My Way dorme encolhido no colo de Elvis, que, como sempre, olha pela janela, cantarolando. Nono faz todos rirem:

— E, quando bombeavam água, às vezes a gente abria as fossas, ou uma cova, e elas estavam cheias de água no fundo. Metíamos uma mangueira dentro delas para esvaziar, uma mangueira deste tamanho!

Nono faz gestos exagerados para descrever o diâmetro da mangueira.

— Quando ligávamos a bomba, tínhamos que segurar a mangueira! Bom, o Gaston tinha largado a mangueira no corredor... Assim, pelo chão mesmo... E a mangueira inchou, inchou e, de repente, BUM, tinha água para todo lado! E, quando a água saiu como um tiro, o Gaston e o Elvis quase afogaram uma senhora! Bem na cara! Foi tudo pelos ares! A senhora, os óculos, o coque e a bolsa de couro de crocodilo dela! Vocês tinham que ver a situação! Fazia três anos que ela não vinha visitar o marido morto e, bom, a gente nunca mais viu a mulher!

Elvis se vira.

— *With the rain in my shoes, rain in my shoes, searchin' for you* — canta.

— Eu me lembro disso! — intervém Pierre Lucchini. — Eu estava aqui! Meu Deus, como eu ri! Era a mulher de um mestre de obras! Daquelas travadas, que riem quando os outros se dão mal. Mais rígida que uma porta. Quando era vivo, o marido a chamava de Mary Poppins, porque ele sonhava que ela desaparecesse, mas ela nunca sumia. Estava sempre em cima dele.

— Mas realmente nenhum enterro é igual ao outro — lembra Nono.

— É igual ao pôr do sol na beira da praia — canta Elvis.

— E você já viu o mar? — pergunta Nono.

Elvis se volta para a janela, sem responder.

— Eu — continua Jacques Lucchini — já vi enterros em que havia uma quantidade enorme de gente e outros com cinco ou seis pessoas. Bom, como sempre digo, a gente enterra mesmo assim... Mas é verdade que, durante os enterros, vi brigas por causa de herança, berros na frente do caixão... O pior que vi foram duas mulheres que tiveram que ser separadas porque estavam arrancando o cabelo uma da outra... Duas malucas histéricas... E meu pai, que ele descanse em paz, levou uns belos tapas naquele dia... Elas berravam: "Você é uma ladra, por que pegou isso, por que quer isso?" Se xingavam... Não é triste?

— No meio do enterro... Que maravilha... — suspira Nono.

— Foi antes de você chegar, Violette — diz Jacques Lucchini. — Ainda foi com o antigo zelador, o Sasha.

Ouvir o nome de Sasha faz com que eu me sente. Ninguém o mencionava em voz alta na minha frente havia anos.

— Aliás, o que aconteceu com o Sasha? — pergunta Paul Lucchini. — Alguém tem alguma notícia?

Nono trata logo de mudar de assunto:

— Há uns dez anos, um túmulo antigo foi comprado… Tivemos que jogar fora tudo que havia nele. Limpamos tudo e colocamos as coisas em uma caçamba, embora costumemos devolvê-las às famílias, quando elas querem. Mas, naquele caso, eram muito velhas. Estavam destruídas mesmo. Achei uma placa antiga em que estava escrito: "Às minhas queridas desaparecidas." Então joguei na caçamba. Depois, vi uma senhora muito bem-arrumada… Não vou falar o nome dela por respeito, porque é uma mulher muito gentil e corajosa… Ela pegou a placa que dizia "Às minhas queridas desaparecidas" na caçamba e a enfiou em um saco plástico. Eu perguntei: "Mas o que a senhora vai fazer com isso?" Ela me respondeu, muito séria, na lata: "Meu marido não tem as bolas. Vou dar de presente para ele!"

Os homens riram tão alto que My Way ficou com medo e subiu para o meu quarto.

— E Deus em tudo isso? — pergunta o padre Cédric. — Será que essas pessoas todas acreditam em Deus?

Nono hesita antes de responder.

— Algumas passam a acreditar no dia em que Ele as livra dos idiotas. Eu já vi viúvas alegres e viúvos felizes. Posso dizer que, nesses casos, eles agradecem a Deus com muito afinco, senhor padre… Ah, é só brincadeira, não faça essa cara. Seu Deus alivia muito a tristeza. É simples: se ele não existisse, íamos ter que inventá-lo.

O padre Cédric sorriu para Nono.

— A gente vê de tudo na nossa profissão — continua Paul Lucchini. — Tristeza, alegria, crentes, o tempo que passa, o insustentável, a injustiça, o insuportável… É assim mesmo. No fundo, nós, os cangalheiros, trabalhamos com a vida. Talvez ainda mais do que as outras profissões. Porque as pessoas que nos procuram são as que ficam, que continuam vivas… Nosso pai, que descanse em paz, sempre dizia: "Meus filhos, nós somos as parteiras da morte. Nós parimos a morte, então aproveitem a vida e façam valer."

31

Éramos dois para nos amar,
mas sou a única a, por você, chorar.

A moto de Philippe Toussaint não o levou para longe de Brancion. Ele mora a exatos cem quilômetros do meu cemitério. Simplesmente mudou de região.

Várias vezes me fiz um monte de perguntas: *O que fez com que ele tivesse parado em outra vida e ficado lá? A moto parou ou ele se apaixonou? Por que não me avisou? Por que não me mandou uma carta de rescisão, de demissão, de abandono? O que aconteceu no dia em que foi embora? Será que ele sabia que não voltaria? Será que falei alguma coisa que não devia ou, ao contrário, não falei nada?* No fim, eu já não falava nada. Eu preparava a comida.

Ele não havia feito nenhuma mala. Não havia levado nada. Nenhuma roupa, nenhum bibelô, nenhuma foto da nossa filha.

No início, achei que estava se demorando na cama de outra mulher. Uma que falava com ele.

Depois de um mês, pensei que tivesse sofrido um acidente. Depois de dois meses, fui até a polícia para fazer o registro do desaparecimento. Como poderia saber que Philippe Toussaint tinha zerado a conta no banco? Eu não tinha acesso a ela. Apenas a mãe dele tinha a procuração.

Depois de seis meses, tive medo de que ele voltasse. Quando me acostumei à sua ausência, recuperei o fôlego. Como se tivesse ficado muito tempo embaixo d'água, no fundo de uma piscina. Sua partida permitiu que eu tomasse impulso e subisse até a superfície para respirar.

Depois de um ano, pensei: *Se ele voltar, vou matá-lo.*

Depois de dois anos, pensei: *Se ele voltar, não vou deixá-lo entrar.*

Depois de três anos: *Se ele voltar, vou chamar a polícia.*

Depois de quatro anos: *Se ele voltar, vou chamar o Nono.*

Depois de cinco anos: *Se ele voltar, vou chamar os irmãos Lucchini.* Mais especificamente Paul, que é tanatopraxista.

Depois de seis anos: *Se ele voltar, vou fazer umas perguntas antes de matá-lo.*

Depois de sete anos: *Se ele voltar, eu vou embora.*

Depois de oito anos: *Ele não vai mais voltar.*

Saio da casa do Dr. Rouault, o tabelião de Brancion, depois de pedir que ele mande uma carta para Philippe Toussaint. Ele me disse que não podia fazer nada. Que eu tinha que procurar um advogado especialista em direito de família, que esse era o procedimento certo.

Como conheço bem o Dr. Rouault, eu pedi que fizesse isso por mim. Ligasse para um advogado de sua escolha e escrevesse a carta por mim, sem que eu tivesse que explicar nada, justificar nada, implorar ou ordenar nada. Apenas para informar a Philippe Toussaint que eu gostaria de recuperar meu nome de solteira, Trenet. Falei ao Dr. Rouault que não era uma questão de pedir uma pensão alimentícia nem nada parecido. Seria só uma formalidade. O Dr. Rouault mencionou uma "compensação por abandono de domicílio".

— Não — respondi. — Nada.

Não quero nada.

O Dr. Rouault me disse que, quando eu fosse mais velha, isso poderia ser melhor para mim, mais confortável. Eu vou envelhecer no meu cemitério. Não vou precisar de mais conforto do que já tenho.

— Você sabe, minha querida Violette, que talvez um dia não consiga mais trabalhar — insistiu ele —, que vai ter que se aposentar, descansar.

— Não, nada.

— Está bem, Violette. Vou cuidar de tudo.

Ele anotou o endereço que Julien Seul havia posto no envelope selado, o qual acabei abrindo.

Sr. Philippe Toussaint, a/c Sra. Françoise Pelletier
Avenida Franklin Roosevelt, 13
69500 Bron

— Posso perguntar como você o encontrou? Achei que seu marido tivesse desaparecido. Nesse tempo todo, ele deve ter tido que trabalhar, ter um CPF!

Era verdade. A prefeitura havia parado de pagar pelo serviço dele no cemitério alguns meses depois do desaparecimento. Isso também eu só soube muito depois. Os pais de Toussaint recebiam os contracheques e faziam as declarações de imposto de renda dele. Como vigias ferroviários ou zeladores do cemitério, nunca tivemos que pagar aluguel nem contas. Eu fazia as compras do dia a dia com meu salário.

— Eu dou um teto, luz e aqueço você e, em troca, você me alimenta — dizia Philippe Toussaint.

A não ser para pagar pela manutenção da moto, ele não tocou no salário dele durante anos de vida em comum. Era sempre eu quem comprava as roupas dele e da Léonine.

— Tem certeza de que é ele? Toussaint é um nome comum. Talvez seja alguém com o mesmo nome. Ou alguém que se pareça com ele.

Expliquei ao Dr. Rouault que a gente sempre pode se enganar, mas não quando revê o homem com quem dividiu tantos anos de vida. Que mesmo que ele tivesse perdido o cabelo e ganhado peso, eu nunca confundiria Philippe Toussaint com outro homem.

Contei sobre o delegado Julien Seul ao Dr. Rouault. Que aquele era seu nome de verdade, sobre como tinha aparecido no meu cemitério, sobre as cinzas de sua mãe, sobre Gabriel Prudent, sobre a investigação que ele havia feito a respeito de Philippe Toussaint sem pedir minha permissão, por causa de um vestido vermelho que era mais comprido do que meu casaco, e sobre a volta de Philippe Toussaint à vida, a apenas cento e dez quilômetros do meu cemitério. Contei que eu havia pegado o carro de Nono emprestado — "Norbert Jolivet, o coveiro", expliquei —, seguido até Bron e estacionado ao lado do número treze da avenida Franklin Roosevelt, que o número treze era uma casa parecida com a que eu tinha morado em Malgrange-sur-Nancy quando era vigia ferroviária no leste da França, mas que tinha cortinas bonitas nas janelas, um andar a mais e as janelas eram de carvalho com vidros duplos. Contei que diante do número treze ficava a *brasserie* Carnot. Que havia tomado três cafés enquanto esperava. Que eu não tinha a menor ideia do que esperava. E, então, que eu o havia visto atravessar a avenida.

Estava com outro homem. Os dois estavam sorrindo. Tinham caminhado na minha direção. Entrado na *brasserie*. Eu havia abaixado a cabeça.

Tivera que me agarrar ao balcão quando Philippe Toussaint passara atrás de mim. Eu havia reconhecido seu cheiro, seu perfume específico, uma mistura de Pour un Homme com o de outras mulheres. Ele ainda usava o cheiro delas, como uma roupa que eu odiava. Com certeza era o cheiro de suas antigas amantes, que tinha colado nele como uma lembrança ruim e que só eu percebia. Mesmo depois de todos aqueles anos.

Os dois homens pediram pratos do dia. Eu o havia observado almoçar pelo espelho à minha frente. Tinha pensado que tudo era possível, que ele estava sorrindo e qualquer pessoa podia refazer sua vida, que nem eu nem Léonine tínhamos notícias dele havia muito tempo e que todos em sua nova realidade desconheciam esse fato.

Que qualquer pessoa podia aparecer em uma vida e desaparecer na outra. Aqui ou em outro lugar, qualquer pessoa era capaz de se reconstruir, de refazer tudo. Qualquer pessoa podia ser Philippe Toussaint, que tinha ido dar uma volta e não havia voltado.

Philippe Toussaint havia engordado, mas tinha um sorriso sincero. Eu nunca o vira sorrir daquele jeito na época em que morávamos juntos. Seu olhar continuava sem traços de curiosidade. Ele morava na avenida Franklin Roosevelt, e eu sabia que, mesmo naquela realidade, em que ele sorria mais do que antes, Philippe Toussaint não sabia quem era Roosevelt, que, mesmo que tivesse mudado de vida, se alguém lhe perguntasse quem era Franklin Roosevelt, ele responderia: "O nome da minha rua."

Agarrada ao balcão, eu havia entendido que tivera muita sorte por ele ter ido embora e nunca mais voltado. Eu não havia me mexido. Não tinha me virado. Ficara de costas para ele. Só pudera ver seu reflexo sorridente no espelho.

O garçom o chamara de "Sr. Pelletier", mas o que parecia ser seu amigo o havia chamado duas vezes de "patrão".

— Ponho tudo na conta, como sempre, Sr. Pelletier? — dissera depois o garçom.

— Pode pôr — respondera Philippe Toussaint.

Eu o seguira até a rua. Os dois homens caminhavam lado a lado. Tinham entrado em uma oficina a duzentos metros da *brasserie*, a oficina Pelletier.

Eu havia me escondido atrás de um carro que parecia em tão mal estado quanto eu quando Philippe Toussaint desaparecera. Em pane, amassado, arranhado, estacionado em um canto, esperando para saber o que ia ser feito. Com certeza algumas peças do motor podiam ser recuperadas. Um resto de combustível no fim do tanque. O suficiente para dar a partida. Terminar a viagem.

Philippe Toussaint seguira em direção a um escritório todo envidraçado. Tinha feito uma ligação. Parecera ser o dono. Mas, quando Françoise Pelletier chegara dez minutos depois, passou a parecer o marido da dona. Ele havia olhado para ela com um sorriso no rosto. Ele havia olhado para ela com amor. Ele havia olhado para ela.

E eu tinha ido embora.

Pegara o carro de Nono e havia uma multa presa entre o para-brisa e o limpador: cento e trinta e cinco euros, por ter estacionado em um lugar proibido.

— É a história da minha vida — disse ao tabelião, sorrindo.

O Dr. Rouault ficou sem palavras por alguns segundos.

— Minha cara Violette, eu já vi de tudo como tabelião. Tios que se fazem passar por filhos, irmãs que não se reconhecem, falsas viúvas, falsos viúvos, falsos filhos, falsos pais, declarações falsas e testamentos falsos, mas ninguém nunca me contou uma história como esta.

Depois me acompanhou até a porta.

Antes que eu saísse de seu escritório, ele me prometeu cuidar de tudo. Do advogado, da carta, das formalidades do divórcio.

O Dr. Rouault gosta muito de mim porque, sempre que vai gear, eu cubro as flores africanas que ele plantou para sua mulher. Marie Dardenne, sobrenome de casada Rouault (1949-1999).

32

Meus caros amigos, quando eu morrer, plantem um salgueiro no cemitério. Adoro suas folhas que choram. A palidez delas me é doce e cara, e sua sombra será leve na terra em que descansarei.

Em abril, para combater os pulgões, ponho larvas de joaninha nas minhas roseiras e nas dos mortos. Sou eu que coloco as joaninhas sobre as plantas, uma a uma, com um pincelzinho. É como se eu voltasse a pintar meu cemitério na primavera. Como se plantasse escadas entre a terra e o céu. Não acredito em fantasmas nem zumbis, mas acredito nas joaninhas.

Tenho certeza de que, quando uma joaninha pousa em mim, é uma alma me mandando um abraço. Quando eu era pequena, imaginava que a joaninha era meu pai vindo me ver. Que minha mãe tinha me abandonado porque meu pai havia morrido. E, como acreditamos nas histórias que queremos acreditar, sempre imaginei que meu pai se parecia com Robert Conrad, o herói de *James West*. Que ele era bonito, poderoso, carinhoso e me adorava lá do céu. Que ele me protegia de onde estava.

Eu tinha inventado um anjo da guarda para mim. Aquele que chegara atrasado no dia do meu nascimento. Mas depois cresci. E entendi que meu anjo da guarda nunca teria um contrato vitalício. Que com frequência ele teria que ir atrás de emprego e, como canta

Brel, se embebedaria "todas as noites, com vinho ruim". Meu Robert Conrad envelheceu mal.

Dispor as joaninhas uma a uma me ocupa durante dez dias, se eu fizer só isso. Se não houver nenhum enterro nesse meio-tempo. Colocá-las nas roseiras me dá a sensação de abrir as portas para o sol, de deixá-lo entrar em todos os cantos do meu cemitério. É como se eu lhe desse uma autorização para estar ali. Um passe livre. Mas isso não impede ninguém de morrer no mês de abril nem de me visitar.

Mais uma vez, eu não o ouço chegar. Está atrás de mim. Julien Seul está atrás de mim. Ele me observa sem se mexer. Há quanto tempo está aqui? Ele segura contra o peito a urna com as cinzas de sua mãe. Seus olhos brilham como as pedras de mármore preto cobertas de gelo quando o sol de inverno reflete levemente nelas. Eu fico sem palavras.

Vê-lo me faz sentir da mesma forma que meus armários: um vestido de lã preta sobre uma camisola de seda rosa. Não sorrio para ele, mas meu coração bate como uma criança que chega atrasada à porta de sua loja de doces preferida.

— Voltei para contar por que minha mãe queria ser enterrada no túmulo de Gabriel Prudent.

— Já estou acostumada com homens que desaparecem.

É a única coisa que consigo responder.

— Pode me acompanhar até o túmulo dele?

Pouso meu pincel com delicadeza sobre a cova da família Monfort e me dirijo à de Gabriel Prudent.

Julien Seul me segue.

— Sou péssimo para me localizar, em um cemitério então... — diz.

Andamos lado a lado, em silêncio, em direção ao corredor dezenove. Quando chegamos ao túmulo de Gabriel Prudent, Julien Seul coloca a urna sobre o mármore, depois a muda de posição várias vezes, como se não conseguisse definir a localização ideal, como se tentasse achar o lugar certo para encaixar uma peça de quebra-cabeça. Acaba apoiando-a contra a lápide, à sombra.

— Como minha mãe preferia a sombra ao sol...

— Quer ler o discurso que escreveu? Quer ficar sozinho?

— Não, prefiro que você o leia mais tarde. Quando o cemitério estiver fechado. Tenho certeza de que sabe fazer isso muito bem.

A urna é verde, da cor de um pinheiro. O nome "Irène Fayolle (1941-2016)" foi gravado em letras douradas. Ele parece pensar por alguns instantes, e fico perto dele.

— Eu nunca soube rezar... Esqueci as flores. Você ainda vende?

— Vendo.

Depois de escolher um vaso de narcisos, ele me diz que quer ir até a cidade para comprar uma placa funerária. Pergunta-me se posso acompanhá-lo à Tourneurs du Val, a funerária dos irmãos Lucchini. Aceito sem pensar. Nunca fui à Tourneurs du Val. Faz vinte anos que indico o caminho para outras pessoas, mas nunca coloquei os pés na loja.

Entro no carro do delegado. Tem cheiro de cigarro. Ele fica em silêncio. Eu também. Quando dá a partida, um CD dentro do rádio começa a gritar "Elsass Blues", de Alain Bashung, no último volume. Nós levamos um susto. Ele desliga o rádio. Começamos a rir. Deve ser a primeira vez que Alain Bashung faz alguém rir com essa música maravilhosa, mas extremamente triste.

Estacionamos na frente da Tourneurs du Val. A loja dos irmãos Lucchini fica ao lado do necrotério, mas também do Phénix, o restaurante chinês de Brancion-en-Chalon. É a piada preferida de todos os moradores daqui. Mas isso não impede o Phénix de ficar lotado na hora do almoço.

Nós abrimos a porta. Há placas funerárias e buquês de flores artificiais na vitrine. Odeio flores artificiais. Uma rosa de plástico é como uma luminária que tenta imitar o sol. Dentro da loja, madeiras de caixão ficam expostas como nas lojas de material de construção em que podemos escolher a cor do piso. Há madeiras de lei para fazer caixões excepcionais. Para os de qualidade inferior, madeiras macias, duras, exóticas e compensados. Espero que o amor que a gente dá a uma pessoa viva não seja medido pela qualidade da madeira que escolhemos.

Em quase todas as placas da vitrine, podemos ler: "Rouxinol, se você voar em torno deste túmulo, cante para ele sua mais linda canção." Depois de ler alguns dos versos que Pierre Lucchini apresentou, Julien Seul escolheu "À minha mãe", em letras de bronze sobre uma placa preta. Apenas isso, sem poema nem epitáfio.

Pierre fica abismado ao me ver em sua loja. Ele não sabe o que me dizer, apesar de passar na minha casa várias vezes por semana, há anos, e de nunca ter pensado em entrar no meu cemitério sem vir me cumprimentar.

Sei quase tudo sobre Pierre, seus saquinhos de bolinha de gude, seu primeiro amor, sua mulher, as gargantas inflamadas de seus filhos, sua tristeza quando perdeu o pai, os produtos que usa para a queda de cabelo, mas, nesse instante, é como se eu fosse uma desconhecida em meio às flores de plástico e as placas que falam apenas da eternidade.

Julien Seul paga e nós vamos embora.

Na volta para meu cemitério, Julien Seul pergunta se pode me levar para jantar. Ele quer me contar a história de sua mãe e Gabriel Prudent.

E me agradecer por tudo. Mas também pedir desculpas por ter procurado Philippe Toussaint sem falar comigo.

— Está bem, mas prefiro que a gente jante na minha casa — respondo.

Assim vamos ter tempo e não vamos ser incomodados por um garçom entre cada prato. Não vai ter carne no jantar, mas vai ser bom mesmo assim. Ele me informa que vai reservar o quarto na casa da Sra. Bréant, apesar de ele nunca ficar ocupado, e que estará de volta à minha casa às oito da noite.

33

Com o tempo, tudo se vai, tudo, esquecemos as paixões e as vozes baixinhas em que os coitadinhos diziam: não volte tarde e, sobretudo, não pegue frio.

Irène Fayolle e Gabriel Prudent se conheceram em Aix-en-Provence, em 1981. Ela com quarenta anos e ele, cinquenta. Ele defendia um preso que ajudara outro a fugir, enquanto Irène estava no tribunal a pedido de Nadia Ramirès, sua funcionária e amiga. Nadia era esposa de um cúmplice do preso.

— A gente não escolhe por quem se apaixona — dissera ela a Irène, entre um retoque nas raízes e uma escova. — Seria simples demais.

Irène Fayolle compareceu ao tribunal no dia dos argumentos finais do Dr. Prudent. Ele falou do barulho das chaves, da liberdade, da necessidade de se extirpar daqueles muros intermináveis, de reencontrar o céu, o horizonte esquecido, o aroma do café em um bistrô. Falou da solidariedade que existe entre os prisioneiros. Disse que o confinamento da prisão podia fazer nascer uma verdadeira fraternidade entre os homens, que a liberdade de expressão era como uma saída de emergência, que perder a liberdade era perder uma pessoa querida. Como um processo de luto. E ninguém que não tivesse vivido aquilo seria capaz de entender.

Como em *Vinte e quatro horas na vida de uma mulher*, de Stefan Zweig, durante os argumentos finais, Irène Fayolle olhou apenas para as mãos do Dr. Prudent. Mãos grandes, que ele abria ou fechava dependendo da situação. Com unhas brancas, perfeitamente lixadas. Irène Fayolle pensou: *Engraçado, as mãos deste homem não envelheceram. Continuaram na infância. São as mãos de um jovem. Mãos de pianista.* Toda vez que Gabriel Prudent falava com o júri, elas se abriam. Quando falava com o promotor, elas se fechavam com tanta força que pareciam murchas, como se voltassem à verdadeira idade. Quando encarava o juiz, elas se imobilizavam. Quando observava a plateia, elas não paravam, como se fossem dois adolescentes animados demais. E, quando ele se voltava para o acusado, elas se juntavam e se apoiavam uma contra a outra, como dois gatinhos em busca de calor. Em alguns segundos, suas mãos passavam da prisão à alegria, da contenção à liberdade, depois seguiam em direção a um tipo de oração, de súplica. Na verdade, as mãos apenas imitavam suas palavras.

Depois do discurso, todos tiveram que deixar a sala do tribunal para ir tomar alguma coisa em Aix, enquanto o júri deliberava. O tempo em Aix estava bom, como sempre, mas aquilo não deixou Irène mais alegre nem mais triste. O tempo bonito nunca causara nada nela. Irène não dava a mínima para ele.

Nadia Ramirès foi até a igreja do Saint-Esprit acender uma vela. Irène entrou em um café qualquer. Não quis ficar na varanda com todas as outras pessoas. Subiu para o primeiro andar, para ficar em paz. Queria ler. Na noite da véspera, enquanto Paul, seu marido, já dormia, ela havia começado um romance no qual queria voltar a mergulhar.

O Dr. Prudent, que gostava do sol, mas não de multidões, estava lá, sozinho, sentado em um canto. Contra uma janela fechada, ele esperava o veredito de seu cliente. Fumava um cigarro atrás do outro, com o olhar perdido. Embora estivesse sozinho no andar, a fumaça espessa preenchia o cômodo e chegava até os lustres. Antes de apagar um cigarro, ele o usava para acender outro. Mais uma vez, Irène ficou imóvel ao vê-lo apagar com a mão direita uma bituca no cinzeiro.

No romance do dia anterior, ela havia lido que um fio invisível liga as pessoas destinadas a se encontrar, que esse fio pode se emaranhar, mas nunca se romper.

Quando viu Irène Fayolle no topo da escada, Gabriel Prudent disse:

— A senhora estava no tribunal há pouco.

Não foi uma pergunta, só uma constatação. A sala do tribunal estava cheia. E ela se sentara no fundo, no antepenúltimo banco. Como ele a havia visto? Ela não perguntou. Apenas se sentou em um canto, em silêncio.

Como se tivesse ouvido os pensamentos dela, ele começou a descrever as roupas que cada membro do júri usava, além do que trajavam os dois suplentes, os réus e todas as pessoas sentadas na plateia. Uma após a outra. Ele usava palavras engraçadas para falar da cor de uma calça, de uma saia ou de um suéter, como "amaranto", "azul-ultramarino", "branco-cal", "limão" e "coral". Parecia um tintureiro ou um vendedor de tecidos da feira de Saint-Pierre. Tinha até notado que a senhora sentada na ponta esquerda do terceiro banco, "com o coque largo, um lenço cor de papoula e um terninho cinza de linho", usava um broche em forma de escaravelho. Durante aquela alucinante descrição das vestimentas, ele agitara as mãos em certos momentos. Especialmente quando tivera que dizer a palavra "verde", que não havia pronunciado. Como se aquela palavra fosse proibida, ele tinha usado "esmeralda", "menta com água", "pistache" e "azeitona".

Ainda em silêncio, Irène Fayolle se perguntara para que um advogado ia querer identificar as roupas de cada pessoa.

Mais uma vez, como se tivesse ouvido seus pensamentos, ele explicou que, em um tribunal, tudo podia ser deduzido por meio das roupas. A inocência, o arrependimento, a culpa, o ódio e o perdão. Que todos escolhiam com cuidado o que usavam no dia de um julgamento, fosse o deles ou o de outra pessoa. Assim como em um enterro ou em um casamento. Não havia espaço para o acaso. E, a partir do que cada pessoa usava, ele conseguia adivinhar se ela apoiava o réu ou não, se estava ali por parte da acusação, da defesa, se era um pai, um irmão, uma mãe, um vizinho, uma testemunha, uma namorada, um amigo, um inimigo ou um curioso. E ajustava os argumentos finais de acordo com as roupas e a aparência de cada um, quando lançava as palavras e o olhar sobre cada pessoa. Por exemplo, se ele levasse em conta o modo como ela, Irène Fayolle, estava vestida, ficava claro que ela não estava envolvida no caso. Que não defendia nenhum dos lados. Que estava lá só como diletante.

"Diletante." Ele realmente usou essa palavra.

Ela não teve tempo de responder. Nadia Ramirès tinha acabado de se juntar a ela. A moça disse a Irène que ela havia exagerado ao se fechar naquele bistrô com um sol daqueles, que o namorado dela devia estar sonhando com uma varanda. E que, se ele fosse absolvido, os dois visitariam todas as varandas de Aix, uma após a outra, para comemorar. E Irène Fayolle pensou: *Já o meu sonho é continuar a ler o romance que está no fundo da minha bolsa... ou ir para a Islândia com o homem das mãos bonitas que está fumando um cigarro atrás do outro no fundo desta sala.*

Nadia cumprimentou o Dr. Prudent, disse que os argumentos finais dele tinham sido excepcionais, que, como combinado, ela o pagaria em parcelas mensais e que *seu Jules* com certeza seria absolvido graças a ele.

— Vamos saber daqui a pouco, depois da deliberação — respondeu o advogado entre as tragadas, com uma voz grave. — A senhora está muito bonita. Gostei muito desse vestido rosa-claro. Tenho certeza de que ajudou a animar o seu marido.

Irène tomou um chá; Nadia, um suco de damasco; e Gabriel Prudent, um chope sem colarinho. Ele pagou por tudo e saiu antes delas. Irène olhou para as mãos dele uma última vez. Estavam fechadas sobre as pastas que ele levava. Duas pinças grandes que seguravam os casos em curso.

Irène Fayolle não pôde entrar na sala do tribunal para o veredito — apenas as famílias podiam estar presentes. Mas ela esperou na frente do tribunal, na ponta da passarela, para observar as cores das roupas das pessoas que saíam de lá. Viu o suéter ultramarino, o vestido coral, a saia menta com água e o escaravelho da mulher de coque. Viu todos, um por um.

Irène voltou sozinha para Marselha. Nadia Ramirès ficou em Aix para comemorar a absolvição de seu Jules de varanda em varanda.

Algumas semanas depois, Irène fechou o salão de cabeleireiro e se lançou na horticultura. Disse que queria fazer outra coisa com as mãos. Tinha se cansado de cortar cabelo, dos produtos com amônia, dos lavatórios e, especialmente, das fofoqueiras. Irène Fayolle tinha uma natureza silenciosa, misteriosa demais para ser cabeleireira. Para ser bom cabeleireiro, era preciso ser curioso, engraçado e generoso. Ela achava que não tinha nenhum desses atributos.

Havia anos que a terra e as rosas a perseguiam. Com o dinheiro do salão, ela comprou um terreno no sétimo distrito de Marselha, que transformou em um roseiral. Aprendeu a plantar, a cultivar, a regar, a colher. E também a criar novas variedades de rosas cor de carmim, framboesa, romã e de tons clarinhos. Tudo isso pensando nas mãos de Gabriel Prudent.

Ela criou flores como se criasse mãos que se abriam e se fechavam de acordo com o clima.

Um ano depois, Irène Fayolle acompanhou Nadia Ramirès a Aix-en-Provence para um segundo julgamento. O marido de Nadia havia sido preso outra vez por tráfico de drogas. Antes da viagem, Irène se perguntou como devia se vestir para não parecer uma "diletante".

Ficou decepcionada. O Dr. Prudent não estava mais lá. Tinha deixado a região.

Irène ficou sabendo disso no caminho entre Marselha e Aix, no carro, quando Nadia explicou que estava preocupada porque, daquela vez, não seria o Dr. Prudent que defenderia seu Jules, e sim um colega dele.

— Mas por quê? — perguntou Irène, como uma criança que sai de férias e fica sabendo que não vai ver o mar.

Por causa do divórcio, ele havia se mudado. Era tudo que Nadia sabia.

Os meses passaram até o dia em que uma mulher entrou no roseiral de Irène Fayolle para pedir um buquê de rosas brancas, que devia ser entregue em Aix-en-Provence. Enquanto preenchia o recibo de entrega, Irène notou que as rosas deviam ser entregues no cemitério de Saint-Pierre d'Aix, para o enterro da Sra. Martine Robin, esposa de Gabriel Prudent.

Pela primeira vez, foi Irène quem fez a entrega na manhã do dia 5 de fevereiro de 1984, em Aix-en-Provence, onde havia geado a noite toda. Ela havia cuidado muito bem do buquê de flores que iria entregar. Ele ocupava todo o banco traseiro de seu furgão.

No cemitério de Saint-Pierre, um funcionário municipal a autorizou a entrar pela passagem de carros, para que ela pudesse colocar as rosas perto da sepultura de Martine Robin, que ainda não havia sido enterrada. Ainda eram dez horas e o enterro só aconteceria à tarde.

"Martine Robin, sobrenome de casada Prudent (1932-1984)", estava gravado no mármore. Sob o nome dela, sua foto já havia sido incluída: uma mulher bonita, de cabelo escuro, sorria para a câmera. A foto devia ter sido tirada quando Martine tinha por volta de trinta anos.

Irène saiu para esperar. Queria rever Gabriel Prudent. Mesmo que fosse de longe. Mesmo que ficasse escondida. Queria confirmar se o viúvo era ele, se era mesmo a esposa dele que ia ser enterrada. Procurou entre os obituários, mas não encontrou nada que falasse sobre ele.

"É com grande tristeza que anunciamos o falecimento súbito de Martine Robin, em Aix-en-Provence, à idade de cinquenta e dois anos. Martine era filha dos falecidos Gaston Robin e Micheline Bolduc. Ela deixa de luto a filha Marthe Dubreuil, os irmãos Richard e

Mauricette, a tia Claudine Bolduc-Babé, a sogra Louise, vários primos, sobrinhos e sobrinhas, bem como os amigos próximos Nathalie, Stéphane, Mathias e Ninon, além de vários outros."

Nenhum vestígio de Gabriel Prudent. Como se ele tivesse sido apagado da lista de pessoas que tinham direito à tristeza.

Irène saiu do cemitério e foi até o primeiro bistrô que encontrou, a cerca de trezentos metros dali. Um restaurante de beira de estrada. *Que estranho este restaurante de beira de estrada enfiado entre o cemitério e a piscina municipal de Aix,* ela pensou. *Parece estar deslocado.*

Ela estacionou e quase deu meia-volta — os vidros estavam sujos e as cortinas que pendiam das janelas eram velhas. Mas uma sombra a impediu. Dentro do restaurante, havia uma silhueta curvada. Apesar dos vidros sujos, ela a reconheceu. Ele estava lá. De verdade. Apoiado contra uma janela fechada, fumando um cigarro, olhando para o nada.

Por alguns segundos, Irène achou que estivesse alucinando, confusa, imaginando seus desejos como se fossem realidade, vivendo parte de um romance, não a vida real — aquela menos divertida do que a que prometemos para nós mesmos quando estávamos no quarto ano. Além disso, ela só o havia visto uma vez, três anos antes.

Ele ergueu a cabeça quando ela entrou. Havia três homens apoiados no balcão, e apenas Gabriel Prudent estava a uma mesa.

— Você estava em Aix para o julgamento de Jean-Pierre Reyman e Jules Ramirès, quando Miterrand foi eleito... — disse ele. — Você é a diletante.

Ela não ficou surpresa com o fato de ele a reconhecer. Como se aquilo fizesse sentido.

— Isso mesmo. Olá, sou a amiga da Nadia Ramirès.

Ele balançou a cabeça e acendeu outro cigarro com as últimas cinzas da bituca anterior.

— Eu me lembro — respondeu.

E, sem convidá-la a se sentar com ele, como se fosse algo já determinado, ele pediu dois cafés e dois calvados, levantando o indicador e depois apontando-o na direção da garçonete para chamar sua atenção. Mais uma vez, Irène Fayolle, que nunca havia tomado café — apenas chá —, muito menos aguardente às dez da manhã, concentrou-se nas mãos de Gabriel e se sentou diante dele. As mãos do advogado ainda não haviam envelhecido.

Foi ele quem falou primeiro, e muito. Disse que tinha voltado a Aix para enterrar Martine, sua esposa, ou melhor, sua ex-esposa, que não suportava as bênçãos, os beatos e a culpa. Então, ele não ia à cerimônia religiosa, apenas ao enterro. Ia esperar ali. Disse que já morava com outra mulher em Mâcon havia dois anos; que nunca tinha voltado a ver Martine, sua esposa, quer dizer, sua ex-esposa, desde que tinha ido embora; que, como ele a deixara porque tinha conhecido outra mulher, a filha dele — que não era mais criança — fazia cara feia para ele; que tinha ficado destruído com a notícia — Martine, morta! —, mas que ninguém entenderia; que ele seria sempre o safado que tinha abandonado a esposa. E, como vingança pós-morte, ou Martine, sua esposa, quer dizer, sua ex-esposa, ou sua filha, ele não sabia qual das duas, havia mandado gravar o sobrenome dele na lápide. Ela o levara com ele para a eternidade.

— E a senhora? Teria feito isso também?

— Não sei.

— A senhora mora em Aix?

— Não, em Marselha. Vim entregar as flores hoje de manhã no cemitério para a sua esposa, ou melhor, sua ex-esposa. Antes de ir embora, queria tomar um chá. Está frio. Não é que o frio me incomode, pelo contrário, mas eu estava com frio. Pelo menos o calvados esquenta. Acho que estou meio zonza. Na verdade, não acho, estou zonza. Não vou poder pegar a estrada agora, com esse calvados forte assim... Desculpe-me pela indiscrição, normalmente eu não sou assim, mas como o senhor conheceu sua nova esposa?

— Ah, não foi nada de original. Foi por causa de um homem que defendi por anos. De tanto organizar a defesa do cara e explicar tudo à esposa dele, de tanto voltar à cadeia ano após ano, nós acabamos nos apaixonando um pelo outro. Isso já aconteceu com a senhora?

— O quê?

— Já se apaixonou?

— Já, pelo meu marido, Paul Seul. Nós temos um filho, Julien, que tem dez anos.

— A senhora trabalha?

— Sou horticultora. Antes era cabeleireira. Mas não apenas vendo as flores, eu também as cultivo. Crio híbridas.

— O quê?

— Híbridas. Misturo espécies de rosas para criar outras.

— Por quê?

— Porque eu gosto disso... Da mistura.

— E que cores isso gera? Dois outros cafés com calvados, por favor!

— Carmim, framboesa, romã e tons mais claros. Também faço variações de brancas.

— De que tipo de branco?

— Neve. Eu adoro a neve. Minhas roseiras também têm essa característica: elas não têm medo do frio.

— E a senhora nunca usa roupas coloridas? Em Aix, durante o julgamento, estava toda de bege.

— Prefiro cores vivas em flores e moças bonitas.

— Mas a senhora é mais do que bonita. Seu rosto tem toda a vida pela frente. Por que está sorrindo?

— Não estou sorrindo. Estou bêbada.

Perto do meio-dia, eles pediram duas omeletes com salada e uma porção de batatas fritas para dois, além de um chá para ela. Então ele disse:

— Não sei se o chá e a omelete combinam muito.

E ela respondeu:

— Chá combina com tudo. É como o preto e o branco. Eles combinam com tudo.

Durante o almoço, ele lambeu o sal das batatas fritas nos dedos. E tomou um chope.

— A Normandia e a Inglaterra são como o preto e o branco — afirmou ele, enquanto ela misturava o chá inglês com o enésimo copo de calvados. — Elas combinam.

Ele se levantou duas vezes. Ela observou a poeira, a eletricidade estática em torno dele. Em meio aos raios de sol, parecia neve. Então os dois voltaram a pedir batata frita, chá e dois calvados. Normalmente, em um lugar tão sujo, Irène Fayolle teria limpado os copos com o forro do casaco, mas não naquele dia.

Quando o rabecão passou pelo restaurante, eram 15h10. Ela não tinha visto o tempo passar. Era como se tivesse entrado naquele restaurante dez minutos antes. Fazia cinco horas que estavam ali juntos.

Os dois se levantaram rapidamente, ele pagou apressado e Irène lhe pediu que entrasse no furgão dela. Ia levá-lo ao cemitério, sabia onde ficava o túmulo de Martine Robin.

No carro, ele perguntou o nome dela. Disse que estava cansado de chamá-la de "senhora".

— Irène.

— O meu é Gabriel.

Os dois chegaram ao portão que levava a Martine Robin. Ele não saiu do carro.

— Vamos esperar aqui, Irène — disse apenas. — O importante é que a Martine saiba que estou aqui. Não dou a mínima para os outros.

Perguntou se podia fumar no carro. Ela respondeu que sim. Ele baixou o vidro, apoiou a cabeça no descanso, segurou a mão direita de Irène e fechou os olhos. Os dois esperaram em silêncio. Observaram as pessoas irem e virem pelos corredores. Em dado momento, uma música pareceu tocar.

Depois que todos foram embora, quando o rabecão vazio passou por eles, Gabriel desceu do carro. Perguntou se Irène queria ir com ele. Ela hesitou.

— Por favor — pediu ele.

Os dois seguiram lado a lado.

— Falei para Martine que ia embora para ficar com outra mulher, mas menti. Para você, Irène, posso dizer a verdade. Deixei a Martine por causa dela mesma. As outras, as mulheres por quem deixamos nossas esposas, são pretextos, álibis. Deixamos as pessoas por causa delas mesmas. Não precisamos procurar mais justificativas. Claro, nunca vou confessar isso. Especialmente hoje.

Quando chegaram ao túmulo, Gabriel beijou a foto. Suas mãos agarraram a cruz que dominava a lápide. Ele sussurrou palavras que Irène não ouviu nem tentou ouvir.

As rosas brancas estavam no meio do túmulo. Havia muitas flores, recados amorosos e até um pássaro de granito.

— Mas quem contou tudo isso para o senhor?

— Eu li no diário da minha mãe.

— Sua mãe tinha um diário?

— Sim. Eu o encontrei em uma caixa de papelão na semana passada, enquanto guardava as coisas dela.

Julien Seul se levanta.

— São duas da manhã. Vou embora. Estou cansado. Amanhã vou pegar a estrada bem cedo. Obrigado pelo jantar. Estava delicioso. Obrigado. Fazia muito tempo que eu não comia tão bem. Nem me divertia tanto. Estou me repetindo, mas, quando me sinto bem, eu me repito.

— Mas... O que eles fizeram depois do enterro? O senhor tem que me contar o fim da história.

— Talvez essa história não tenha fim.

Ele pega minha mão e dá um beijo nela. Não sei de nada mais desconcertante do que um homem cavalheiro.

— Você continua cheirosa.

— É Eau du Ciel, de Annick Goutal.

Ele sorri.

— Então nunca mude. Boa noite.

Ele veste o casaco e sai da casa pela porta da frente.

— Vou voltar para contar o final — diz, antes de fechar a porta. — Se contar agora, você não vai mais querer me ver.

Ao me deitar, penso como odiaria morrer antes de terminar de ler um romance de que estava gostando.

34

Você ficará para sempre nos nossos corações.

Três anos depois do nosso casamento, em junho de 1992, a malha ferroviária da França ficou paralisada. Em Malgrange, o trem de 6h29 virou o de 10h20, que virou o de 12h05, até que o de 13h30 parou na ferrovia às quatro horas da tarde e ficou imóvel por quarenta e oito horas. Grevistas ergueram uma barricada a duzentos metros de nossa cancela. O trem estava lotado. Fazia muito calor naquele dia. Os passageiros logo tiveram que abrir as janelas e as portas do trem que ia de Nancy a Épinal.

Nunca o mercado da cidade esteve tão lotado. O estoque de garrafas de água mineral se esgotou em algumas horas. No fim da tarde, Stéphanie nem passava mais as garrafas pelo caixa, e sim as distribuía diretamente nas portas do trem. Ninguém mais fazia diferença entre a primeira e a segunda classes. Estavam todos do lado de fora, à sombra do trem, em volta dos trilhos. Os fiscais e o condutor tinham desaparecido ao mesmo tempo.

Quando os passageiros entenderam que o trem não ia mais sair, alguns carros começaram a chegar, além de vizinhos e amigos. Alguns viajantes ligaram da nossa casa para que alguém fosse buscá-los. Outros, da cabine telefônica. Em algumas horas, os vagões e os arredores do trem ficaram vazios.

Toda a circulação por Malgrange-sur-Nancy foi interrompida. As pessoas chegavam até a cancela fechada, pegavam os passageiros e davam meia-volta. Às nove da noite, a rua principal estava em silêncio e o mercado fechava as portas. Quando Stéphanie baixou o portão, estava vermelha como um pimentão. De longe, só ouvíamos as vozes dos grevistas. Iam dormir na ferrovia, atrás da barricada.

Quando a noite já havia caído, e Philippe Toussaint tinha saído para dar uma volta havia algum tempo, percebi que, no primeiro vagão, restaram duas passageiras: uma mulher e uma menina que devia ter a idade de Léonine. Perguntei à mulher se alguém podia vir buscá-la, mas ela me respondeu que morava a setecentos e vinte quilômetros de Malgrange, que era complicado, que ela estava chegando da Alemanha, onde tinha ido buscar a neta, e indo para Paris. Ela não conseguiria avisar ninguém antes do dia seguinte, e, ainda assim, não tinha certeza se teria alguém para ajudá-la.

Chamei-a para jantar na minha casa. Ela não quis. Insisti. Peguei as malas delas sem pedir permissão e as duas me seguiram.

Léo já havia caído em um sono pesado.

Abri todas as janelas. Finalmente podia fazer calor dentro de casa.

Dei comida para a pequena Emmy, que estava exausta. Durante o jantar, ela brincou com uma das bonecas de Léo. Depois, eu a pus para dormir ao lado da minha filha. Enquanto olhava para as duas, dormindo lado a lado, pensei que adoraria ter um segundo filho. Mas Philippe Toussaint nunca concordaria. Eu já conseguia ouvi-lo dizer que nossa casa era pequena demais para colocarmos outra criança. Concluí que era nosso amor que era limitado demais para acolher outro filho, não a casa.

Disse à avó de Emmy, Célia, que ela seria obrigada a dormir na minha casa, porque eu não a deixaria voltar para um trem vazio. Era perigoso demais. Também falei que, pela primeira vez em anos, graças àquela greve, eu estava de folga e tinha uma convidada; que esperava que a ferrovia ficasse paralisada pelo maior tempo possível; que finalmente eu ia poder dormir oito horas seguidas, sem ser incomodada pelo alarme da cancela.

Célia me perguntou se eu morava sozinha com minha filha. Aquilo me fez sorrir. Em vez de responder, abri uma bela garrafa de vinho tinto que estava guardando "para uma boa ocasião", que não tinha se apresentado até aquele dia.

Nós começamos a beber. Depois de duas taças, Célia aceitou o convite para dormir na casa. Meu plano era que eu e meu marido dormíssemos no sofá-cama, para que pudesse acomodá-la no nosso quarto. Dormíamos no sofá-cama quando os pais de Philippe Toussaint nos visitavam — duas vezes por ano, desde o nosso casamento. Eles vinham buscar Léo para que ela passasse as férias com eles. Uma semana entre o Natal e o Ano-Novo e dez dias no verão, quando a levavam à praia.

Depois da terceira taça, minha hóspede disse que aceitava meu convite, contanto que ela dormisse no sofá-cama.

Célia devia ter uns cinquenta anos. Tinha olhos azuis bonitos e muito gentis. Falava baixinho, com uma voz tranquila e um sotaque bonito da região do Midi.

— Tudo bem, pode ficar no sofá-cama.

Acabou sendo a melhor decisão. Quando finalmente voltou, Philippe Toussaint foi direto desabar na cama do nosso quarto. Nem olhou para a gente.

— Esse é o meu marido — expliquei para Célia, ao ver Philippe Toussaint passar.

Ela sorriu sem responder.

Célia e eu ficamos na sala conversando até uma hora da manhã. As janelas ainda estavam abertas. Desde que havíamos chegado, era a primeira vez que os cômodos estavam quentes. Célia morava em Marselha. Falei que com certeza tinha sido ela que havia trazido o sol para a casa. Que normalmente o calor não entrava; alguma barreira invisível o impedia.

Quando terminamos a garrafa de vinho, falei que aceitaria que ela dormisse no meu sofá-cama contanto que eu dormisse com ela, porque eu nunca tivera amigas nem irmãs e, com a exceção da minha filha quando era bebê, eu nunca havia dormido com uma amiga, como fazem as amigas de verdade.

— Está bem, amiga — respondeu Célia. — Vamos dormir juntas.

Naquela noite, realizei um desejo, recuperando um pouco do tempo perdido em relação a amizades. Todas as noites em que gostaria de ter dormido na casa de uma melhor amiga com os pais dela por perto, todas as noites em que gostaria de ter fugido escondida para encontrar garotos sentados em mobiletes no fim da rua... eu as recuperei um pouco.

Acho que conversamos até as seis da manhã. Acabei caindo no sono pouco depois do nascer do dia. Às nove horas, Léo veio me acordar para dizer que havia outra menina em sua cama, uma menina que não sabia falar. Emmy era alemã, não falava uma palavra de francês. Logo depois, Léo fez uma série de perguntas:

— E por que você está dormindo na sala? Por que o papai está dormindo de roupa na cama? Quem é essa moça? Por que não tem mais trens? Quem são essas pessoas, mamãe? Quem é essa menina? É alguém da nossa família? Elas vão ficar aqui?

Infelizmente, não. Célia e Emmy foram embora dois dias depois.

Quando subiram no trem, achei que fosse morrer de tristeza. Como se as conhecesse desde sempre. Todas as greves chegam ao fim. As férias também. Mas eu havia conhecido alguém, minha primeira amiga.

— Venha morar com a gente em Marselha — me disse Célia, pela janela entreaberta do trem, no vagão sete. — Você vai se dar bem lá. Eu encontro um emprego para você... Normalmente, não julgo ninguém, mas, como a França está em greve, vamos fingir que também estou em greve e vou dizer o que estou pensando: Violette, é óbvio que seu marido não *é o homem certo* para você. Largue esse cara.

Respondi que já haviam me privado dos meus pais, e que nunca privaria Léonine do pai dela. Mesmo que Philippe Toussaint fosse um pai entre aspas, ainda assim era um pai.

Uma semana depois da partida delas, recebi uma carta longa de Célia. No envelope, ela havia colocado três passagens de trem de ida e volta entre Malgrange-sur-Nancy e Marselha.

Célia tinha um chalé na calanque de Sormiou e o havia colocado à nossa disposição. A geladeira estaria cheia. Poderíamos aproveitar. Foi o que ela escreveu: "Aproveitem. Você finalmente vai poder tirar férias de verdade, Violette, e ver o mar com a sua filha." Acrescentou que nunca esqueceria que eu havia oferecido casa e comida para ela. Que, em troca daqueles dois dias que dera a ela, eu teria férias todo ano em Marselha.

Philippe Toussaint disse que não iria. Que tinha "coisa melhor para fazer do que ir para a casa de uma sapatão". Era assim que ele chamava todas as mulheres com quem não dormia: "sapatão".

Eu respondi que seria ótimo se ele não fosse. Assim, poderia cuidar da cancela enquanto Léo e eu estivéssemos viajando. Ele não deve ter gostado de imaginar a gente se divertindo sem ele. O amor por nós reapareceu: pela primeira vez em seis anos, a pedido dele, a SNCF, empresa responsável pelos trens na França, encontrou substitutos para nós em algumas horas.

Quinze dias depois, no dia 1º de agosto de 1992, fomos conhecer Marselha. Célia nos esperava na ponta da plataforma da estação de Saint-Charles. Dei um abraço forte nela. Mesmo ainda na estação o tempo já estava bonito, e me lembro de ter dito exatamente isso a Célia.

Quando vi o Mediterrâneo pela primeira vez, estava no banco de trás do carro de Célia. Baixei o vidro e chorei feito uma criança. Acho que foi o maior choque da minha vida. O choque de ver algo *majestoso*.

35

Tudo se apaga, tudo passa,
exceto a lembrança.

Cartas de amor, um relógio, um batom, um colar, um romance, historinhas para crianças, um celular, um casaco, fotos de família, um calendário de 1966, uma boneca, uma garrafa de rum, um par de sapatos, uma caneta, um buquê de flores secas, uma gaita, uma medalha de prata, uma bolsa, óculos de sol, uma xícara de café, um fuzil de caça, um amuleto, um disco, uma revista com Johnny Hallyday na capa. Encontramos de tudo em um caixão.

Hoje enterramos Jeanne Ferney (1968-2017). Paul Lucchini me disse que dentro do caixão ele havia posto retratos dos filhos dela, como a falecida queria. Os últimos pedidos costumam ser respeitados. Não nos arriscamos a contrariar os mortos. Temos muito medo de que eles nos tragam azar da outra vida se lhes desobedecermos.

Acabo de fechar os portões do cemitério. Passo na frente do túmulo recém-florido de Jeanne. Retiro o plástico que prende as flores para que elas possam respirar.

Descanse em paz, querida Jeanne.

De repente, você já até nasceu em outro lugar, em outra cidade, do outro lado do mundo. Sua nova família está toda ao seu redor. Estão comemorando seu nascimento. Eles olham e beijam você, enchem você de presentes, dizem que você se parece com sua mãe, enquanto aqui nós choramos por você. Você está dormindo, se preparando para uma vida nova em que tudo será refeito, enquanto aqui está morta. Aqui você é uma lembrança. Lá, o futuro é você.

Quando o carro de Célia pegou a estradinha escarpada que descia até a calanque de Sormiou, vi a beleza de perto. Léo disse que queria vomitar, então a coloquei no meu colo.

— Olhe — falei. — Está vendo o mar ali? Estamos quase chegando.

Ao chegar, abrimos as janelas do chalé, fazendo com que o sol, a luz e todos os cheiros entrassem.

As cigarras cantavam. Eu só as havia escutado na TV, e elas encobriam nossas vozes.

Colocamos nossos maiôs sem nos preocupar em desfazer as malas. Tínhamos o mar para aproveitar! Caminhamos por cem metros e já estávamos com os pés na água transparente, de um verde límpido. De longe, o Mediterrâneo era azul. De perto, cristalino. Eu só conhecia a água cheia de cloro das piscinas municipais.

Enchi a boia em forma de cisne de Léo, depois entramos na água fresca, dando gritos de alegria.

Philippe Toussaint nos fez rir, jogando água em nós duas. Ele me beijou. Levou o sal aos meus lábios.

— O papai deu um beijo na mamãe — disse Léo.

As risadas de Léo sobre os ombros do pai, as cigarras, o frescor da água e o sol me deixaram zonza. Era como um carrossel que girava rápido demais. Mergulhei a cabeça na água e abri os olhos. O sal me queimou. Eu estava exultante.

Nós ficamos dez dias. Quase não dormi. Alguma coisa em mim se recusava a deixar meus olhos se fecharem, uma felicidade que se derramava. Meus sentimentos transbordavam. Eu nunca tinha visto minha filha tão alegre.

Independentemente da hora, era dia. Independentemente da hora, nós nadávamos. Ou comíamos. Ou ouvíamos. Ou contemplávamos. Ou respirávamos. Só tínhamos três frases possíveis: "Que cheiro ótimo", "A água está ótima", "Está ótimo". A felicidade nos deixa bobos. Era como se tivéssemos trocado de mundo, tivéssemos nascido em outro lugar, sob uma luz desnorteante.

Durante aqueles dez dias, Philippe Toussaint não saiu para dar nenhuma volta. Ele ficou com a gente. Fazia amor comigo e eu retribuía. Trocávamos nossa pele banhada de sol por uma alegria falsa. Voltávamos ao início, mas sem o amor. Era apenas pelo prazer, para aproveitarmos tudo. Tudo estava longe. O céu do Leste e os outros.

Léo se debatia quando eu a cobria de protetor solar. E também quando eu queria colocá-la na sombra. Tinha decidido viver nua, na água. Tinha decidido se transformar em uma pequena sereia. Como nos desenhos animados.

Acho que, em dez dias, não usamos sapatos nem uma vez. Então entendi que as férias eram aquilo: não usar mais sapatos.

As férias são como uma recompensa, um prêmio de primeiro lugar, uma medalha de ouro. É preciso merecê-las. E Célia havia decidido que eu merecia o suficiente para várias vidas. Uma para cada família provisória e ainda para a que tinha com Philippe Toussaint.

De tempos em tempos, Célia ia nos ver. Conferir nossa alegria. E, como uma mestre de obras satisfeita, ia embora sorridente, depois de tomar um café comigo.

Eu a cobri de agradecimentos como outros cobrem suas esposas de joias. Criei panteões de agradecimento para ela. E não queria parar nunca. Não fui eu que fechei as janelas do chalé no dia em que fomos embora. Pedi para Philippe Toussaint fazer isso. Se tivesse fechado as janelas, teria sentido que estava me enterrando viva, fechando meu próprio caixão. Como canta Jacques Brel: "Vou inventar palavras sem sentido que você vai entender." Foi o que eu fiz para que Léo não chorasse na hora de ir embora, para que ela não se agarrasse às portas do chalé, gritando. Inventei palavras sem sentido para ela. Palavras infantis, as mais simples.

— Meu amor, nós temos que ir, porque daqui a cento e vinte dias é Natal, e cento e vinte dias passam muito rápido. Então vamos ter que começar a lista para o Papai Noel logo, logo. Aqui a gente não tem caneta, giz de cera nem papel. Só tem o mar. Então a gente tem que voltar para casa. Depois, vamos ter que montar a árvore, pôr as bolas de todas as cores na ponta dos galhos e, este ano, vamos colocar enfeites de papel que nós mesmos vamos fazer. É, nós mesmos. É por isso que a gente tem que voltar logo para casa. Não temos tempo a perder. E, se você se comportar, vamos pintar de novo as paredes do seu quarto. De rosa, se você quiser. E, antes do Natal, o que vem antes do Natal? Seu ANIVERSÁRIO! E isso é daqui a pouquíssimos dias. Vamos encher os balões... Corre, corre, corre, temos que voltar para casa! A gente tem tantas coisas divertidas para fazer. Ponha os sapatos de novo, meu amor. Corre, corre, corre, vamos fazer as malas! Vamos ver os trens de novo. E talvez eles até parem! E a Célia esteja dentro deles. Corre, corre, corre, vamos voltar para casa! E, seja como for, a gente vai voltar para Marselha no ano que vem. Com todos os seus presentes.

36

Todas as pessoas que conheceram você sentem saudade e choram.

Irène Fayolle e Gabriel Prudent deixaram o túmulo de Martine Robin, sobrenome de casada Prudent. Antes de ir embora, Gabriel Prudent passou os dedos por seu sobrenome gravado na pedra.

— É muito estranho ver meu próprio nome escrito em um túmulo — disse ele a Irène.

Eles caminharam pelos corredores do cemitério de Saint-Pierre, parando de vez em quando diante de outros túmulos, diante de desconhecidos. Para observar as fotografias ou as datas.

— Eu gostaria de ser cremada — comentou Irène.

Enfim, pararam no estacionamento, na frente do cemitério.

— O que você quer fazer? — perguntou Gabriel.

— O que a gente pode fazer depois disso?

— Amor. Eu gostaria de retirar seu bege e fazer você ver todas as cores, Irène Fayolle.

Ela não respondeu. Eles entraram no furgão e seguiram como puderam, com todo aquele amor, aquele álcool e aquela tristeza no sangue. Irène deixou Gabriel na frente da estação de trem de Aix.

— Você não quer fazer amor?

— Em um quarto de hotel, como dois ladrões... A gente merece coisa melhor do que isso, não é? Além disso, de quem estaríamos roubando, além de nós mesmos?

— Você quer se casar comigo?

— Eu já sou casada.

— Então cheguei tarde demais.

— É.

— Por que você não usa o sobrenome do seu marido?

— Por que ele se chama Seul. Paul Seul. Se usasse o sobrenome dele, eu me chamaria Irène Seul. Parece um erro de digitação.

Os dois se abraçaram. Não se beijaram. Não se despediram. Ele desceu do furgão. O terno de viúvo estava amassado. Ela olhou para as mãos dele uma última vez. Disse a si mesma que era a última vez. Ele acenou para ela antes de se virar e se afastar na plataforma.

Ela pegou a estrada para Marselha. O acesso à autoestrada não ficava muito longe da estação. O trânsito estava bom. Em uma hora, ela estacionaria na frente da casa em que Paul a estava esperando. E os anos passariam.

Irène veria Gabriel na TV. Ele falaria sobre um caso, alguém que ele defenderia, mas que teria certeza de que era inocente. Ele diria: "Todo esse caso foi montado em torno de uma injustiça, que vou destruir prova por prova." Ele falaria: "Eu vou provar!" Teria o ar agitado, a inocência do homem o deixaria ansioso. Daria para ver. Ela o veria cansado, tolhido, talvez envelhecido.

No rádio, Irène ouviria uma música de Nicole Croisille: "Ele era alegre como um italiano quando sabe que vai ter amor e vinho." Então ela teria que se sentar. Aquela letra a derrubaria, de repente a levaria de volta ao restaurante do dia 5 de fevereiro de 1984.

Ela se lembraria dos trechos da conversa entre as batatas fritas, as cortinas nojentas, a cerveja, o enterro, as rosas brancas, as omeletes e os calvados.

— O que você mais ama?

— A neve.

— A neve?

— É, ela é bonita. É silenciosa. Quando neva, o mundo para. É como se um grande lençol de pó branco o cobrisse... Acho isso extraordinário. É que nem mágica, sabe? E você? O que você mais ama?

— Você. Bom, acho que amo você mais do que tudo. É estranho encontrar a mulher da nossa vida no dia do enterro da nossa esposa. Talvez ela tenha morrido para que eu conhecesse você...

— O que você está dizendo é horrível.

— Talvez sim. Talvez não. Sempre amei a vida. Amo comer, amo transar. Gosto do movimento, da surpresa. Se você quiser compartilhar da minha existência miserável e iluminá-la, é muito bem-vinda.

Quando Irène Fayolle pensasse em Gabriel Prudent, ela pensaria em *elegância*.

Irène pensou que não queria viver em um tempo condicional, e sim no presente. Ela ligou a seta. Mudou de direção. Pegou a saída para Luynes, passou por uma área comercial e seguiu a toda velocidade na direção de Aix. Mais rápido do que os trens.

Quando chegou à estação de trem de Aix, estacionou em uma vaga reservada aos funcionários. Então correu até a plataforma. O trem para Lyon já havia saído, mas Gabriel não o pegara. Ele estava fumando na *brasserie* Au Départ. Onde era proibido.

— Senhor, ninguém pode fumar aqui — avisara duas vezes a garçonete.

— Não conheço nenhum *ninguém* — tinha respondido ele.

Quando a viu, ele sorriu e disse:

— Vou roubar você, Irène Fayolle.

37

Eu amava, amo e amarei você.

Elvis canta "Don't Be Cruel" para Jeanne Ferney (1968-2017). Eu o ouço de longe. Gaston saiu para fazer compras. São três da tarde e o cemitério está vazio. Apenas a música preenche os corredores.

— *Don't be cruel to a heart that's true, I don't want no other love, baby, it's just you I'm thinking of...*

Ele costuma ficar amigo dos falecidos recém-exumados, como se sentisse que é seu dever ajudá-los nessa trajetória.

O dia está muito bonito. Aproveito para plantar minhas sementes de crisântemos. Elas têm cinco meses para crescer, cinco meses para estarem coloridas no Dia de Finados.

Eu não o ouço entrar nem fechar a porta. Atravessar a cozinha, subir até meu quarto, se deitar na minha cama, descer, chutar minhas bonecas e sair para o jardim atrás da casa, meu jardim particular, onde cultivo as flores que vendo todos os dias para sustentar nossas necessidades, porque ele nunca nos protegeu.

— *Baby, if I made you mad, for something I might have said, please, let's forget the past...*

Será que sabia que Nono não estaria aqui hoje? Será que sabia que os irmãos Lucchini não viriam naquela semana? Que ninguém morreria? Que ele ficaria sozinho comigo?

— *The future looks bright ahead...*

Não tenho tempo de reagir. Eu me levanto, as mãos cheias de terra, as sementes e o regador aos meus pés, e me viro sob sua sombra, imensa, ameaçadora... Uma espada de gelo atravessa meu corpo. Fico imóvel. Philippe Toussaint está ali, o capacete de motoqueiro na cabeça, a viseira erguida, olhando nos meus olhos.

Digo a mim mesma que ele voltou para me matar, acabar comigo. Digo a mim mesma que ele voltou. Digo a mim mesma que me prometi não sofrer mais.

Tenho tempo de dizer tudo isso a mim mesma. Penso em Léo. Não quero que ela veja isso. Nenhum som sai da minha boca.

É um pesadelo ou a realidade?

— *Don't be cruel to a heart that's true, I don't want no other love, baby, it's just you I'm thinking of...*

Não consigo ver se em seu olhar há desprezo, medo ou ódio. Acho que ele me avalia como se eu ainda fosse menos do que menos do que nada. Como se tivesse encolhido com o tempo. Como seus pais me avaliavam, especialmente sua mãe. Eu havia esquecido que alguém já tinha me olhado desse jeito.

Ele me pega pelo braço, apertando com força. Ele me machuca. Não tento me desvencilhar. Não posso gritar. Estou paralisada. Não achei que um dia ele voltaria a pôr as mãos em mim.

— *Don't stop thinking of me, don't make me feel this way, come on over here and love me...*

É quando vivemos o que estou vivendo que sabemos que tudo está bem, que nada é grave, que o ser humano tem a capacidade inata de se reconstruir, se cauterizar, como se tivesse várias camadas de pele, uma sobre a outra. Vidas sobrepostas. Outras vidas em estoque. Que nossa capacidade de esquecimento não tem limites.

— *You know what I want you to say, don't be cruel to a heart that's true...*

Fecho os olhos. Não quero vê-lo. Ouvi-lo já vai ser suficiente. Sentir seu cheiro é insuportável. Ele aperta meu braço com cada vez mais força.

— Recebi uma carta de um advogado e trouxe de volta... — diz em meu ouvido. — Escute aqui, escute bem direitinho. NUNCA mais me escreva nesse endereço, está ouvindo? Nem você, nem seu advogado, NUNCA. Não quero mais ler seu nome em lugar nenhum, senão eu... eu...

— *Why should we be apart? I really love you, baby, cross my heart...*

Ele enfia o envelope no bolso do meu avental e vai embora logo depois. Caio de joelhos. Ouço quando ele dá partida na moto. Ele foi embora de novo. Não vai mais voltar. Agora tenho certeza. Ele não vai mais voltar. Foi apenas uma despedida. Acabou, terminou.

Dou uma olhada na carta que ele amassou. O advogado contratado pelo Dr. Rouault se chama Giles Legardinier, como o escritor. A carta informa Philippe Toussaint que um pedido de divórcio consensual foi feito por Violette Trenet, sobrenome de casada Toussaint, na secretaria do Tribunal de Grande Instância de Mâcon.

Subo para tomar um banho. Tiro a terra de baixo das minhas unhas. O ódio dele passou para mim. Eu o peguei como um vírus, uma inflamação. Recolho minhas bonecas e coloco minha colcha em um saco plástico para levá-la à lavanderia. Como se um crime tivesse acontecido na minha casa e eu quisesse apagar as provas.

O crime é ele. Seus passos sobre os meus. Sua presença nos meus cômodos. O ar que ele inspirou e expirou entre minhas paredes. Arejo tudo. Pulverizo uma essência de rosas na casa.

No espelho do banheiro, estou assustadoramente pálida, beirando a transparência. Parece que meu sangue não circula mais. Que se concentrou no meu braço, que está roxo. Ele deixou vestígios de seus dedos na minha pele. É isso que vai me restar dele: hematomas. Logo vou cobrir com uma nova camada de pele. Como sempre fiz.

Peço para Elvis ficar no meu lugar por uma hora. Ele me olha como se não me ouvisse.

— Está me ouvindo, Elvis?

— Você está pálida, Violette. Muito pálida.

Penso nos jovens que assustei alguns anos atrás. Hoje, eu não precisaria de fantasia para colocá-los para correr.

38

A lembrança dos dias felizes apazigua a dor.

Então nós voltamos para recortar cartolinas e preparar os enfeites para a árvore de Natal em pleno mês de agosto. Demos as costas para o mar, e fizemos o caminho contrário.

Nos trens que nos levaram de volta para nossa cancela em Malgrange-sur-Nancy, Léo e eu desenhamos barcos sobre um mar com canetinhas de cor turquesa compradas na estação, sóis, peixes e cigarras, enquanto Philippe Toussaint testava o bronzeado nas mulheres que passavam por ele, nas plataformas em que parávamos, no vagão-bar, de cabine em cabine. Ele parecia realizado com todos os olhares que se fixavam momentaneamente nele.

Quando chegamos, nossos substitutos nos esperavam já com o pé para fora da porta. Eles mal nos cumprimentaram. Nem nos deram tempo de abrir as malas. Disseram que tudo tinha ficado bem, que não havia nada a explicar e nos largaram lá, deixando uma bagunça absurda para trás.

Felizmente, não tinham posto os pés no quarto de Léo. Ela se sentou na sua caminha e fez duas listas: uma para seu aniversário e outra para o Papai Noel.

Comecei a arrumar tudo, enquanto Philippe Toussaint saía para dar uma volta. Tinha que recuperar o atraso. O que ele havia perdido comigo na cama do chalé.

No dia seguinte, limpei tudo e a vida retomou seu curso. Abri e fechei a cancela ao ritmo dos trens, Philippe Toussaint continuou a dar voltas e eu, a fazer compras.

Léo e eu voltamos a nossos banhos de espuma juntas e olhamos as fotos das férias centenas de vezes. Nós as prendemos em todos os cantos da casa. Para não esquecer, para voltar de vez em quando, pelo tempo de um olhar.

Em setembro, pintei as paredes dela de rosa entre um trem e outro. Ela me ajudou, quis pintar os rodapés. Tive que pintá-los de novo, sem que ela percebesse.

Léo entrou para a alfabetização, e em pouco tempo os coletes de lã estavam de volta às nossas vidas.

Fizemos os enfeites de papel e compramos uma árvore de Natal sintética. Assim, ela seria usada em todos os Natais seguintes, e isso evitaria que matássemos um pinheiro de verdade todos os anos.

Pensei que seria o último ano em que ela acreditaria no Papai Noel. No ano seguinte, tudo acabaria. Alguém mais velho lhe diria que ele não existe. Durante toda a nossa vida, encontramos pessoas mais velhas que nos lembram que o Papai Noel não existe. Tropeçamos em decepções.

Eu poderia não ter suportado que Philippe Toussaint corresse atrás de qualquer rabo de saia, mas aquilo era bom para mim. Não queria mais que ele me tocasse. Precisava dormir. Dormia pouco entre o último trem da noite e o primeiro da manhã. Eu precisava de calma. E seu corpo sobre o meu era uma algazarra da qual eu havia gostado, mas já não gostava mais, nem um pouquinho.

Às vezes, quando ouvia música, eu sonhava com um príncipe. Aquelas vozes de homens e mulheres cheias de palavras carinhosas, loucas, roucas. Vozes cheias de promessas. Ou quando contava histórias para Léonine à noite. Seu quarto era meu refúgio, um paraíso terrestre onde dormiam, misturados, emaranhados, em uma bagunça enigmática, bonecas, ursos, vestidos, colares de pérolas transparentes, canetinhas e livros.

Eu poderia não ter suportado ficar sem conversar com alguém, a não ser com minha filha e Stéphanie, a caixa do mercado. Stéphanie, que comentava minhas compras, sempre as mesmas. Ela me aconselhava a comprar um novo detergente ou dizia:

— Você viu o comercial na TV? É só espalhar o produto pela banheira, esperar uns cinco minutos e o mofo sai todo com um pouco de água. Bem, funciona. Você devia experimentar.

Não temos absolutamente nada para dizer uma à outra. Nunca seríamos amigas. Continuaríamos sendo duas vidas que se esbarravam todos os dias. Às vezes ela passava para tomar um café na minha casa durante o intervalo do almoço. Eu gostava de quando ela vinha. Era uma moça gentil. Ela me oferecia amostras de xampu e creme para o corpo.

— Você é uma boa mãe, de verdade — também me dizia com frequência. — É uma mãe muito carinhosa.

E depois ia embora com seu colete, em direção ao caixa e às prateleiras vazias que devia preencher.

Toda semana, Célia me escrevia uma carta longa. Eu lia seu sorriso nas palavras. E, quando não tínhamos tempo para escrever, nos telefonávamos no sábado à noite.

Philippe Toussaint jantava comigo depois que eu havia posto Léo na cama — ela dormia bem cedo. Falávamos de algumas banalidades, sem nunca gritar um com o outro. Nossa relação era ao mesmo tempo cordial e inexistente. Nossa relação era muda, mas nunca violenta. Apesar de os casais que não gritam, que nunca ficam irritados, que são indiferentes um ao outro, às vezes estarem cometendo a maior violência possível. Não havia louças quebradas na nossa casa. Nem janelas que precisavam ser fechadas para não incomodar os vizinhos. Só silêncio.

Depois do jantar, quando não saía para dar uma volta, ele ligava a TV e eu abria *As regras da casa de sidra*. Em dez anos de vida comum, Philippe Toussaint nunca percebeu que eu sempre lia o mesmo romance. Quando eu não estava lendo, nós assistíamos a um filme juntos, mas era muito raro que o programa nos aproximasse. Não compartilhávamos nem o momento diante da televisão. Muitas vezes ele dormia na frente dela.

Eu esperava o último trem, o Nancy-Estrasburgo de 23h04, e ia me deitar até o Estrasburgo-Nancy de 4h50. Quando erguia a cancela de 4h50, ia até o quarto de Léo para observá-la dormir. Era o que eu preferia. Algumas pessoas querem ter vista para o mar. Eu tinha minha filha.

Durante anos, não tive raiva de Philippe Toussaint por causa da solidão na qual ele me deixava porque não a sentia, não a vivia, ela só passava por mim. Acho que a solidão e o tédio tocam o vazio das pessoas. Eu era completa. Tinha várias vidas que preenchiam todo o espaço: minha filha, a leitura, a música e a imaginação. Quando Léo estava na escola e meu romance estava fechado, eu sempre lavava a louça, fazia faxina e cozinhava ouvindo música e sonhando. Inventei mil vidas para mim durante aquela vida em Malgrange-sur-Nancy.

Léonine era o bônus do dia a dia. E da minha vida. Philippe Toussaint tinha me dado o melhor presente de todos. E, a cereja do bolo: ele dera sua beleza a ela. Léo é linda, como o pai. E, além de tudo, ainda tem graça e alegria. Em todos os sentidos, ela enchia meus olhos.

A mesma relação que Philippe Toussaint tinha comigo, também tinha com a filha. Nunca o ouvi erguer a voz para ela. Mas Léo não chamava sua atenção por muito tempo. Ela o fazia rir por cinco minutos, mas logo ele a deixava de lado. Quando fazia uma pergunta para ele, era eu quem respondia. Eu terminava as frases que o pai não se dava ao trabalho de acabar. Ele não tinha uma relação de pai com ela, e sim de amigo. A única coisa que gostava de dividir com a filha era a moto. Ele a colocava no banco e dava a volta pela quadra bem devagar para distraí-la por dez minutos. Mas, assim que ele acelerava um pouco, ela sentia medo e gritava.

Talvez ele soubesse lidar melhor com Léo se ela fosse um menino. Para Philippe Toussaint, uma mulher era uma mulher. Tivesse ela seis ou trinta anos. E ela nunca seria melhor do que um homem, um homem de verdade. Que joga futebol e brinca com carrinhos de controle remoto. Que não chora quando cai, que suja os joelhos e sabe mexer em controles e volantes. O completo oposto de Léonine, que era uma menina de rosa, babados e lantejoulas.

Minha filha tinha ficha na biblioteca de Malgrange-sur-Nancy. Era uma sala anexa à prefeitura, que abria duas vezes por semana, inclusive na quarta-feira à tarde. Toda quarta, entre o trem de 13h27 e o de 16h05, nós íamos até lá, de mãos dadas, para abastecer a estante de Léo por aquela semana e devolver os livros emprestados na semana anterior. Ao voltar da biblioteca, parávamos no mercado, onde Stéphanie oferecia um pirulito para Léo enquanto comprávamos um bolo mesclado. Eu o mergulhava no chá e ela também, mas em um chá fraco de flor de laranjeira. Fazíamos isso depois de eu ter erguido a cancela para o trem de 16h05.

Quando ela fez três anos, sempre que um trem se anunciava, Léo ia até a varanda para cumprimentar os passageiros que passavam diante da nossa casa. Ela acenava para todos. Era sua brincadeira preferida. E alguns passageiros esperavam aquele momento. Sabiam que iam ver "a menina".

Malgrange-sur-Nancy era apenas uma cancela. Os trens passavam sem parar e viajavam por sete quilômetros até chegar à primeira estação, a de Brangy. Stéphanie nos levou até lá de carro várias vezes para nós duas podermos pegar o trem entre Brangy e Nancy. Léo queria pegar o trem que via passar todos os dias, queria pegar aquela máquina estranha.

Da primeira vez que fizemos aquela viagem estranha para nada, ela deu gritos de alegria que nunca vou esquecer. Até hoje, chego a sonhar com eles. Ela teria ficado menos feliz se tivesse ido a um parque de diversões. Claro, nós pegamos a linha que passava na frente da nossa casa, onde seu pai a esperava na escada para acenar para ela. É engraçado como as crianças ficam felizes quando invertemos os papéis.

Comemoramos o Natal de 1992 só nós três. Como todos os anos, Philippe Toussaint me deu um cheque para que comprasse "o que eu quisesse, mas nada caro também". Dei a ele seu perfume, Pour un Homme, e roupas bonitas.

Às vezes tinha a sensação de perfumá-lo e vesti-lo para as outras, para que continuasse agradando outras mulheres. E especialmente para que continuasse agradando a si mesmo. Porque, enquanto agradasse a si mesmo, enquanto se contemplasse nos espelhos e no olhar de outras mulheres, ele não prestaria atenção em mim. E eu queria que ele não prestasse atenção em mim. Ninguém deixa uma mulher que não vê mais, que não faz escândalos, que não faz barulho, que não bate portas. É muito prático.

Para Philippe Toussaint, eu era a mulher ideal: a que não incomoda. Ele não teria me deixado por amor. Não se apaixonava por suas conquistas. Eu sentia isso. Tinha o cheiro delas na ponta dos dedos, mas não seu amor.

Acho que sempre tive esse reflexo, o de não incomodar. Quando eu era pequena, nos lares provisórios, pensava: *Não faça barulho. Assim, desta vez você fica. Eles vão querer ficar com você.* Eu sabia muito bem que o amor tinha sumido da nossa casa havia muito tempo e ido para outro lugar, se acomodado entre outras paredes que nunca mais seriam as nossas. O chalé tinha sido um parêntese para nossos corpos salgados. Eu cuidava de Philippe Toussaint como cuidamos de um hóspede que temos que paparicar, por medo de que, um dia, ele desaparecesse e levasse Léo.

De Natal, Léonine ganhou tudo que havia incluído na sua lista. Livros só para *ela*, inclusive *Chien bleu*, de Nadja. Um vestido de princesa, fitas VHS, uma boneca ruiva e um novo kit de mágica. Ainda mais cheio de detalhes do que o do Natal anterior. Com duas novas varinhas mágicas, cartas de baralho e cartas místicas. Léo sempre adorou fazer truques de mágica. Desde pequenininha, ela queria se tornar mágica. Queria fazer tudo desaparecer embaixo de cartolas.

No dia seguinte, como era feriado, havia menos trens. Só 25% deles. Pude descansar e brincar com a minha filha, que fez suas mãos desaparecerem atrás de lenços coloridos.

À noite, fiz a mala dela. No dia 26 de dezembro de manhã, como nos anos anteriores, os pais de Philippe Toussaint vieram buscá-la. Levaram-na para passar uma semana nos Alpes. Eles não ficaram muito tempo, mas mãe e filho tiveram tempo de se trancar na cozinha para conversar em voz baixa. Ela deve ter dado a ele um cheque de presente, e eu, como todos os anos, tive direito a chocolates amargos, dentro dos quais vinha uma cereja embebida em álcool. Não *Mon Chéris*, mas sim uma marca mais barata que vinha em um pacote rosa e se chamava *Mon Trésor*.

Daquela vez, fui até a porta para acenar para Léo quando o carro dos pais de Toussaint deu a partida. Ela estava com um sorriso nos lábios e o kit de mágica no colo. Baixou o vidro e nós nos despedimos:

— Até daqui a uma semana.

Ela me mandou beijos. Eu os guardei.

Sempre que via o carro grande levar minha menininha, eu tinha medo de que eles não a trouxessem de volta. Tentava não pensar nisso, mas meu corpo pensava por mim. Eu ficava doente, febril.

Como sempre acontecia quando Léo viajava, passei a semana arrumando o quarto dela. Ficar entre suas bonecas e suas paredes rosa me acalmava.

No dia 31 de dezembro, Philippe Toussaint e eu passamos a virada do ano na frente da TV. Comemos tudo que ele adorava. Como todos os anos, Stéphanie tinha nos dado cestas de Natal que não haviam sido vendidas.

— Violette, você tem que comer tudo antes de amanhã, senão vai estragar, viu?

Léonine ligou no dia 1º de janeiro de manhã.

— Feliz Ano-Novo, mamãe. Feliz Ano-Novo, papai. Feliz Ano-Novo, papai e mamãe. Vou passar de nível no esqui!

Ela voltou no dia 3 de janeiro com uma expressão resplandecente. Minha febre baixou. Os pais de Toussaint ficaram uma hora. Léo tinha prendido a primeira estrela do esqui no suéter.

— Mamãe, passei de nível no esqui!

— Muito bem, meu amor.

— Sei fazer zigue-zague.

— Muito bem, minha querida.

— Mamãe, posso viajar com a Anaïs nas férias?

— Quem é Anaïs?

39

O essencial é invisível aos olhos.

— Ninguém está morrendo.

Padre Cédric, Nono, Elvis, Gaston, Pierre, Paul e Jacques estão conversando animadamente na minha cozinha. Os irmãos Lucchini andam de um lado para o outro: faz mais de um mês que ninguém entra na loja deles. Todos tomam café ao redor da minha mesa. Fiz para eles um bolo-mármore, que estão comendo enquanto batem papo, como menininhas em torno de um bolo de aniversário.

Estou terminando de plantar as sementes de crisântemo no jardim. As portas estão abertas. Suas vozes chegam até mim.

— É que o tempo está bom. As pessoas morrem menos quando o tempo está bom.

— Tenho a reunião de pais e professores hoje à noite. Odeio essas coisas. Seja como for, tudo que vão me dizer é que meu filho não faz nada na escola. Que ele quer bancar o idiota.

— Nosso negócio é o ser humano. Conhecemos pessoas vivas que estão perdidas, que dão uma importância enorme ao fato de a cerimônia ter que dar certo porque isso vai permitir que aceitem o luto, então trabalhamos mesmo no setor de serviços. Não temos direito ao erro.

— Eu batizei duas crianças no domingo passado, gêmeos. Foi muito emocionante.

— O que diferencia nossa profissão de todas as outras é o fato de lidarmos com o lado afetivo, e não com o racional.

— Ah, a gente se divertiu muito!

— Como assim?

— Que não temos direito a errar. Cada família tem uma percepção diferente de qual questão considera a mais importante. O que é bom para uma família nem sempre é bom para outra. A força está nos detalhes. Por exemplo, no meu último corpo, só uma coisa importava: o relógio tinha que estar no pulso direito.

— Vi um filme bonito ontem à noite na TV com aquele ator... Aquele que é meio louro. Estou com o nome dele na ponta da língua...

— Também não podemos cometer erros de ortografia nos obituários. Sempre tem alguém que se chama Kristof com K ou Chrystine com Y.

— A que horas o Bricomarché fecha? Tenho que ir comprar uma peça para o cortador de grama.

— E tudo depende da relação que têm com o morto. Entre o marido e a esposa, os filhos e os pais, enfim, é uma questão de humanidade.

— Escute, eu encontrei aquela senhorinha, como ela se chama... A Sra. Degrange. O marido dela trabalhava na Toutagri.

— Gaston, cuidado, você está sujando tudo de café.

— E, além disso, a gente tem que cuidar das questões religiosas e de todo o aspecto emocional.

— E tem também o cabeleireiro, o Jeannot. Ele me disse que a esposa dele teve um problema de saúde.

— O paradoxo é que pouquíssimas pessoas choram quando entram pela nossa porta. Elas pensam no caixão, na igreja e no cemitério.

— E você, minha velha Éliane, o que acha? Quer um pedaço de bolo ou um carinho?

— E quando a gente fala da escolha da música, dos textos, do que podemos fazer, da homenagem, das lembranças, porque tem muita coisa que podemos fazer, eles nos dão uma liberdade muito grande.

— Já faz um tempo que a gente não vê o delegado da Violette.

— Eu acho sempre estranho quando alguém vem me agradecer e diz que estava muito bonito. Estamos falando de enterro, no fim das contas.

— Acho que ele está atrás dela. Já viu como ele olha para nossa Violette?

— Faz cinco mil anos que enterramos pessoas, mas esse setor é muito recente. Nós estamos mudando a profissão.

— Ontem à noite, a Odile fez um frango com molho de caramelo.

— Os ritos funerários mudaram. Antes todos colocavam flores nos túmulos no Dia de Finados, mas agora as pessoas não moram mais onde os pais e os avós moravam.

— Eu gostaria de saber quem é que vai ser nosso próximo presidente... Contanto que não seja a loura.

— Agora a gestão da memória é diferente: a gente crema os mortos. Os costumes mudam, os custos também. Muita gente organiza os próprios funerais.

— É tudo igual. Esquerda, direita, tudo que eles pensam é em ganhar rios de dinheiro... O que importa é o que sobra na carteira no fim do mês, e isso nunca vai mudar para a gente.

— Você tem noção de que, em 2040, 25% dos franceses vão planejar os próprios funerais?

— Não concordo com isso. Não esqueça que são eles que votam as leis.

— Mas isso depende das famílias. Existem famílias que não falam da morte. É como o cu. É um tabu.

— Mas para você, senhor padre, dá no mesmo.

— Somos os representantes da morte na Terra. Então, para as outras pessoas, com certeza somos tristes.

— Uma boa salada de queijo de cabra quente com pinhões e um pouco de mel.

— Chamamos de "funerária" quando é particular e "necrotério" quando é público.

— Para mim, é isso. Já montei a churrasqueira.

— Limpeza, roupas, cuidados completos com a conservação. A lei não obriga isso ainda, mas não deve demorar, por causa dos problemas de higiene.

— Vão abrir uma loja nova no lugar da Carnat. Acho que é uma padaria.

— O projeto de lei é para não permitir que as pessoas mantenham os falecidos em casa.

— Todos os fusíveis queimaram ontem. Acho que é a máquina de lavar que está pifando e causando curto-circuito.

— Eu acho que existe um lugar para os vivos e um para os mortos. Quando a gente enterra um morto em casa, existe o risco de não sair do luto nunca.

— Como ela é gostosa... Eu abriria espaço na minha cama para ela. Não ia dormir na banheira.

— Para mim, só existe uma regra: seguir o coração.

— Vai viajar no verão?

— Quando comecei, pensei: *Não vou fazer caixões caros para as cremações*. Foi um erro de iniciante. Meu pai me disse: "Por quê? Acha que isso importa mais a sete palmos? Uma família que quer gastar uma fortuna em um caixão que vai para a fogueira... Claro que é irracional, mas a gente não pode proibir ninguém de escolher um caixão muito caro. Você não conhece a vida das pessoas. Não é você quem vai decidir."

— Eu acho que a aposentadoria é o começo do fim.

— Com o tempo, de tantas famílias que conhecemos, percebi que nosso pai tinha razão... Muita gente quer gastar valores astronômicos no caixão. E para quê? Não sei...

— Vamos para a Bretanha, para a casa do meu cunhado.

— É o pessoal da cidade que vai organizar. Vai ser no início de julho. Eu adoro pescar. Não encho o saco de ninguém, a não ser dos peixes, e, mesmo assim, eu jogo todos eles de volta no rio.

— Temos seis dias para enterrar uma pessoa. É a lei.

— Ele dá aulas de piano. Deve fazer uns três anos que mora lá. É um cara grande, que está sempre vestido como se fosse aparecer na TV.

— Não temos o direito de separar as cinzas porque, para a lei, é um corpo.

— Um pouco de cebola... E aí é só refogar os champignons no creme de leite. Fica delicioso.

— No cinema, a gente só vê as pessoas espalhando cinzas no mar. O barco balança e, com o vento, as cinzas acabam voltando para a superfície. A verdade é que a gente tem que jogar as cinzas em uma urna biodegradável a um quilômetro de qualquer praia.

— Quantas crianças ainda vão à catequese, senhor padre? Não devem ser muitas.

— Com os seguros funerais, as pessoas não querem mais gastar milhares de euros em um túmulo familiar, já que os filhos delas moram em Lyon ou em Marselha. Muitas pessoas nos dizem: "Não queríamos a cremação, mas, depois de parar para pensar, preferimos que nossos filhos aproveitassem o dinheiro enquanto ainda estivéssemos vivos." Eu respondo que elas têm toda razão.

— Tenho três casamentos programados em julho e dois em agosto.

— Mas é estranho organizar o próprio enterro. Ver seu nome em uma lápide, sem ainda estar no caixão.

— Eu falei para o prefeito que, para as ruas desse tamanho, a gente precisava fazer alguma coisa. Um dia, elas vão estar todas diferentes.

— As pessoas que preparam o próprio enterro não sentem a dor. Não existe a brutalidade da morte. Com isso, elas acabam gastando metade do valor.

— O veterinário vai ficar feliz!

— Nas funerárias, é proibido proibir. Mas eu não aconselho as famílias a assistirem às exumações.

— Você viu? O segundo gol foi uma obra-prima... No ângulo.

— Temos que guardar uma imagem bonita de alguém que amamos. Já é difícil perder uma pessoa, enterrá-la... Por sorte, a tanatopraxia evoluiu muito. Em 90% dos casos, o resultado é muito bonito. Parece que a pessoa está dormindo. Eu maquio um pouco, dou à pele um aspecto natural, visto e coloco o perfume que o falecido costumava usar, depois de pedir o nome à família.

— Não sei. Tenho que ver. Talvez seja a junta do cabeçote. Se for isso, vai sair os olhos da cara.

— É sério, mas não muito, porque agora sei o que é sério. Há duas semanas, arranquei a porta do rabecão, quebrei o celular e achei infiltrações em casa. É chato, mas não é sério.

— Outro dia, o Elvis abriu a porta da área técnica e deu de cara com o chefe, o Darmonville, pegando a Sra. Rémy. Desculpe, senhor padre. O Elvis deu meia-volta rapidinho.

— Dizer às pessoas que as amamos, aproveitar o tempo com elas enquanto estão vivas. Acho que agora sou mais feliz por estar vivo do que antes. Tenho outro ponto de vista em relação às coisas.

— *Love me tender...*

— Não digo que a gente tem que virar um animal de sangue frio. Eu entendo a dor, mas não estou de luto. Não conheço os mortos.

— É mais difícil quando temos lembranças com o falecido. Quando o conhecemos.

40

Minha avó me ensinou bem cedo a colher estrelas: à noite, basta colocar uma bacia d'água no meio do pátio para que fiquem todas aos seus pés.

Fui à casa do Dr. Rouault para pedir que parasse com tudo. Falei que com certeza ele tinha razão, que Philippe Toussaint tinha desaparecido, que íamos parar por ali. Que eu não queria mais remexer no passado.

O Dr. Rouault não me perguntou nada. Ligou para o Dr. Legardinier na minha frente e pediu que ele interrompesse o procedimento. Para que encerrasse meu pedido. O fato de eu me chamar Trenet ou Toussaint não importa. As pessoas me chamam de Violette ou de "Srta. Violette". A palavra "senhorita" pode ter caído em desuso, mas não no meu cemitério.

Ao voltar, passei pelo túmulo de Gabriel Prudent. Um dos meus pinheiros fazia sombra sobre a urna de Irène Fayolle. Éliane se juntou a mim, grunhiu e se sentou aos meus pés. Então Moody Blue e Florence chegaram de não sei onde e se esfregaram em mim antes de se deitar, esticando todo o corpo sobre a pedra do túmulo. Abaixei-me para fazer carinho neles. A barriga dos dois e o mármore estavam quentes.

Perguntei-me se Gabriel e Irène estavam usando os gatos para me mandar um sinal. Como quando Léo ia até a varanda para acenar para os passageiros dos trens. Imaginei os dois, quando Irène tinha ido encontrar Gabriel na estação de Aix. Perguntei-me por que ela não havia deixado Paul Seul e por que tinha voltado para casa. E o que significava aquele último pedido, o de descansar perto daquele homem. Será que imaginava que os dois não teriam a vida, mas pelo menos teriam a eternidade? Será que Julien Seul voltaria para me contar o resto da história? Aquelas ideias me levaram a Sasha, em direção a Sasha.

Nono se aproximou de mim.

— Está sonhando, Violette? — perguntou.

— Podemos dizer que sim...

— Finalmente os irmãos Lucchini têm um cliente.

— Quem?

— Um acidente de carro... Está em mal estado, pelo que soube.

— Quem é? Você o conhecia?

— Ninguém sabe quem é. Estava sem documentos.

— Que estranho...

— Foram os caras da prefeitura que o encontraram em uma vala. Pelo jeito, ele estava lá havia três dias.

— Três dias?

— É, um motoqueiro.

No necrotério, Pierre e Paul Lucchini me explicam que estão atendendo a um pedido da polícia. Em algumas horas, o corpo do motoqueiro vai seguir para Mâcon. Um legista criou um obstáculo médico-legal para que uma autópsia fosse realizada.

Como em uma série ruim, sob uma luz ruim, com atores ruins, Paul me apresenta o corpo do homem que sofreu o acidente. Só o corpo, não o rosto.

— Ele não tem mais rosto — explica Paul. E acrescenta que não pode me apresentar o morto. — Mas, para você, Violette, dá no mesmo. Não vamos dizer nada. Você acha que o conhece?

— Não.

— Então por que quer ver o cara?
— Para ficar tranquila. Ele não estava usando capacete?
— Estava, mas não estava preso na cabeça.
O homem está nu. Paul colocou um lençol sobre seu pênis e outro sobre sua cabeça. O corpo está coberto de hematomas. É a primeira vez que vejo um cadáver. Normalmente, quando tenho que lidar com eles, já estão "na caixa", como diz Nono. Não estou me sentindo bem. Minhas pernas cedem, um véu preto passa diante de meus olhos.

41

A terra esconde você,
mas meu coração a vê sempre.

No dia 3 de janeiro de 1993, antes de ir embora, a mãe de Toussaint me deu um folheto. Anaïs era amiga de Catherine (minha sogra nunca chamou Léonine pelo nome certo). Era a filha de "pessoas muito legais" com quem eles haviam simpatizado quando estavam nos Alpes. O pai era médico; a mãe, radiologista. Quando a mãe de Toussaint dizia as palavras "médico" ou "advogado", era sempre com entusiasmo. Que nem eu quando mergulhava no Mediterrâneo com uma máscara de mergulho. Era seu panteão de alegria, "conviver" com médicos e advogados.

Anaïs fazia parte do grupo de esqui de Léo. Elas haviam passado de nível juntas. A família de Anaïs morava em Maxeville, perto de Nancy, uma feliz coincidência.

Todos os anos, a pequena Anaïs ia passar as férias em La Clayette, em Saône-et-Loire, e seria legal se Léonine fosse com ela em julho. Os pais de Anaïs tinham até se oferecido para passar na nossa casa para pegar Léonine, e a mãe de Toussaint tinha aceitado, sem nos consultar, porque "coitada da pequena Catherine: passar o mês todo presa do lado de uma ferrovia...". A mãe de Toussaint sempre falava de Léo como se tivesse pena dela. Como se ela precisasse tomar alguma atitude para resgatá-la da grande infelicidade de ser minha filha.

Não respondi que a "coitada" não vivia triste do lado da ferrovia, independentemente da estação. Que, entre cada trem, fazíamos muitas coisas no verão. Que enchíamos uma piscina no jardim. Nossa piscina era pequena, claro, mas mesmo assim nadávamos nela e nos divertíamos muito. Nós ríamos na nossa piscina de plástico. Mas rir não fazia parte do vocabulário dos pais de Philippe Toussaint.

Só falei que, em agosto, íamos voltar a Sormiou, mas que, se isso deixasse Léo feliz, ela podia viajar com uma amiga em julho. Por que não?

Depois que os pais de Toussaint foram embora, abri o folheto da colônia de férias de Notre-Dames-des-Prés, em La Clayette. "Só nossa preocupação nunca tira férias." Sob o slogan, havia as condições gerais de inscrição e, acima, nas fotos, o céu estava todo azul. A pessoa que fez o folheto deve ter proibido a chuva. Na primeira página, havia um castelo lindo e um grande lago. Na seguinte, um refeitório onde crianças de cerca de dez anos comiam, um ateliê onde as mesmas crianças pintavam, a praia do lago onde essas crianças nadavam e, por fim, em uma imagem maior, campos magníficos onde as mesmas crianças andavam de pônei.

Por que o sonho de toda menininha é andar de pônei?

Eu desconfiava dos pôneis desde que havia visto o filme *...E o Vento Levou*. Tinha mais medo de Léo montar em um pônei do que na traseira da moto de Philippe Toussaint.

A mãe de Toussaint havia enchido a cabeça de Léo:

— No verão, você vai andar de pônei com a Anaïs no campo.

A frase mágica, a frase que faz todas as meninas de sete anos sonharem.

Os meses e os trens passaram. Léonine aprendeu a diferença entre um conto, um diário, um dicionário, um poema e uma redação. Ela resolveu problemas: "Tenho trinta francos para o Natal. Compro um suéter de dez francos, um bolo de dois francos e depois ganho da minha mãe cinco francos de mesada. Quanto resta para a Páscoa?" Estudou a França, sua posição em um mapa, suas grandes cidades, seu lugar na Europa, no mundo. Ela marcou um ponto vermelho em Marselha. Fez truques de mágica. Fez tudo desaparecer, menos a bagunça em seu quarto.

Depois, em sua caderneta, ela me mostrou, orgulhosa: "Aprovada para o segundo ano."

No dia 13 de julho de 1993, os pais de Anaïs vieram até nossa casa para levar minha filha.

Foram muito gentis. Tinham a mesma atmosfera que o folheto da colônia de férias. Havia um céu azul no olhar deles. Léo se jogou nos braços de Anaïs. As meninas não paravam de rir. Tanto que acabei pensando: *Léo não ri assim comigo.*

— Estou cansada. Quero descansar...

Julien Seul está na minha frente. Está com uma cara feia. Talvez seja a luz pálida das paredes do quarto do hospital. Foi Nono quem ligou para ele depois que os bombeiros me recolheram do chão da loja dos irmãos Lucchini. Nono acha que somos amantes, que Julien Seul vai cuidar de mim. Nono está enganado. Ninguém vai cuidar de mim além de mim mesma.

O delegado parece preocupado comigo.

— Estou cansada. Quero descansar — é a única coisa que consigo lhe dizer.

Se Irène Fayolle não tivesse dado meia-volta entre Aix e Marselha para encontrar Gabriel Prudent na estação, Julien Seul nunca teria ido ao meu cemitério. Se Julien Seul não tivesse visto meu vestido vermelho mais comprido do que meu casaco, na manhã em que o levei até o túmulo de Gabriel Prudent, ele nunca teria se metido na minha vida. Se Julien Seul não tivesse se metido na minha vida, ele não teria encontrado Philippe Toussaint. E, se Philippe Toussaint não tivesse recebido meu pedido de divórcio, nunca teria voltado para Brancion. É o resumo da história.

Não contei a ninguém que Philippe Toussaint tinha vindo à minha casa na semana anterior, nem mesmo a Nono.

A primeira coisa que Julien Seul viu ao entrar no meu quarto de hospital foram meus braços. É um verdadeiro cão de caça. Ele não disse nada, mas senti seu olhar insistente sobre meus hematomas.

Mas tem uma coisa ainda mais louca: ao sair da minha casa, Philippe Toussaint se matou exatamente no mesmo lugar que Reine Ducha (1961-1982), a jovem que morreu em um acidente a trezentos metros do cemitério e que algumas pessoas dizem ver na beira da estrada nas noites de verão.

Será que Philippe Toussaint foi um dos que a viu? Por que ele não havia prendido o capacete, já que não o havia retirado quando entrou e saiu da minha casa? Por que estava sem documentos?

Julien Seul se levanta e diz que vai voltar depois. Antes de sair do meu quarto, ele me pergunta se preciso de alguma coisa. Balanço a cabeça e fecho os olhos. E me lembro, pela milésima vez, talvez mais, talvez menos.

Os pais de Anaïs não foram embora logo depois. Eles quiseram "nos conhecer". Dar tempo para as meninas se reconhecerem. Fomos ao Gino, a pizzaria tocada por alsacianos que nunca haviam posto os pés na Itália. Philippe Toussaint voltou para casa para cuidar da cancela e dos "trens da hora do almoço": 12h14, 13h08 e 14h06. Isso era bom para ele. Ele detestava conversar com desconhecidos e, para ele, falar de férias, crianças e pôneis era coisa de mulher.

As meninas comeram uma pizza com um ovo frito em cima, falando de pôneis, de biquínis, do segundo ano da escola, do primeiro nível do esqui, de passes de mágica e de protetor solar.

Os pais de Anaïs, Armelle e Jean-Louis Caussin, pediram o prato do dia. Eu os imitei, achando que ia ter que pagar a conta. Que era o mínimo que podia fazer, já que eles levariam Léonine para a colônia. Como eu tinha acabado de pagar a estadia dela, talvez fosse até ficar no vermelho.

Pensei nisso durante todo o almoço. A cada garfada, eu me perguntava como ia cuidar do cheque especial no banco. Eu não tinha autorização para ter um. Calculava mentalmente: *Três pratos do dia, dois pratos infantis e cinco bebidas.* Lembro de ter pensado: *Que bom que eles vão pegar a estrada. Assim não vai ter vinho.* Philippe Toussaint continuava a não me dar nada. Nós três vivíamos com meu salário. Eu contava cada centavo.

Lembro também que eles me perguntaram:

— Você é tão jovem... Com que idade teve a Catherine?

Não sabiam que Léonine se chamava Léonine. E me lembro de que Léo mergulhava a massa da pizza na gema do ovo e dizia:

— Vou furar seus ovos.

E ria.

E me lembro de ter pensado: *Pronto, ela cresceu. Tem uma amiga de verdade. Os trens precisaram entrar em greve para eu fazer minha primeira amiga, e aos vinte e quatro anos.*

Olhando de tempos em tempos para os belos olhos azuis dos Caussin, mas sem ouvi-los de verdade, eu soltava algumas palavras:

— É... Não... Ah... Oh... Tudo bem... Maravilha.

Não conseguia tirar os olhos da Léo. E contava: *Três pratos do dia, dois pratos infantis e cinco bebidas.*

Léo pontuava as frases com risadas. Tinha acabado de perder dois dentes. Seu sorriso parecia um piano abandonado no sótão. Eu havia feito duas tranças nela — seria mais prático para viajar.

Antes de sair do restaurante, ela fez os guardanapos de papel desaparecerem. Eu teria adorado que ela fizesse a conta desaparecer. Paguei com um cheque, tremendo. Pensando que, se estivesse sem fundos, eu ia morrer de vergonha. É engraçado. Imagino que toda Malgrange soubesse que meu marido me traía, mas o olhar das outras pessoas na avenida principal não me incomodava. Por outro lado, se elas soubessem que eu passava cheques sem fundo, eu nunca mais sairia de casa.

Voltamos para a cancela. Léo subiu no carro dos Caussin, no banco traseiro, ao lado de Anaïs. Quase esqueceu seu bicho de pelúcia. Ela o havia escondido na minha bolsa para que Anaïs não soubesse que ela precisaria dele durante a viagem. Fiz com que tomasse um remédio para enjoo, porque minha filha ficava enjoada quando viajava de carro, e eles iam viajar 348 quilômetros. Coloquei o frasco no bolso dela, para que ela o bebesse na volta.

Eles chegariam no fim da tarde e me ligariam na hora.

Durante a tarde, enquanto arrumava as coisas de Léo, encontrei a lista que eu havia feito quinze dias antes para não me esquecer de pôr nada na mala dela.

Dinheiro trocado, dois biquínis, sete regatas, sete calcinhas, sandálias, tênis (botas de equitação fornecidas), protetor solar, chapéu, óculos de sol, três vestidos, dois macacões, dois shorts, três calças, cinco camisetas (lençóis e toalhas fornecidos), duas toalhas de banho, três histórias em quadrinhos, xampu + xampu para piolhos, escova de dente, pasta de dente de morango, um suéter quente e um colete para a noite + roupas de chuva + uma caneta e um caderno de rascunho.

Máquina fotográfica descartável + kit de mágica.

Bicho de pelúcia.

Perto das nove da noite, Léo me ligou, superanimada — tudo era MUITO legal. Ao chegar à colônia, ela vira pôneis muito fofos, dera pão e cenoura para eles, muito legal, o tempo estava muito bonito, os quartos eram muito bem arrumados, havia duas beliches por quarto, Anaïs ia dormir na cama de baixo e ela, na de cima. Depois de comer, ela havia feito truques de mágica e eles haviam se divertido muito. As monitoras eram muito legais. Tinha uma que se parecia muito comigo. Não, eu não podia passar para o papai, ele tinha saído para dar uma volta.

— Eu te amo, mamãe, beijo. Manda um beijo para o papai.

Depois de desligar, saí para meu jardinzinho. Vi uma Barbie boiando de costas na piscina de plástico. A água havia ficado esverdeada. Esvaziei a piscina. A água correu ao lado das roseiras. Eu a encheria de novo na semana seguinte, quando Léo voltasse.

42

O amor é quando conhecemos alguém que nos dá notícias nossas.

Julien Seul veio me buscar no hospital. Ficamos em silêncio no carro. Ele pegou a estrada para Marselha assim que me deixou na frente da minha casa. O delegado Seul me avisou que logo voltaria. Pegou minha mão esquerda e a beijou. Era o segundo desde que havíamos nos conhecido.

Voltei para o meu cemitério com uma receita de fortificantes e vitamina D. Além disso, resultados de exames que estavam bons. Éliane me esperava na varanda. Dentro da casa, Elvis, Gaston e Nono também estavam à minha espera. A esposa do Gaston tinha me preparado um prato, para que, quando eu estivesse em casa, só precisasse esquentar e comer. Eles riram de mim com gentileza porque eu havia desmaiado ao ver um cadáver e "para uma zeladora de cemitério, isso é absurdo!".

Pedi notícias do morto como pedimos notícias de um colega que se aposenta. O corpo do "motoqueiro desconhecido" tinha sido levado para Mâcon. Ninguém sabia quem ele era. A moto não estava registrada e era um modelo recente, que tivera o número de série apagado. Uma moto roubada, com certeza. A polícia tinha começado uma busca.

Nono me mostrou o artigo no *Journal de Saône-et-Loire*, intitulado "Curva maldita".

"Houve um acidente trágico no local em que Reine Ducha morreu em 1982. O motoqueiro não havia prendido o capacete e andava a toda velocidade. Ele acabou desfigurado. Por isso, não é possível identificá-lo por fotografia, apenas por retrato falado."

Olho para o retrato que foi desenhado. Philippe Toussaint está irreconhecível. A legenda diz: "Homem de cerca de cinquenta anos, pele clara, cabelo castanho, olhos azuis, 1,88 metro de altura, sem tatuagem nem sinal característico. Nenhuma joia. Camiseta branca. Calça jeans da marca Levi's. Botas pretas e casaco de couro preto da marca Furygan. Para qualquer informação, procure a delegacia mais próxima ou ligue para o número 17 (emergência e polícia)."

Quem vai procurar por ele? Françoise Pelletier, imagino eu. Será que ele tinha amigos além dela? Quando morávamos juntos, ele tinha amantes, mas não amigos. Dois ou três colegas motoqueiros de Charleville e Malgrange. E os pais, que já morreram.

Não fico olhando para o jornal. Subo para o meu quarto para tomar banho e me trocar. Abrindo meus armários de verão e inverno, me pergunto se coloco o vestido rosa sob o casaco impermeável ou se coloco um vestido preto. Sou viúva e ninguém sabe.

Eu o reconheci no necrotério. Reconheci o corpo dele. Acho que, depois do susto, foi por causa do asco que desmaiei. Asco dele. Quando Philippe Toussaint veio me aterrorizar em meu jardim, o ódio dele passou pelo meu braço enquanto ele me apertava com toda a força. Tanta força que ainda estou com as marcas.

Sempre optei pelas cores por baixo das minhas roupas escuras para rir da cara da morte. Como as mulheres que se maquiam sob a burca. Hoje, estou com vontade de fazer o contrário. Quero usar um vestido preto e colocar um casaco rosa por cima. Mas nunca vou fazer isso, por respeito aos outros, àqueles que ficam e andam pelos corredores do meu cemitério. Além disso, eu nunca tive casaco rosa.

Desço para a cozinha, evitando pisar nas bonecas, me sirvo de um gole de vinho do Porto e me desejo saúde.

Saio para dar uma volta no meu cemitério. Éliane me segue. Eu ando pelas quatro alas: Loureiros, Evônimos, Cedros e Teixos. O cemitério está impecável. As joaninhas começam a aparecer. O túmulo de Juliette Montrachet (1898-1962) continua lindo.

De vez em quando, recolho vasos de flores que foram derrubados. José-Luiz Fernandez está aqui. Regando as flores da esposa. Tutti Frutti faz companhia a ele. As Sras. Pinto e Degrange também estão presentes. As duas aram a terra ao redor do túmulo dos maridos em silêncio. Aram uma terra que não aguenta mais ser arada. Faz um tempão que as ervas daninhas se renderam.

Passo por um casal que conheço de vista. A mulher visita de tempos em tempos o túmulo da irmã, Nadine Ribeau (1954-2007). Nós nos cumprimentamos.

Não está mais chovendo. O tempo está bom. Estou com fome. A morte de Philippe Toussaint não me tirou o apetite. Sinto a seda do vestido rosa roçar minhas coxas. Digo a mim mesma que Léo não precisará enfrentar isso. Enterrar o pai. Eu também não.

Ao escolher sumir da minha vida, Philippe Toussaint escolheu sumir da sua morte. Eu não teria que arar a terra ao redor do seu túmulo nem comprar flores para ele. Penso de novo em todo o amor que fizemos quando éramos jovens. Há anos não faço amor com ninguém. No setor dos Evônimos, sigo na direção da ala das crianças.

A maioria dos túmulos é branca. Há anjos em todos os cantos, nas placas, nos buquês de flores, nas lápides. Há corações rosa e ursos de pelúcia, muitas velas, além de vários poemas.

Hoje não há pais nem mães. Eles costumam vir depois do trabalho, a partir das cinco ou seis da tarde, e geralmente são os mesmos. No início, passam o dia aqui. Atordoados. Tontos de tanta tristeza.

Bêbados. Mortos-vivos. Depois de alguns anos, passam a vir com menos frequência, e é melhor assim, porque a vida continua. E a morte está em outro lugar.

Além disso, nesta ala, há crianças que teriam cento e cinquenta anos.

E, em cento e cinquenta anos, não mais pensaremos
Em quem amamos, em quem perdemos
Vamos esvaziar nossos copos de cerveja por algum ladrão!
Acabar todos na terra, meu Deus, que decepção!
E veja estes esqueletos que nos olham de esguelha
E não faça cara feia, não faça guerra
Não restará nada de nós, nem nada mais deles
Eu arrancaria minha mão ou a colocaria no fogo por eles
Então sorria.

Agacho-me diante dos túmulos de:

Anaïs Caussin (1986-1993)
Nadège Gardon (1985-1993)
Océane Degas (1984-1993)
Léonine Toussaint (1986-1993)

43

Como uma flor de pétalas retiradas
pela força da tempestade,
a morte a levou na flor de sua idade.

Minha filha, você não pode imaginar o quanto me culpei por ter dado aquele kit de mágica para você de Natal. Seu truque funcionou, você desapareceu mesmo. E fez três das suas amigas desaparecerem também, inclusive Anaïs.

Os outros quartos do castelo não foram afetados. Ou foram esvaziados a tempo. Não sei mais. Isso eu esqueci.

Só o seu. Só o de vocês. O quarto mais próximo da cozinha.

Um curto-circuito. Ou uma boca de fogão esquecida acesa.

Ou comida que teria pegado fogo no forno.

Ou um vazamento de gás.

Ou a bituca de um cigarro.

Depois, eu saberia depois.

Não houve truque no seu passe de mágica. Não houve alçapão escondido, nem aplauso, nem reaparição estrondosa.

O nada, as cinzas, o fim do mundo.

Quatro pequenas vidas destruídas, transformadas em pó. Vocês todas, juntas, não somavam nem três metros, nem trinta e um anos de meninice.

Depois daquela noite, vocês voaram para longe.

Nós nos consolamos como podemos: pelo menos vocês não sofreram. Foram asfixiadas enquanto dormiam. Quando as chamas começaram a consumi-las, já tinham ido embora. Estavam sonhando e continuaram no mundo dos sonhos.

Espero que você esteja em um pônei agora, minha querida, ou nas calanques, bancando a sereia.

Depois do trem de 5h50, eu havia me deitado no sofá e tinha acabado de pegar no sono. Meu coração começou a bater de forma desordenada quando o telefone tocou. Achei que tinha esquecido o trem de 7h04. Atendi. Tinha acabado de sonhar que a mãe de Toussaint me oferecia um urso de pelúcia sem olhos nem boca e que eu desenhava tudo isso com uma das suas canetinha.

Um policial falou comigo e me pediu para confirmar minha identidade, então ouvi seu nome, "castelo Notre-Dame-des-Prés... La Clayette... quatro corpos não identificados".

Ouvi as palavras "tragédia", "incêndio", "crianças". Eu ouvi "sinto muito", seu nome de novo, "chegamos tarde demais... os bombeiros não puderam fazer nada".

Vi você furar o ovo outra vez com a massa da pizza e fazer os guardanapos desaparecerem enquanto eu contava: *Três pratos do dia, dois pratos infantis e cinco bebidas.*

Eu poderia não ter acreditado no homem que falava comigo ao telefone. Poderia ter dito: "O senhor está enganado. A Léonine é mágica, ela vai reaparecer." Poderia ter dito: "É um golpe da mãe de Toussaint. Ela a pegou e a substituiu por uma boneca de pano que queimou na cama." Poderia ter pedido provas, desligado, dito: "Essa é uma brincadeira de muito mau gosto." Poderia ter dito... Mas na hora percebi que o que ele estava dizendo era verdade.

Desde a infância, nunca fiz escândalo. Para que ficassem comigo, para que não me abandonassem mais. Deixei a sua, a sua infância, gritando.

Philippe Toussaint apareceu, pegou o telefone, falou mais um pouco com o policial e também começou a gritar. Mas não como eu. Ele o xingou. Todas as palavras feias que nós proibíamos você de falar, seu pai disse. Em uma única frase. Já eu, fiquei arrasada com a sua morte. Depois daquele grito, parei de falar por muito tempo. Mas a sua morte o deixou irritado.

Quando o trem de 7h04 passou, nenhum dos dois saiu para baixar a cancela.

Deus, que havia desertado o castelo de Notre-Dame-des-Prés naquela noite, pelo menos se arriscou a passar perto da nossa cancela, porque só uma tragédia nas nossas vidas já devia bastar. Nenhum carro passou, nenhum carro foi se chocar contra o trem de 7h04. Naquela hora, a estrada normalmente ficava muito cheia.

Para as cancelas seguintes, Philippe Toussaint foi avisar alguém, pedir ajuda. Nunca vou saber quem veio.

Eu me deitei no seu quarto e não me mexi mais.

O Dr. Prudhomme chegou. Eu sei, você não gosta dele. Você o chamava de "cheiro ruim" quando ele cuidava das suas dores de garganta, da sua catapora, das suas otites.

Ele me deu uma injeção.

E depois outra. E depois outra.

Mas não no mesmo dia.

Philippe Toussaint pediu socorro a Célia. Ele não sabia o que fazer com a minha dor. Passou-a para outra pessoa.

Parece que os pais de Philippe Toussaint chegaram. Eles não vieram me ver no seu quarto. Fizeram bem. Pela primeira e última vez, fizeram bem. Fiquei sozinha. Os três seguiram para La Clayette. Partiram na sua direção, na direção dos seus restos de nada.

Célia chegou. Depois, mais tarde, não sei, tinha perdido toda a noção do tempo. Lembro-me de que já era noite. Ela mesma abriu a porta.

— Sou eu, estou aqui, estou aqui, Violette — me disse ela.

Sua voz havia perdido toda a luz. É, até na voz de Célia estava escuro quando você morreu.

Ela não teve coragem de me tocar. Eu estava encolhida na sua cama. Um monte de nada. Célia me forçou gentilmente a comer alguma coisa. Eu vomitei. Ela me forçou gentilmente a beber alguma coisa. Eu vomitei.

Philippe Toussaint telefonou para dizer a Célia que não restava nada dos quatro corpos. Que era desolador. Que você havia se tornado cinzas. Que não seria possível diferenciar você e suas amigas. Que ele ia dar queixa. Que íamos receber uma indenização. Que todas as outras crianças tinham voltado para casa. Que havia policiais por todos os cantos do castelo. Que vocês seriam enterradas juntas, na ala das crianças, juntas, com a nossa permissão. Ele repetiu isso: "enterradas juntas". E que, para evitar os jornalistas, a multidão e o caos, isso seria feito na mais restrita privacidade, no cemiteriozinho de Brancion-en-Chalon, a alguns quilômetros de La Clayette.

Pedi que Célia ligasse para Philippe Toussaint para que ele pegasse a sua mala.

Célia me explicou que a mala havia pegado fogo.

— Elas não sofreram — repetiu ela. — Morreram dormindo.

— Nós vamos sofrer por elas — soltei.

Célia me perguntou se eu queria que colocássemos um objeto ou uma roupa dentro do caixão.

— Eu — respondi.

Três dias se passaram. Célia me disse que íamos viajar bem cedo no dia seguinte. Que ela tinha que me levar para o funeral em Brancion-en-Chalon. Perguntou-me o que eu queria usar, se queria que ela fosse comprar roupas para mim. Recusei as compras e me recusei a ir ao enterro. Célia me disse que não era possível. Que era impensável. Respondi que sim, era possível, que não iria ao enterro das cinzas da minha filha. Que ela já estava longe, em outro lugar.

— É indispensável para que você deixe o luto — disse Célia. — Você tem que dizer um último adeus para a Léonine.

Respondi que não, não iria, que queria ir para Sormiou, para as calanques. Era lá que eu ia me despedir de você. O mar me ligaria a você uma última vez.

Fui embora com Célia, no carro dela. Não me lembro da viagem. Eu estava zonza, sob efeito de medicamentos. Não estava dormindo, mas também não estava acordada. Flutuava em um tipo de névoa espessa, um estado derivado de um pesadelo permanente, em que todos os sentidos ficavam anestesiados — todos menos a dor. Como as pessoas que são anestesiadas durante uma cirurgia, mas sentem todos os movimentos do cirurgião. O ponteiro da tristeza que me moía os ossos tinha chegado ao máximo do insuportável. Respirar me fazia mal.

— Em uma escala de zero a dez, como você classificaria a sua dor?

Como "indeterminada, infinita, perpétua".

Tinha a sensação de que sofria uma operação diária de amputação.

Pensava: *Meu coração vai parar. Ele vai parar muito em breve.* Esperava que fosse o mais rápido possível. Minha única esperança era morrer.

Eu me agarrava a duas velhas garrafas de licor de ameixa. Garrafas que Philippe Toussaint já tinha na quitinete. De tempos em tempos, eu tomava um gole que me queimava por dentro, onde eu tinha carregado você.

Pegamos a estrada escarpada para chegar à calanque de Sormiou. Essa estrada se chama "rota do fogo". Eu não havia prestado atenção nisso no ano anterior.

Entrei no mar sem tirar a roupa. Mergulhei, fechei os olhos, ouvi o silêncio e escutei nossas últimas férias, a alegria, o contrário das lágrimas.

Na hora eu senti. Senti sua presença. Como carinhos de um golfinho, na minha barriga, nas minhas coxas, nos meus ombros, no meu rosto. Algo de carinhoso que ia e vinha nas correntes de água à minha volta. Senti que você estava exatamente onde eu estava. Senti que você não estava com medo. Senti que você não estava sozinha.

Antes que a Célia me pegasse pelos ombros e me trouxesse de volta à superfície, ouvi claramente a sua voz. Você tinha a voz de uma mulher, uma voz que eu não ouviria nunca.

— Mamãe, você tem que saber o que aconteceu naquela noite — acho que escutei.

Não tive tempo de responder.

— Violette, Violette! — berrou Célia.

Pessoas, turistas de roupa de banho, como nós no ano anterior, a ajudaram a me levar de volta para a beira da praia. Só para a beira.

44

Rouxinol, se você voar
em torno deste túmulo,
cante para ele
sua mais linda canção.

O tempo está lindo. O sol de maio acaricia a terra que estou cavando. Três dos gatos mais velhos recuperam a juventude em meio às folhas de bico-de-papagaio e correm juntos atrás de camundongos imaginários. Alguns melros desconfiados cantam um pouco mais longe. Éliane dorme de costas, com as quatro patas no ar.

Agachada no meu jardim, termino de plantar minhas sementes de tomate ouvindo um programa sobre Frédéric Chopin. Coloquei meu radinho de pilha em um banco de madeira que achei há alguns anos em uma venda de garagem. De tempos em tempos, eu o pinto de azul ou verde. Os anos deram a ele uma bela pátina.

Nono, Gaston e Elvis foram almoçar. O cemitério parece vazio. Por mais que fique em um nível mais baixo do que o jardim, não vejo alguns dos corredores por causa do muro de pedra que os separa.

Tirei o casaco de jérsei cinza para libertar as flores do meu vestido de algodão. Depois, coloquei meu velho par de botas.

Adoro dar vida. Semear, regar, recolher. E recomeçar todo ano. Adoro a vida como ela está hoje. Ensolarada. Adoro estar em meio à essência de tudo. Foi Sasha quem me ensinou isso.

Arrumei a mesa no meu jardim. Fiz uma salada de tomates de todas as cores e outra de lentilha, comprei alguns queijos e uma boa baguete. Abri uma garrafa de vinho branco e a coloquei em um balde com gelo.

Gosto de pratos de porcelana e guardanapos de algodão. Gosto de copos de cristal e talheres de prata. Gosto da beleza das coisas porque não acredito na beleza das almas. Adoro a vida como ela está hoje, mas a vida não vale nada se não puder dividi-la com um amigo. Enquanto rego as sementes, penso no padre Cédric, um desses amigos para mim. Estou à espera dele. Nós almoçamos juntos toda terça-feira. É nosso ritual. A não ser que haja um enterro.

O padre Cédric não sabe que minha filha está enterrada no meu cemitério. Ninguém sabe, só o Nono. Até o prefeito ignora isso.

Falo muito de Léonine para as outras pessoas porque não falar dela seria deixar que ela morresse de novo. Não pronunciar o nome dela daria razão para o silêncio. Vivo com sua lembrança, mas não digo a ninguém que ela é uma lembrança. Finjo que ela mora em outro lugar.

Quando me pedem uma foto dela, eu a mostro ainda criança, com o sorriso sem dente. Muitos dizem que ela se parece comigo. Não, Léonine se parecia com Philippe Toussaint. Ela não tinha nada de mim.

— Oi, Violette.

O padre Cédric acabou de chegar. Ele traz uma caixa de doces nas mãos.

— A gulodice é um defeito horrível, mas não é um pecado — diz, sorrindo.

As roupas dele estão com o cheiro do incenso da igreja, e as minhas, de rosa.

Nunca apertamos as mãos nem nos beijamos, mas sempre brindamos.

Vou lavar as mãos e depois volto a me juntar a ele. O padre nos serve uma taça de vinho. Nós nos sentamos diante da horta e, como sempre, falamos primeiro de Deus como um velho amigo em comum que perdemos de vista — para mim, um bandido a quem não dou crédito nenhum, e, para ele, uma pessoa extraordinária, exemplar e dedicada. Depois, comentamos as notícias internacionais e da Borgonha. E sempre terminamos com o melhor: romances e músicas.

Normalmente, nunca cruzamos a linha da privacidade. Mesmo depois de duas taças de vinho. Não sei se ele já se apaixonou por alguém. Não sei se ele já fez amor. E ele não sabe nada da minha vida privada.

Hoje, pela primeira vez, enquanto faz carinho em My Way, ele se arrisca a me perguntar se Julien Seul é "só um amigo" ou se há alguma outra coisa entre nós. Respondo que entre nós só há uma história que ele começou a contar e da qual estou esperando o fim: a de Irène Fayolle e Gabriel Prudent. Mas não pronuncio o nome deles. Digo apenas que estou esperando que Julien Seul me conte o fim de uma história.

— Quer dizer que, quando ele tiver terminado de contar essa história, você não vai mais vê-lo?

— É, com certeza.

Vou pegar os pratos de sobremesa. O ar está quente. O vinho me deixou zonza.

— O senhor ainda quer ter um filho?

Ele se serve de mais uma taça de vinho e põe My Way perto de seus pés.

— Isso não me deixa dormir à noite. Ontem à noite, assisti a *La fille du puisatier* na TV. Como o filme só fala disso, basicamente de paternidade, amor e filhos, chorei a noite toda.

— Padre, você é um homem muito bonito. Pode conhecer alguém e ter um filho.

— E abandonar Deus? Nunca.

Enfiamos as costas dos garfos de sobremesa no açúcar derretido e nas amêndoas em pó que cobrem um dos nossos doces. Ele nota a irritação na minha voz, mas não fala nada. Contenta-se em sorrir.

— Violette, não sei o que você e Deus andaram fazendo hoje de manhã na hora do café — me diz o padre, muitas vezes —, mas você parece muito irritada com Ele.

— É que Ele nunca limpa os pés antes de entrar na minha casa — sempre respondo.

— Eu me uni a Deus. Eu me comprometi a seguir o caminho Dele. Estou na Terra para servi-Lo, mas você, Violette... Por que você não refaz a sua vida?

— Porque uma vida nunca pode ser refeita. Pegue uma folha de papel e a rasgue. Você pode colar todos os pedaços, mas os rasgos, as dobras e a fita adesiva ainda vão estar lá.

— Está bem, mas, quando os pedaços estão colados, ainda dá para escrever na folha.

— Sim, mas só se você tiver uma caneta boa.

Nós caímos na gargalhada.

— O que o senhor vai fazer com a sua vontade de ter filhos?

— Esquecer.

— Não dá para esquecer um desejo, especialmente quando ele é visceral.

— Vou envelhecer, como todo mundo, e isso vai passar.

— E se não passar? A gente não esquece só porque envelhece.

O padre Cédric começa a cantar:

— *Com o tempo, com o tempo, tudo se vai, tudo. A pessoa que adorávamos, que procurávamos sob a chuva, a pessoa de quem conseguíamos ler a mente em apenas um olhar...*

— Você já adorou alguém?

— Deus.

— Alguém?

— Deus — responde ele, com a boca cheia de creme de confeiteiro.

45

Acreditamos que a morte é uma ausência, quando, na verdade, é uma presença secreta.

Léonine continuou fazendo suas coisas desaparecerem. Seu quarto foi esvaziado pouco a pouco. Roupas e brinquedos foram levados para uma ONG. Sempre que Paulo — era assim que ele se chamava — estacionava a caminhonete (que levava o rosto de Abbé Pierre estampado) na frente da minha casa e pegava os sacos cheios de cor-de-rosa que eu o entregava, tinha a sensação de estar doando um dos órgãos de Léo para que outra criança os usasse. Para que a vida continuasse através das bonecas, das saias, dos sapatos, dos castelos, das pérolas, dos bichos de pelúcia, dos gizes de cera dela.

Ela fez o Natal desaparecer. Nunca mais montamos a árvore. A famosa árvore sintética, comprada para não matar as vivas, sem dúvida será para sempre o pior investimento da minha vida. Páscoa, Ano-Novo, Dia das Mães, Dia dos Pais, aniversários... Depois da sua morte, nunca mais soprei vela alguma em cima de um bolo.

Eu vivia em uma espécie de coma alcoólico permanente. Como se meu corpo, para se proteger da dor, tivesse se posto em um constante estado de embriaguez, sem que eu ingerisse uma gota sequer de álcool. Bem, nem sempre. Às vezes, eu bebia como um gambá. Era isso que eu era, um buraco sem fundo. Eu vivia entre nuvens de algodão. Meus gestos eram secos, lentos. Como Tintim, no tempo em que ele ainda estava preso à parede do quarto de Léonine, eu caminhava pela lua.

Acabei com os refrescos de fruta. Acabei com os biscoitos, os chocolates, os macarrõezinhos, o analgésico infantil. Em meio a isso tudo, eu apenas me levantava, baixava a cancela, voltava a me deitar, depois me levantava de novo, fazia comida para Philippe Toussaint, erguia a cancela e voltava a me deitar.

Agradeci os "pêsames" na rua principal. Escrevi para agradecer as várias cartas. Guardei milhares de desenhos de colegas de turma em uma pasta azul que comprei. Como se Léo tivesse sido um menino. Como se ela não tivesse existido de verdade.

O pior de tudo era ver o olhar horrorizado de Stéphanie atrás do caixa toda vez que eu abria a porta do mercado. Isso e as noites eram o que eu mais temia. Eu ficava horas me preparando mentalmente para conseguir sair de casa, atravessar a rua e abrir a porta do mercadinho. Baixava os olhos, empurrando o carrinho pelos corredores estreitos até o olhar de Stéphanie encontrar o meu. Assim que ela me via, a tristeza e o desespero tomavam seus olhos, como uma névoa. Era mais do que um espelho, era desolador. Ela não falava nada quando via o que eu colocava na esteira do caixa. As garrafas de bebidas alcoólicas. Só anunciava o total, acompanhado de um "por favor". Eu entregava o cartão de crédito, digitava a senha, tchau, até amanhã.

Ela não me oferecia mais novidades. "Os melhores produtos", como ela dizia. Todas as coisas que ela havia experimentado. O detergente que deixa as mãos macias; o sabão em pó que lava bem na água quente ou na fria; o delicioso cuscuz com legumes do setor de congelados; a vassourinha mágica; o óleo com ômega 3. Ninguém oferece mais nada a uma mãe que perdeu a filha. Nem promoções nem cupons de desconto. Todos a deixam comprar uísque, enquanto desviam o olhar. Eu ainda sentia o olhar de Stéphanie nas minhas costas quando abria a porta de casa.

Tivemos que lidar com empresas de seguro, advogados. Haveria um processo, a direção de Notre-Dame-des-Prés seria processada e o estabelecimento, fechado para sempre. Claro, íamos receber uma indenização.

Quanto custa uma vida de sete anos e meio?

Toda noite, eu voltava a ouvir a voz de Léo, sua voz de mulher, que me dizia:

— Mamãe, você tem que saber o que aconteceu naquela noite, você tem que saber por que meu quarto pegou fogo.

Foram essas palavras que me fizeram continuar vivendo. Mas precisei de anos para fazer alguma coisa com elas. Eu não era fisicamente capaz de fazer nada. E a dor era forte demais para que eu conseguisse me reanimar.

Eu precisava de tempo. Não para melhorar, eu nunca ia melhorar. Tempo para poder me mexer de novo, me movimentar.

Todo ano, do dia 3 até 16 de agosto, a SNCF mandava substitutos para a cancela. Philippe Toussaint, que se recusava a me acompanhar em meu "delírio mórbido", saía de moto para encontrar seus amigos em Charleville, e eu ia para Sormiou. Célia vinha me buscar na estação de Saint-Charles, me levava até o chalé, depois me deixava sozinha com minhas lembranças. De vez em quando, ela ia me visitar e nós tomávamos licor de cassis enquanto observávamos o mar.

Para mim, Finados era em agosto. Eu mergulhava e sentia minha filha que não estava mais lá.

Nunca recebi nada de Armelle e Jean-Louis Caussin, os pais de Anaïs. Nenhuma ligação, nenhuma carta, nenhum sinal de vida. Eles devem ter ficado com raiva de mim por eu não ter ido ao enterro das cinzas das nossas filhas.

Os velhos Toussaint voltaram várias vezes ao cemitério. Em todas elas, levaram o filho com eles. Também nunca mais os vi depois da morte de Léonine. Eles não entravam mais na minha casa. Havia um acordo tácito entre nós.

A raiva e a promessa de uma boa indenização fizeram Philippe Toussaint se manter firme. A obsessão dele era fazer com que os culpados pelo incêndio pagassem pelo que fizeram. Mas todos repetiam que não havia "culpados", que tinha sido um acidente. O que o deixava com ainda mais raiva. Uma raiva silenciosa. Ele queria receber uma indenização. Achava que as cinzas da nossa filha valiam seu peso em ouro.

Ele começou a mudar fisicamente. Seus traços se endureceram e seu cabelo embranqueceu.

Sempre que ele voltava do cemitério de Brancion-en-Chalon, duas vezes por ano, quando seus pais o deixavam na frente de casa, sem nunca entrar, ele não me dizia nada. Quando se levantava de manhã, ele não me dizia nada. Quando saía para dar uma volta, ele não me dizia nada. Quando voltava, horas depois, ele não me dizia nada. À mesa, ele não me dizia nada. Só os videogames que ele ativava com seus controles diante da TV faziam barulho. E, de tempos em tempos, quando a polícia, os advogados ou a seguradora ligava, ele gritava e exigia uma prestação de contas.

Nós ainda dormíamos juntos, embora eu não dormisse mais. Morria de medo dos meus pesadelos. À noite, ele colava o corpo no meu. E eu imaginava que era minha filha que estava atrás de mim.

— Vamos ter outro filho — me disse ele, uma ou duas vezes.

Eu respondi que sim, mas tomava pílula, além de antidepressivos e ansiolíticos. Meu ventre tinha se quebrado. Carregar uma vida no meu corpo morto? Jamais. Léo também tinha feito isso desaparecer: a possibilidade de outro filho.

Depois da morte da nossa filha, eu poderia ter ido embora, ter deixado Philippe Toussaint, mas não tive força nem coragem para isso. Philippe Toussaint era a única família que me restava. Ficar perto daquele homem também era ficar perto de Léonine. Ver a fisionomia dele todos os dias era ver o rosto dela. Passar diante da porta do quarto dela era esbarrar no seu universo, nas suas marcas, na sua passagem pela Terra. Definitivamente, eu seria uma mulher que nunca abandonaria, mas que seria abandonada.

Em setembro de 1995, recebi uma carta sem remetente. Ela fora postada em Brancion-en-Chalon. No início, achei que só podia ser da minha querida Célia. Que ela havia ido até lá, até o cemitério. Mas constatei que a letra não era dela.

Quando abri o envelope, tive que me sentar. Eu tinha nas mãos uma placa funerária branca, com um lindo golfinho gravado na lateral, além das seguintes palavras: "Minha querida, você nasceu no dia 3 de setembro e morreu em 13 de julho, mas, para mim, vai ser sempre meu 15 de agosto."

Eu poderia ter escrito aquelas palavras. Quem havia me mandado aquela placa? Alguém queria que eu fosse colocá-la no túmulo de Léonine, mas quem?

Eu a coloquei de volta no envelope e a guardei no armário do meu quarto, embaixo de uma pilha de toalhas que não usávamos nunca.

Ao dobrá-las de novo, descobri uma lista de nomes e funções escondida entre dois lençóis:

Édith Croquevieille, diretora.
Swan Letellier, cozinheiro.
Geneviève Magnan, governanta.
Éloïse Petit e Lucie Lindon, monitoras.
Alain Fontanel, zelador.

Era a lista da equipe do Notre-Dame-des-Prés, escrita por Philippe Toussaint. Ele deve ter anotado aqueles nomes na semana do julgamento. A lista havia sido feita atrás de uma conta, uma refeição para três pessoas no café du Palais, no ano do julgamento, em Mâcon. Três pessoas: Philippe Toussaint e, com certeza, seus pais.

Vi aquilo como um sinal de Léonine. No mesmo dia, eu havia recebido aquela placa e tinha diante de mim a lista de pessoas que a haviam visto pela última vez.

Foi a partir daquele dia que comecei a sair de casa e acenar para os passageiros do trem, enquanto esperava ao lado da cancela. E foi a partir daquele dia que Philippe Toussaint começou a me olhar como se eu tivesse ficado maluca. Mas ele não me entendeu: eu estava reencontrando minha filha.

Comecei rasgando a camisa de força dos produtos químicos. Suspendi os remédios pouco a pouco; o álcool, totalmente. Todas as dores iam me atacar, com violência, sem dúvida, mas eu não ia mais morrer.

Saí de casa e, pelo vidro, olhei nos olhos de Stéphanie, que estava atrás do caixa e abriu um sorriso triste para mim. Caminhei por dez minutos, pensando que, antes, quando eu fazia aquele caminho, quando passava por aquelas casas, eu tinha a mão da minha filha no meu bolso. Meus bolsos ficariam vazios para sempre no futuro, mas as mãos de Léonine continuariam a me guiar. Abri a porta da autoescola Bernard para me inscrever no curso de direção.

46

Você não está mais onde estava,
mas está em todos os lugares em que estou.

Eu acordo devagar, tomando o chá quente em golinhos. O sol da manhã faz alguns raios de luz entrarem pelas cortinas abertas da cozinha. Um pouco de poeira voa pelo cômodo. Acho isso bonito, quase mágico. Ponho para tocar uma música de Georges Delerue, a música-tema de *A Noite Americana*, bem baixinho. Seguro a xícara com a mão direita, enquanto com a esquerda faço carinho em Éliane, que estica o pescoço e fecha os olhos. Adoro sentir seu calor debaixo dos meus dedos.

Nono bate na porta e entra. Como o padre Cédric, ele nunca me dá beijos nem aperta minha mão. Só me diz bom dia ou boa noite, seguidos de "minha Violette". Antes de se servir de um café, ele pousa o *Journal de Saône-et-Loire* na mesa para que eu possa ler: "Brancion-en-Chalon: tragédia na estrada, motoqueiro identificado."

— Pode ler o artigo para mim, por favor? — eu me ouço pedir a Nono, com uma voz inexpressiva. — Não estou com os meus óculos.

Éliane, que sente o nervosismo dos meus dedos, esfrega-se rapidamente contra Nono para cumprimentá-lo e pede para sair, arranhando a porta. Nono faz carinho nela, abre a porta e volta para perto de mim. Puxa uma cadeira para se sentar na minha frente, remexe no bolso, põe os óculos reembolsados pela assistência social e começa a ler um pouco como uma criança do ensino fundamental, marcando cada sílaba. Como quando Léonine era bebê e eu lia o método Boscher: "Se todas as meninas do mundo quisessem se dar as mãos e cercar todo o mar, elas poderiam fazer uma ciranda." Mas as palavras não são as mesmas do meu livro colorido.

"A vítima do acidente fatal em Brancion-en-Chalon foi identificada pela companheira. Trata-se de um morador de Lyon. O homem tinha sido encontrado sem vida no último dia 23 de abril, em Brancion-en-Chalon. Segundo as primeiras conclusões da polícia, a moto dele, uma imponente Hyosung Aquila preta de 650 cilindradas — cujo número de série havia sido apagado — batera na mureta da estrada, provocando a queda do piloto, que usava o capacete solto na cabeça. No dia seguinte ao desaparecimento, a companheira dele alertou as delegacias e os hospitais da região. Desta forma, foi possível ligar os fatos e chegar à identificação."

Somos interrompidos pelos integrantes da família de um falecido, que chegam em grupo no cemitério. Alguns tocam violão. Todos trazem um balão de gás na mão.

Nono pousa o jornal.

— Pode deixar que eu vou — diz ele.

— Eu também.

Vestindo o sobretudo preto, eu me pergunto se devo dizer à polícia que Philippe Toussaint estava saindo da minha casa.

"Apenas o silêncio", dizia Sasha com frequência.

Será que já não cedi o suficiente? Será que não mereço paz?

Mesmo morto, Philippe Toussaint ainda me atormenta. Lembro-me das últimas palavras e dos hematomas que ele deixou nos meus braços.

Quero viver em paz. Quero viver como Sasha me ensinou. Aqui e agora. Quero a Vida. E não desenterrar um homem que foi inútil para mim. Cujos pais tiraram de mim meu único raio de luz.

O rabecão entra no cemitério e segue até o túmulo da família Gambini. Hoje vamos enterrar um famoso organizador de um parque de diversões, Marcel Gambini, nascido em 1942, na comuna de Brancion-en-Chalon. Seus pais, deportados, só tiveram tempo de escondê-lo na igreja do vilarejo.

Eu quase desejaria que pessoas desesperadas viessem esconder os filhos na casa do padre Cédric. A loteria da vida às vezes é mal montada. Eu teria gostado tanto de ser criada por um homem como o padre Cédric e de não ter que ficar passando de família em família...

Mais de trezentas pessoas participam do enterro de Marcel, entre eles guitarristas, violonistas e um baixista, que tocam as canções de Django Reinhardt em torno do caixão. A música contrasta com a tristeza, com as lágrimas que escorrem, com os olhares pesarosos, com as silhuetas perdidas e curvadas. Todos fazem silêncio quando a neta de Marcel, Marie Gambini, uma adolescente de dezesseis anos, toma a palavra:

— Meu avô gostava de algodão-doce, da crocância das maçãs do amor, do cheiro dos crepes e dos waffles, da doçura do marshmallow, de torrone e de churros. Batatas fritas mergulhadas no sal da vida, dedos sujos de alegrias simples. Ele sempre terá o sorriso da criança que segura, vitoriosa, seu peixinho vermelho em um saquinho plástico. A vara de pescar em uma das mãos, o balão na outra, montada em um cavalo de madeira. Ele lutou a vida inteira para isso: para nos oferecer tiros de chumbinho, tigres de pelúcia que invadem as colchas, horas dando "oi" para a criança no avião, no caminhão de bombeiros ou no carrinho de corrida do carrossel. Meu avô era como grandes prêmios e primeiras emoções, o primeiro beijo em um brinquedo do parque, um castelo assombrado, um labirinto. O beijo de açúcar de confeiteiro que nos dava para sempre uma prova das montanhas-russas que o futuro nos reservava. Meu avô também era uma voz, era música, o deus das ciganas que leem as linhas da mão. Ele tinha o jazz cigano no sangue e foi embora para tocar novos acordes onde não podemos mais ouvi-lo. A linha de sua mão se rompeu. Não peço que você descanse em paz, meu querido avô, porque você é incapaz de descansar. Só digo o seguinte: divirta-se e até logo.

Ela beija o caixão. O resto da família a imita. Enquanto Pierre e Jacques Lucchini baixam o caixão de Marcel Gambini para a cova, com a ajuda de cordas e polias, todos os músicos voltam a tocar "Minor Swing", de Django Reinhardt. Todos soltam os balões, e eles voam para o céu. Depois, cada membro da família joga bilhetes de rifa e bichos de pelúcia em cima do caixão.

Esta noite, não vou fechar os portões do meu cemitério às sete. A família Gambini me pediu permissão para ficar perto do túmulo para jantar. Deixei que eles ficassem até meia-noite. Para me agradecer, eles me ofereceram dezenas de entradas para as atrações do próximo parque, que vai ser montado em Mâcon, daqui a quinze dias. Nem me arrisquei a recusar. Vou dar tudo para os netos do Nono.

Não sei se podemos julgar a vida de um homem pela beleza do seu enterro, mas o de Marcel Gambini foi um dos mais bonitos a que pude assistir.

47

A escuridão precisa se acentuar para que a primeira estrela apareça.

Em janeiro de 1996, quatro meses depois de receber a placa funerária, eu a coloquei na bolsa e avisei a Philippe Toussaint que, pelo menos uma vez na vida, ele ia ter que trabalhar, e prestar atenção na cancela por dois dias. Não dei tempo para ele me responder. Já havia ido embora, dirigindo o carro de Stéphanie, um Fiat Panda, com um tigre branco de pelúcia preso no retrovisor como companhia.

Normalmente, a viagem levaria três horas e meia. Eu levei seis. Nada mais seria normal. Tive que parar várias vezes. Durante o trajeto, fui ouvindo o rádio. Cantei uma música de criança para Léonine. Imaginei-a, dois anos e meio antes, no banco traseiro do carro dos Caussin, o remédio para enjoo no bolso, o bicho de pelúcia nas mãos.

— Como a abelha, como o passarinho, com suas asas, sonho voa de mansinho, como uma nuvem, como a ventania, a lua chega quando a noite vence o dia, o fogo se apaga nas lareiras, até as brasas vão se esconder, a flor se fecha no orvalho, somente a névoa vai subir...

Observando as casas, as árvores, os caminhos, as paisagens, tentei imaginar o que havia chamado sua atenção. Será que ela havia dormido? Será que fizera truques de mágica?

As raras vezes em que havíamos andando de carro juntas tinham sido nos carros da Célia e da Stéphanie. Normalmente pegávamos trens. Não tínhamos carro. Philippe Toussaint só tinha a moto. Assim ele não era obrigado a nos levar a lugar algum. E, de qualquer forma, aonde ele teria nos levado?

Cheguei a Brancion-en-Chalon às quatro da tarde. *Na hora do lanche*, pensei. A porta da casa do zelador estava entreaberta. Não vi ninguém. Não perguntei nada. Quis encontrar Léonine sozinha.

Aquele cemitério era como um mapa do tesouro ao contrário. Em seu lugar, havia o horror.

Depois de meia hora caminhando por entre os túmulos, com a placa branca nas mãos, acabei encontrando a ala das crianças, a dos Evônimos. Pensei: *Eu devia estar preparando a entrada de Léonine no sexto ano, comprando material escolar, preenchendo formulários de matrícula, proibindo-a de maquiar os olhos, mas estou aqui, como uma alma penada, uma alma errante, mais morta do que os mortos, procurando o nome dela em um túmulo.*

Por muito tempo, eu me perguntei o que havia feito de ruim para merecer aquilo. Por muito tempo, eu me perguntei por que *alguém* estava querendo me punir. Repassei todos os meus erros. Quando não soube entendê-la, quando me irritei com ela, quando não a ouvi, quando não acreditei nela, quando não entendi que ela estava com frio, calor ou muita dor de garganta.

Beijei seu nome e seu sobrenome gravados no mármore branco. Não pedi perdão por não ter vindo antes. Não prometi que voltaria sempre. Falei que preferia encontrá-la no Mediterrâneo, em agosto, que aquilo se parecia muito mais com ela do que aquele lugar de silêncio e lágrimas. Prometi que descobriria o que havia acontecido naquela noite, por que seu quarto havia pegado fogo.

E pousei a placa funerária: "Minha querida, você nasceu no dia 3 de setembro e morreu em 13 de julho, mas, para mim, vai ser sempre meu 15 de agosto." Entre as flores, os poemas, os corações e os anjos. Ao lado de outra, na qual estava escrito: "O sol se pôs cedo demais."

Eu não saberia dizer por quanto tempo fiquei ali, mas, na hora de ir embora, os portões do cemitério estavam trancados.

Tive que bater na casa do zelador. Havia uma luz acesa dentro da casa. Uma luz leve e difusa. Tentei olhar através do vidro, mas as cortinas fechadas me impediram de ver qualquer coisa. Tive que bater várias vezes, na porta, no vidro da janela, mas ninguém apareceu. Acabei empurrando a porta da casa, que estava entreaberta.

— Tem alguém aí? — gritei, entrando.

Ninguém me respondeu.

Ouvi um barulho no segundo andar, passos acima da minha cabeça e uma música. Bach interrompido pela voz de um apresentador que saía de um rádio.

Adorei a casa de imediato. As paredes e os cheiros. Fechei a porta depois de entrar e esperei, plantada ali, observando os móveis ao meu redor. A cozinha havia sido organizada como uma loja de chá. Nas prateleiras, havia cerca de cinquenta frascos etiquetados. Os nomes tinham sido escritos à mão, com tinta. Chaleiras de barro, também etiquetadas, faziam par com os nomes nos frascos. E ainda havia velas perfumadas acesas por ali.

Um minuto antes, eu estava diante das cinzas da minha filha; ao abrir uma porta, tinha mudado de continente.

Acho que esperei muito tempo antes de ouvir passos na escada. Vi sapatos pretos, uma calça de linho preta e uma camisa branca. O homem devia ter por volta de sessenta e cinco anos. Parecia uma mistura de vietnamita e francês. Ele não ficou surpreso ao me ver diante da sua porta.

— Desculpe. Eu estava tomando banho — disse, simplesmente. — Sente-se, por favor.

Tinha uma voz parecida com a de Jean-Louis Trintignant. Trêmula, melancólica, doce e sensual. Foi com essa voz que ele disse "Desculpe. Eu estava tomando banho. Sente-se, por favor", como se tivéssemos marcado aquela visita.

Achei que ele estava me confundido com alguém. Não consegui responder porque ele continuou:

— Vou preparar um copo de leite de soja com amêndoa em pó e flor de laranjeira para você.

Eu teria preferido uma dose de vodca, mas não falei nada. Fiquei observando o homem colocar o leite, a flor de laranjeira e a amêndoa em pó em uma batedeira e encher um copo grande, no qual pôs um canudo colorido, como se estivéssemos no aniversário de uma criança. Depois, ele o entregou para mim. Com aquele gesto, sorriu como ninguém nunca sorrira para mim, nem mesmo Célia.

Tudo nele era comprido. As pernas, os braços, as mãos, o pescoço, os olhos, a boca... Seus membros e traços tinham sido traçados em uma escala diferenciada. Feito as dos mapas que víamos na escola.

Comecei a beber com o canudo e achei delicioso — lembrei-me da infância que eu não tivera, e depois da de Léonine. Lembrei-me de alguma coisa de uma doçura infinita. Comecei a chorar. Era a primeira vez que eu estava gostando de comer alguma coisa depois de muito tempo. Desde o dia 14 de julho de 1993, eu havia perdido o paladar. Léonine também tinha feito isto: feito meu paladar sumir.

— Desculpe — falei. — Os portões estavam fechados.

— Não tem problema — respondeu ele. — Sente-se.

Pegou uma cadeira e a trouxe para mim.

Eu não podia ficar. Não podia ir embora. Não podia falar. Não conseguia. A morte de Léo também me tirara as palavras. Eu lia, mas não era mais capaz de falar. Eu acumulava, mas nada saía. A vida das minhas palavras se resumia a "obrigada", "olá", "tchau", "está pronto", "com licença, vou me deitar". Até para fazer a prova de direção eu não tivera que falar. Bastara marcar as opções certas na prova escrita e fazer a baliza.

Eu ainda estava de pé. Minhas lágrimas caíam no copo de leite. Ele molhou um lenço de tecido com um perfume chamado Rêve d'Ossian e me fez levá-lo ao nariz. Continuei a chorar como se os diques tivessem rompido, mas as lágrimas que derramei me fizeram bem. Elas me tiraram coisas horríveis, como se toxinas venenosas saíssem de mim. Achei que já havia chorado tudo, mas ainda restavam lágrimas. Lágrimas sujas. Como a água parada que fica estagnada no fundo de um buraco mesmo depois de muito tempo desde que a chuva cedeu.

O homem fez com que eu me sentasse e, quando suas mãos me tocaram, senti uma onda de choque. Ele parou atrás de mim e começou a massagear meus ombros, meus trapézios, minha nuca e minha cabeça. Ele me tocava como se estivesse fazendo um tratamento, como se colocasse faixas quentes sobre minhas costas e minha cabeça.

— Suas costas estão mais duras do que uma parede — murmurou. — Daria para fazer rapel nelas.

Ninguém nunca havia tocado em mim daquela maneira. As mãos dele eram muito quentes e soltavam uma energia insana que me penetrava, como se ele estivesse passando uma brasa de leve pela minha pele. Não lutei contra ele. Não entendi nada daquilo. Eu estava em uma casa dentro de um cemitério, no cemitério onde as cinzas da minha filha estavam enterradas. Uma casa que me lembrava uma viagem que eu nunca fizera. Tempos depois, eu ficaria sabendo que ele era curandeiro. "Uma espécie de feiticeiro", como ele gostava de dizer.

Fechei os olhos sob a pressão das suas mãos e caí no sono. Um sono profundo, escuro, sem imagens dolorosas, sem lençóis molhados, sem pesadelos, sem ratos me devorando, sem Léonine sussurrando no meu ouvido: "Mamãe, acorda. Não estou morta."

Acordei na manhã seguinte, deitada no sofá, debaixo de um cobertor espesso e macio. Quando abri os olhos, tive dificuldade de acordar de verdade, de saber onde estava. Vi as caixas de chá. E percebi que a cadeira na qual eu havia sentado continuava no meio do cômodo.

A casa estava vazia. Uma chaleira pelando tinha sido posta sobre uma mesa de centro, diante do sofá. Eu me servi e tomei alguns goles de um chá de jasmim delicioso. Ao lado da chaleira, em um prato de porcelana, o proprietário da casa havia colocado biscoitinhos, que mergulhei no chá.

De dia, logo percebi que a casa do cemitério era tão modesta quanto a minha. Mas o homem que havia me recebido na véspera transformou-a em um palácio, graças ao seu sorriso, sua benevolência, seu leite com amêndoas, suas velas e seus perfumes.

Ele voltou para a casa. Pendurou o casaco no gancho e soprou as mãos para esquentá-las. Olhou para mim e sorriu.

— Oi.

— Tenho que ir.

— Para onde?

— Minha casa.

— Onde você mora?

— No leste da França, ao lado de Nancy.

— A senhora é a mãe da Léonine?

— ...

— Vi a senhora no túmulo dela ontem à tarde. Eu conheço a mãe da Anaïs, da Nadège e da Océane. É a primeira vez que a senhora...

— Minha filha não está no seu cemitério. Aqui só estão as cinzas dela.

— Não sou proprietário do cemitério. Sou só o zelador.

— Não sei como o senhor consegue fazer isso... Ter essa profissão. É uma profissão engraçada. Quer dizer, não engraçada. Isso nem um pouco.

Ele voltou a sorrir. Seu olhar não trazia nenhum julgamento. Depois, eu descobriria que ele sempre se colocava no mesmo nível das pessoas com quem conversava.

— E qual é sua profissão?

— Sou vigia ferroviária.

— A senhora impede as pessoas de passarem para o outro lado e eu as ajudo a atravessarem.

Tentei dar ao menos um meio-sorriso para ele. Contudo, eu não sabia mais sorrir. Tudo nele era bondade, tudo em mim era sofrimento. Eu estava em frangalhos.

— A senhora vai voltar?

— Vou. Tenho que saber por que o quarto das crianças pegou fogo naquela noite... O senhor conhece essas pessoas?

Entreguei a ele a lista com o nome dos funcionários do Notre-Dame-des-Prés, escrita por Philippe Toussaint no verso de uma conta.

"Édith Croquevieille, diretora. Swan Letellier, cozinheiro. Geneviève Magnan, governanta. Éloïse Petit e Lucie Lindon, monitoras. Alain Fontanel, zelador."

Ele leu os nomes com atenção. Depois, voltou a olhar para mim.

— A senhora vai voltar para ver o túmulo de Léonine?

— Não sei.

Oito dias depois do nosso encontro, recebi uma carta dele:

Senhora Violette Toussaint,

Segue em anexo a lista de nomes que a senhora esqueceu sobre minha mesa. Além disso, preparei para a senhora um sachê com a mistura de chá verde, amêndoas, pétalas de jasmim e rosas. Se eu não estiver em casa, pegue-o. A porta fica sempre aberta. Eu o deixei na prateleira amarela, à direita das chaleiras de ferro. Ele tem seu nome: "Chá para Violette."

Seu fiel servo,

Sasha H.

O homem parecia ter saído direto de um romance ou de um manicômio. O que dá no mesmo. O que ele estava fazendo em um cemitério? Eu nem sabia que a profissão de zelador de cemitério existia. Para mim, o ramo da morte se resumia a coveiros com pele cor de cera e ternos pretos, com um corvo pousado no ombro — quando não um caixão.

Mas havia algo ainda mais perturbador. Eu reconheci a letra dele no envelope e no bilhete. Foi ele quem me mandou a placa "Minha querida, você nasceu no dia 3 de setembro e morreu em 13 de julho, mas, para mim, vai ser sempre meu 15 de agosto" para que eu colocasse no túmulo da minha pequena Léo.

Como ele sabia que eu existia? Como conhecia aquelas datas, especialmente a da alegria? Será que já estava lá quando as crianças tinham sido enterradas? Por que tinha se interessado por elas? E por mim? Por que havia me feito ir até o cemitério? O que ele tinha a ver com aquilo? Cheguei a me perguntar se ele não havia me trancado conscientemente no cemitério para que eu entrasse na sua casa.

Minha vida era um campo que havia passado por um bombardeio e para o qual um soldado desconhecido havia mandado uma placa funerária e uma carta.

É, a guerra chegava ao fim. Eu sentia isso. Eu nunca me recuperaria da morte da minha filha, mas os bombardeios haviam acabado. Eu ia viver o pós-guerra. O mais longo, o mais difícil, o mais nocivo... É quando nos levantamos e damos de cara com uma mulher da nossa idade. Quando o inimigo vai embora e não resta mais nada a não ser os sobreviventes. Desolação. Armários vazios. Fotos que simbolizam a infância. Todos os outros crescem, inclusive as árvores, inclusive as flores, sem ela.

Em janeiro de 1996, anunciei a Philippe Toussaint que, a partir daquele dia, eu iria ao cemitério de Brancion-en-Chalon dois domingos por mês. Sairia de manhã e voltaria à noite.

Ele bufou. Levou o olhar ao céu, como se quisesse dizer: "Vou ter que trabalhar dois dias por mês." Comentou que não entendia, que eu não tinha ido ao enterro e, de repente, vinha com aquela extravagância. Não respondi. O que eu poderia responder ao ouvir a palavra "extravagância"? Segundo ele, rezar diante do túmulo de uma filha era um capricho, uma fantasia.

Christian Bobin disse: "As palavras não ditas vão gritar no fundo de nós."

Não foram essas exatas palavras, mas eu estava cheia de silêncios que gritavam dentro de mim. Que me acordavam à noite. Que tinham me feito engordar, emagrecer, envelhecer, chorar, dormir o dia todo, beber até não dar mais, bater a cabeça nas portas e nas paredes. Mas eu tinha sobrevivido.

Prosper Crébillon disse: "Quanto maior a tristeza, melhor é viver." Ao morrer, Léonine tinha feito tudo ao meu redor desaparecer, menos a mim mesma.

48

Como um bando de andorinhas
quando o inverno se aproxima,
sua alma alçou voo
sem esperança de retornar.

Julien Seul está parado à minha porta. A que dá para minha horta, nos fundos da casa.

— É a primeira vez que vejo o senhor de camiseta. Fica com um ar mais jovial.

— E é a primeira vez que a vejo vestida com alguma coisa colorida.

— É que estou em casa, no meu jardim. Atrás deste muro, ninguém me vê. O senhor vai ficar muito tempo?

— Até amanhã de manhã. Como você está?

— Como uma zeladora de cemitério.

Ele sorri.

— Seu jardim é lindo.

— É por causa dos fertilizantes. Perto dos cemitérios, tudo cresce rápido.

— Não sabia que você era tão irônica.

— É que o senhor não me conhece.

— Talvez eu a conheça mais do que pensa.

— Não é porque investiga a vida das pessoas que as conhece, senhor delegado.

— Posso levá-la para jantar?

— Contanto que me conte o fim da história.

— Qual?

— A de Gabriel Prudent e da sua mãe.

— Vou passar para buscá-la às oito da noite. E, por favor, se trocar de roupa, escolha outra que também seja colorida.

49

Estas poucas flores,
para lembrar o passado.

Entrei na casa de Sasha. Abri o sachê de chá, fechei os olhos e senti o cheiro. Será que eu ia voltar à vida naquela casa dentro do cemitério? Era a segunda vez que entrava nela e já sentia de novo o cheiro que me arrancava, quase à força, das sombras nas quais eu parecia viver desde a morte de Léo.

Como Sasha indicara na carta, o chá estava na prateleira amarela, ao lado das chaleiras de ferro. Ele pusera uma etiqueta, como fazemos em um caderno de criança: "Chá para Violette". Mas o que não estava escrito na carta era que, sob o sachê, também havia um envelope pardo onde li meu sobrenome. Não estava lacrado. Descobri que ele tinha posto várias folhas dentro dele.

De início, achei que era uma lista das pessoas que haviam morrido pouco tempo antes, e que o nome escrito no envelope podia ser só uma indicação dos túmulos onde deviam ser postas flores no Dia de Todos os Santos e de Finados. Depois, entendi.

Sasha havia conseguido o endereço de todos os funcionários presentes no castelo de Notre-Dame-des-Prés na noite de 13 para 14 de julho de 1993. A diretora, Édith Croquevieille; o cozinheiro, Swan

Letellier; a governanta, Geneviève Magnan; as duas monitoras, Éloïse Petit e Lucie Lindon; e o zelador, Alain Fontanel.

Com exceção da diretora, era a primeira vez que eu via o rosto das pessoas que tinham visto minha filha pela última vez.

A notícia fora dada no jornal das oito da noite. Em todos os canais. Tinham mostrado fotos do castelo de Notre-Dame-des-Prés, do lago, dos pôneis. E haviam insistido nas mesmas palavras-chave: tragédia, incêndio acidental, quatro crianças mortas, colônia de férias. As crianças haviam sido manchete do *Journal de Saône-et-Loire* por vários dias. Eu tinha lido rapidamente os artigos que Philippe Toussaint levara para mim no dia seguinte ao enterro. Fotos das crianças, com sorrisos faltando dentes — dentes que a fada havia levado, para a sorte dela. Nós, os pais, não tínhamos mais nada. Eu teria dado a vida para saber onde ela se escondia, para recuperar os dentes de leite da Léo, recuperar um pouco do seu sorriso. Mas, nos artigos, não havia foto alguma dos funcionários do estabelecimento.

A diretora, Édith Croquevieille, tinha o cabelo grisalho preso em um coque, usava óculos e lançava um sorriso educado para a máquina fotográfica. Dava para sentir que o fotógrafo dera dicas a ela. "Sorria, mas não muito. As pessoas precisam achar a senhora simpática, confiante e tranquila."

Eu conhecia aquela foto. Estava no verso do folheto que a mãe de Toussaint tinha me dado anos antes. O folheto que estampava um enorme céu azul. Parecido com os de funerárias.

"Só nossa preocupação nunca tira férias." Quantas vezes me culpei por não ter sabido ler as entrelinhas desse slogan?

Logo abaixo do retrato de Édith Croquevieille estava anotado o endereço dela.

A foto de Swan Letellier era de uma cabine fotográfica. Como Sasha a havia conseguido? Assim como com a diretora, ele havia anotado o endereço do cozinheiro. Mas não parecia ser seu endereço pessoal. Era o nome de um restaurante em Mâcon, Le terroir de souches. Swan devia ter uns trinta e cinco anos, parecia magro, tinha olhos amendoados, era ao mesmo tempo bonito e inquietante, com uma cabeça estranha, lábios finos, um olhar dissimulado.

A foto de Geneviève Magnan, a governanta, devia ter sido tirada durante um casamento. Ela usava um chapéu ridículo, como os pais dos noivos usam às vezes. Estava com uma maquiagem exagerada e malfeita. Geneviève Magnan devia ter uns cinquenta anos. Sem dúvida, a última refeição de Léo tinha sido servida por aquela mulher pequena e gordinha, enfurnada em um *tailleur* de flores azuis. Tenho certeza de que Léo agradeceu, porque minha filha era muito educada. Eu lhe havia ensinado isso. Fora minha prioridade: sempre dizer "bom dia", "tchau", "obrigada".

As duas monitoras, Éloïse Petit e Lucie Lindon, apareciam juntas, na frente da escola. Na fotografia, deviam ter dezesseis anos. Aparentavam ser duas moças atrevidas e despreocupadas. Será que haviam jantado na mesma mesa que as crianças? Ao telefone, Léo me dissera que uma delas se parecia "muito" comigo. Mas nem Éloïse nem Lucie, louras de olhos azuis, se pareciam comigo.

O rosto do zelador, Alain Fontanel, havia sido recortado de um jornal. Ele usava uma camisa de jogador de futebol. Devia estar posando, agachado entre outros jogadores, com uma bola na frente deles. Tinha um ar de falsidade, como o de Eddy Mitchell.

Havia endereços anotados em caneta azul sob todos os retratos. Os de Geneviève Magnan e Alain Fontanel eram idênticos. Sempre com a mesma letra que estava no envelope da placa funerária, na carta e nas etiquetas das caixas de chá.

Mas quem era aquele zelador de cemitério que havia me feito vir até aquele lugar? E por quê?

Eu o esperei, mas ele não voltou para casa. Pus o chá na bolsa, junto com o envelope que continha os retratos e os nomes dos que estavam presentes *naquela noite*. E dei uma volta no cemitério para tentar encontrar Sasha. Mas só vi desconhecidos regando as plantas e pessoas andando pelo terreno. Perguntei-me quem aquelas pessoas tinham enterrado ali. Tentei adivinhar, analisando o rosto delas. Uma mãe? Um primo? Um irmão? Um marido?

Depois de uma hora andando pelos corredores atrás de Sasha, acabei na ala das crianças. Margeei os anjos e fui até o túmulo de Léo. Revi o nome da minha filha na lápide — o nome que eu havia costurado no colarinho das suas roupas antes de guardá-las na mala. Era a regra, senão a direção da colônia não se responsabilizaria em caso de roubo ou sumiço. Um pouco de musgo havia começado a aparecer no mármore desde a última vez, em uma área de sombra. Ajoelhei para tirar a sujeira com o verso da manga do casaco.

50

Para mim, já faz anos, e sempre,
seu sorriso brilhante
prolonga a vida da mesma rosa
com seu belo verão.

Irène Fayolle e Gabriel Prudent entraram no primeiro hotel que viram, a alguns quilômetros da estação de Aix. O Hotel du Passage. Escolheram o quarto azul. Como o nome do romance de Georges Simenon. Havia outros: o quarto Joséphine, o quarto Amadeus, o quarto Renoir.

Na recepção, Gabriel Prudent pediu que o serviço de quarto levasse para eles macarrão e vinho tinto para quatro pessoas. Achou que fazer amor deixaria os dois com fome.

— Por que para quatro pessoas? — perguntou Irène Fayolle. — Somos só dois.

— Você com certeza vai pensar no seu marido e eu, na minha esposa, então é melhor chamá-los para comer agora mesmo. Isso vai evitar as omissões, a choradeira e tudo mais.

— Como assim a "choradeira"?

— É uma palavra que inventei para reunir a melancolia, a culpa, o arrependimento, os passos à frente e atrás. Tudo que enche nosso saco na vida. O que nos impede de avançar.

Eles se beijaram. Despiram-se. Ela quis fazer amor no escuro, ele respondeu que não valia a pena, que, desde o tribunal, ele a despira várias vezes com o olhar, que já conhecia suas curvas, o corpo dela.

Ela insistiu.

— Você é um falastrão — disse.

— Claro — respondeu ele.

Ele abriu as cortinas azuis do quarto azul.

Alguém bateu à porta. Serviço de quarto. Eles comeram, beberam, fizeram amor, comeram, beberam, fizeram amor, comeram, beberam e fizeram amor. Gozaram um com o outro, o vinho os fez rir. Eles gozaram, riram, choraram.

Decidiram, de comum acordo, nunca mais sair daquele quarto. Disseram um ao outro que morrer juntos, ali, naquele instante, podia ser A solução. Imaginaram a fuga, o desaparecimento, um carro roubado, um trem, um avião. Visitaram vários lugares.

Decidiram que iam morar na Argentina, como os criminosos de guerra. Ela caiu no sono. Ele ficou acordado, fumou alguns cigarros, pediu uma segunda garrafa de vinho branco e cinco sobremesas.

Ela abriu os olhos e perguntou quem era o terceiro convidado, além de seu marido e da esposa dele.

— Nosso amor — respondeu ele.

Os dois foram ao banheiro. Ao voltar para a cama, decidiram dançar. Então, ligaram o rádio e ouviram que Klaus Barbie seria extraditado para a França, para ser julgado.

— Finalmente temos justiça — declarou Gabriel Prudent. — Precisamos comemorar isso.

Ele pediu champanhe.

— Conheço você há vinte e quatro horas e não parei de beber — disse ela, então. — Talvez seja melhor que a gente se veja em jejum.

Eles dançaram ao som de "Je reviens te chercher", de Gilbert Bécaud.

Ela dormiu perto das quatro da manhã e abriu os olhos às seis horas. Ele tinha acabado de adormecer.

O quarto cheirava a tabaco e bebida. Ela ouviu os pássaros cantarem. Detestou todos.

"Guarde esta noite..." Foram essas palavras que lhe vieram à cabeça. Johnny Hallyday às seis horas da manhã, no quarto azul. Tentou se lembrar da letra:

— "Guarde esta noite, hoje, até o fim do mundo, guarde esta noite..."

Não conseguiu se lembrar do resto.

Ele estava de costas para ela. Irène o acariciou, sentiu o cheiro dele. Isso o acordou. Eles fizeram amor, depois voltaram a dormir.

A recepção ligou às dez da manhã para saber se iam ficar com o quarto ou ir embora. Se fossem sair, precisavam deixar o quarto até meio-dia.

51

Cada dia que passa tece o fio invisível da sua lembrança.

No térreo da ala esquerda, um corredor principal, três quartos adjacentes, contendo duas beliches cada um, e banheiros para os hóspedes, além de um quarto reservado para os funcionários. No primeiro andar, três quartos adjacentes com duas beliches e banheiros para os hóspedes, além de cinco quartos reservados para os funcionários.

Na noite de 13 para 14 de julho de 1993, todos os quartos estavam ocupados.

Os quartos de Édith Croquevieille (diretora e inspetora), Swan Letellier (serviço), Geneviève Magnan (serviço e inspetora), Alain Fontanel (serviço), Éloïse Petit (inspetora) ficavam no primeiro andar. O quarto de Lucie Lindon (inspetora) ficava no térreo.

Anaïs Caussin (sete anos), Léonine Toussaint (sete anos), Nadège Gardon (oito anos) e Océane Degas (nove anos) ocupavam o quarto 1, situado no térreo. Elas saíram do quarto sem autorização e sem fazer barulho para não acordar a monitora (Lucie Lindon), que dormia em um dos quartos adjacentes ao delas. Foram até a cozinha, a cinco metros de seu quarto, no fim do corredor principal. Abriram uma das geladeiras e puseram leite em uma panela de inox de dois litros para fervê-lo.

Usaram um fogão de oito bocas (duas elétricas, seis a gás). Acenderam uma das bocas a gás com a ajuda de fósforos. Vasculharam a despensa localizada no fim da cozinha para procurar chocolate em pó e o armário de louças para pegar quatro tigelas, nas quais despejaram o leite quente.

As quatro levaram as tigelas de leite quente para o quarto. (As quatro tigelas, de cerâmica não inflamável, foram encontradas no quarto 1.)

As quatro vítimas colocaram a panela de inox sobre uma das bocas a gás do fogão, que, por descuido, não foi apagada, mas apenas reduzida ao mínimo.

A alça de plástico da panela de inox começou a derreter e, depois, a pegar fogo. (Panela encontrada, inox não inflamável.)

Dez minutos depois (aproximadamente), as chamas liberadas pela alça de plástico começaram a afetar os elementos da cozinha situados acima e à direita do fogão.

O revestimento plástico que cobria esses elementos da cozinha acabou se revelando extremamente tóxico. Compostos orgânicos (laca e verniz) muito voláteis.

Também foi constatado que as quatro crianças não haviam fechado a porta da cozinha nem a do quarto.

Entre o momento em que as quatro vítimas deixaram a cozinha e o instante em que os gases tóxicos invadiram a cozinha, o corredor e o quarto delas, cerca de vinte e cinco ou trinta minutos se passaram.

Como dissemos anteriormente, o quarto 1 ficava a cerca de cinco metros da cozinha. A dispersão de gases tóxicos, produzida pela combustão dos elementos da cozinha, deve ter feito com que as quatro crianças entrassem logo em coma e, consequentemente, provocado a morte delas por asfixia e envenenamento.

Os corpos das quatro vítimas foram encontrados incinerados sobre as camas. Elas estavam dormindo quando inalaram os gases tóxicos, o que foi fatal para elas.

O quarto 1 pegou fogo quando uma das janelas explodiu com o calor e provocou uma entrada de ar.

Sob a explosão e a temperatura alta, todas as janelas do quarto foram destruídas. Isso permitiu que parte dos gases tóxicos escapassem. Os outros quartos do térreo (cujas portas estavam fechadas) não foram afetados.

A monitora (Lucie Lindon), que ocupava o quarto adjacente ao das quatro vítimas, imediatamente desocupou os dois quartos do térreo em que dormiam oito crianças (ilesas) que não foram afetadas pelo incêndio.

Lucie Lindon não conseguiu entrar no quarto 1.

Depois de garantir que todos os ocupantes do primeiro andar (doze crianças e cinco adultos) estavam sãos e salvos, Lucie Lindon alertou os bombeiros.

Foi mais difícil do que de costume falar com os bombeiros, pois eles haviam sido convocados para garantir a segurança da população em uma queima de fogos de artifício a dez quilômetros do local, ou seja, em La Clayette.

Alain Fontanel e Swan Letellier voltaram a tentar, de todas as maneiras, entrar no quarto 1, mas foi em vão. O calor e a altura das chamas eram grandes demais.

Entre o alerta de Lucie Lindon por telefone e a chegada dos bombeiros, vinte e cinco minutos se passaram. A ligação foi feita às 23h25 e os bombeiros chegaram no local do incêndio às 23h50.

Grande parte da ala esquerda já havia sido destruída pelas chamas.

Foram necessárias três horas para controlar o incêndio. Devido à pouca idade das quatro vítimas e o estado avançado de incineração dos corpos, não pudemos fazer identificações com base nas arcadas dentárias.

Foi isso que a investigação descobriu.

Foi mais ou menos isso que foi escrito no relatório da polícia, redigido para o promotor.

Foi isso que foi dito durante o julgamento (ao qual não assisti) e que Philippe Toussaint repetiu para mim.

Foi isso que foi escrito nos jornais (que eu não li).

Palavras soltas, sem afeto, objetivas. "Sem drama, sem lágrimas, pobres e irrisórias armas, porque existem dores que só choram dentro de nós", como na canção de Jean-Jacques Goldman.

Édith Croquevieille pegou dois anos de prisão, sendo um em regime fechado, porque o acesso à cozinha não havia sido trancado e o revestimento dos pisos, paredes e tetos de Notre-Dame-des-Prés estavam obsoletos. Não foi declarado nem escrito explicitamente que as crianças tinham sido responsáveis. Ninguém pode acusar quatro pequenas vítimas de sete, oito e nove anos. Mas, para mim, foi algo que ficou subentendido, se analisássemos a pena da diretora.

O problema que de imediato percebi nos relatórios dos especialistas foi que Léonine não tomava leite. Ela tinha horror a leite. Bastava um único gole para fazê-la vomitar.

52

Aqui descansa a flor mais bonita do meu jardim.

Observando os peixes coloridos do imenso aquário que cobre uma das paredes do restaurante chinês Le Phénix, me lembro da calanque de Sormiou. Do sol, da beleza na luz.

— O senhor costuma nadar em Marselha?

— Quando eu era pequeno, sim.

— O Hotel du Passage, o quarto azul, o vinho, o macarrão, o amor com Gabriel Prudent, tudo isso está escrito no diário da sua mãe?

— Está.

Ele tira uma caderneta do bolso interno do paletó. A capa dura da caderneta azul-marinho parece com a do livro que Célia me deu: *Les Champs d'honneur*, vencedor do prêmio Goncourt de 1990.

— Eu trouxe para você. Pus marcadores coloridos nas páginas que falam sobre você.

— Como assim?

— Minha mãe fala de você no diário. Ela a viu, muitas vezes.

Abro a caderneta e olho sua letra em tinta azul.

— Fique com ela. Pode me devolver depois.

Então, guardo a caderneta no fundo da minha bolsa.

— Vou cuidar dela... O que o senhor sentiu ao descobrir a outra vida da sua mãe nesse diário?

— Foi como se estivesse lendo a história de outra pessoa, de uma desconhecida. Além disso, meu pai morreu há muito tempo. Podemos dizer que o crime prescreveu.

— O senhor não fica chateado por ela não estar descansando com seu pai?

— No início, foi difícil. Agora entendo melhor. E, se não fosse isso, eu também nunca teria conhecido você.

— Mais uma vez, não sei direito se a gente se conhece. Nós nos encontramos, só isso.

— Então vamos nos conhecer.

— Acho que preciso beber.

Tomo a taça que ele acabou de servir para mim. De um gole só.

— Normalmente, bebo pouco, mas agora não vai dar. Além disso, esse seu jeito de me olhar... Nunca sei se quer me prender ou se casar comigo.

Ele cai na gargalhada.

— Prender ou casar dá no mesmo, não dá?

— O senhor é casado?

— Divorciado.

— Tem filhos?

— Um filho.

— Quantos anos ele tem?

— Sete.

Um anjo passa.

— Quer que a gente se conheça no hotel?

Ele parece surpreso com a minha pergunta. Passa a ponta dos dedos na toalha de algodão. E volta a sorrir para mim.

— Eu e você em um hotel era um projeto meu de médio ou longo prazo... Mas, como está me propondo, podemos antecipar.

— O hotel é o início da viagem.

— Não, o hotel já é a viagem.

53

Não chorem a minha morte.
Celebrem a minha vida.

Da segunda vez que vi Sasha, ele estava na horta. Entrei na casa bagunçada. As panelas transbordavam na pia, havia xícaras em todos os cantos, além de chaleiras vazias. Vários papéis estavam espalhados pela mesa de centro. As caixas de chá estavam cobertas de poeira. Mas as paredes ainda tinham um cheiro bom.

Ouvi um barulho nos fundos da casa. E, do lado de fora, vinha um som de música clássica. A porta que dava para a horta estava escancarada na cozinha. Dava para ver a luz do sol.

Sasha estava no alto de uma escada, apoiado contra uma ameixeira. Ele colhia os frutos doces dentro de um saco de batata. Quando me viu, sorriu para mim com aquele seu sorriso inigualável. E eu me perguntei como era possível alguém parecer tão feliz em um lugar tão triste.

Agradeci a ele na hora pelo sachê de chá e pela lista dos funcionários do Notre-Dame-des-Prés.

— Imagina, de nada — respondeu ele.

— Como o senhor conseguiu a foto e o endereço de todo mundo?

— Ah, não foi difícil.

— O senhor conhece Édith Croquevieille e os outros?

— Conheço todo mundo.

Quis perguntar algumas coisas sobre *aquelas pessoas*. Mas não consegui.

— A senhora parece um pardalzinho — me disse ele, descendo da escada —, um passarinho que caiu do ninho. Dá pena de ver. Venha aqui. Vou contar uma coisa para a senhora.

— Como o senhor conseguiu meu endereço? Por que me mandou a placa funerária?

— Foi a sua amiga Célia que me deu.

— O senhor conhece a Célia?

— Alguns meses atrás, ela veio ao cemitério colocar uma placa no túmulo da sua filha. Ela me perguntou onde ele ficava e eu a acompanhei. Ela explicou que tinha imaginado as palavras que a senhora teria gravado se tivesse vindo aqui. Então escolheu as palavras no seu lugar. Ela não conseguia entender por que a senhora nunca tinha posto os pés aqui no cemitério. Dizia que com certeza isso lhe faria bem. Falou sobre a senhora por muito tempo. Disse que a senhora estava mal. Então tive a ideia. Pedi a permissão dela para mandar a placa, para que a senhora viesse colocá-la no túmulo. Ela hesitou por muito tempo, depois me deu permissão para fazer isso.

Ele pegou uma garrafa térmica que estava no fim de um dos corredores do jardim e me serviu chá em um copo.

— Jasmim e mel — murmurou. — Tive meu primeiro jardim aos nove anos. Um metro quadrado de flores. Foi minha mãe quem me ensinou a plantar, a regar e a colher. Senti que adorava aquilo. Ela sempre me dizia: "Não julgue cada dia pela colheita que tiver, mas pelas sementes que puser na terra."

Então, ele se calou por alguns instantes, depois me pegou pelo braço e olhou nos meus olhos.

— Está vendo esta horta? Faz vinte anos que a tenho. Está vendo como ela é bonita? Todos estes legumes? Estas cores? Esta horta tem setecentos metros quadrados. São setecentos metros quadrados de alegria, amor, suor, coragem, vontade e paciência. Vou ensinar a senhora a cuidar dela e, quando aprender, vou confiá-la à senhora.

Respondi que não estava entendendo. Ele tirou as luvas e me mostrou a aliança que tinha no dedo.

— Está vendo esta aliança? Eu a encontrei na minha primeira horta.

Ele me levou para baixo de uma pérgola coberta de heras e fez com que me sentasse em uma cadeira velha. Depois, sentou-se diante de mim.

— Era um domingo. Eu devia ter uns vinte anos e estava passeando com meu cachorrinho perto do conjunto habitacional em que morava, nos arredores de Lyon. Eu me afastei dos estacionamentos e peguei uma trilha aleatória. Havia uma espécie de campo pouco acima de onde eu estava, com alguns prados espremidos no meio do concreto, gramados muito secos, não muito bonitos, e uma ilhota de árvores antigas. No fim dessa trilha, encontrei um grupo de pessoas sentado embaixo de um carvalho, escolhendo feijões em uma mesa velha, coberta com uma toalha de mesa de plástico. Fiquei impressionado, porque elas pareciam felizes. Eram vizinhos, moradores dos conjuntos habitacionais que eu conhecia de vista, pessoas que não sorriam daquele jeito quando eu as encontrava nas escadas. Em volta delas, vi suas hortas, feitas de tijolo e papelão. Elas cultivavam frutas e legumes. Entendi que eram aqueles pedaços de terra e canteiros que os fazia sorrir daquela maneira. Perguntei se podia ter uma horta como a deles. Então, eles me disseram que eu devia ligar para a prefeitura, que eles alugavam terrenos por um valor extremamente baixo e que ainda havia alguns disponíveis, nos fundos. Arei meu terreno com orgulho em outubro e o cobri de fertilizante. No inverno seguinte, preparei as sementes em potes de iogurte vazios. Abóbora hokkaido, manjericão, pimentão, berinjela, tomate, abobrinha. Eu pensei grande. Fui muito ambicioso com meus legumes. Plantei tudo na primavera. Fiz como os manuais de horticultura indicavam. Cultivei com a cabeça, não com o coração. Sem prestar atenção na lua, na geada, na chuva e no sol. Também plantei cenouras e batatas direto na terra. Esperei que crescessem. Ia regar tudo de tempos em tempos. E contava com a chuva.

Ele continuou:

— Claro, nada cresceu. Eu não tinha entendido que era preciso passar o dia na horta para que a magia acontecesse. Não tinha entendido que, se não forem retiradas todos os dias, as ervas daninhas que crescem em torno dos legumes sugam toda a água, tomam a vida.

Ele se levantou para ir até a cozinha e voltou com biscoitos de amêndoa em um prato de porcelana.

— Coma. A senhora está muito magra.

Falei que não estava com fome.

— Não faz diferença — respondeu ele.

Nós comemos os biscoitos, sorrindo, e ele retomou a história.

— Como se minha horta estivesse rindo de mim, em setembro, uma única cenoura havia crescido. Só uma! Eu vi as folhas amareladas, isoladas, no meio da terra seca e mal arejada. Uma terra que eu não havia entendido nem um pouco. Eu a colhi, morto de vergonha, pronto para jogar a cenoura para as galinhas, quando vi uma aliança de prata presa no meu pobre legume deformado. Uma aliança de prata de verdade, que alguém devia ter perdido anos antes na terra da minha horta. Lavei a cenoura, dei uma mordida e puxei a aliança dela. Vi aquilo como um sinal. Era como se eu tivesse perdido o primeiro ano do meu casamento porque não entendia nada sobre a minha esposa, mas ainda tivesse dezenas de anos pela frente para deixá-la feliz.

54

Ela escondia as lágrimas,
mas distribuía sorrisos.

Lavar a roupa com sabão em pó, colocá-la para secar, a não ser os suéteres, dobrá-la ainda quente, guardá-la por cor nas prateleiras dele. Fazer compras: pasta de dente com flúor, revista *Auto-moto*, lâminas de gilete, xampu anticaspa de camomila, creme de barbear para pelos grossos, condicionador, graxa para couro, sabonete Dove, engradados de *pilsen*, chocolate ao leite, iogurtes de baunilha.

As coisas que ele adora. As marcas que ele prefere.

No banheiro, escova de cabelo e pentes limpos. Uma pinça e um cortador de unhas prontos para serem usados.

O pão crocante. Qualquer coisa com sabor de cereja. Cortar a carne sem respirar pelo nariz. Dourá-la e refogá-la em uma panela de ferro. Retirar a tampa e vigiar os pedaços do animal morto, acrescentar farinha, colocá-los no prato, as folhas de louro mergulhadas no molho de cebola.

Servir.

Comer apenas legumes, massa, purê. Comer apenas os acompanhamentos. O que sou. Um acompanhamento.

Tirar a mesa.

Lavar o piso e a cozinha. Passar o aspirador. Arejar a casa. Tirar o pó. Trocar imediatamente o canal da TV quando ele não gosta do programa. Desligar a música. Nunca ouvir música quando ele está: meus cantores "idiotas" dão dor de cabeça nele.

Ele sai para dar uma volta, eu fico. Vou me deitar. Ele volta tarde. Faz barulho e acaba me acordando. Não se importa com a torneira aberta no banheiro, com o jato de xixi no fundo da privada, as portas batendo. Ele cola atrás de mim, com o cheiro de outra mulher. Finjo estar dormindo. Mas, às vezes, ele me quer mesmo assim. Apesar da outra, a que acabou de deixar. Ele entra em mim, força, grunhe, enquanto eu fecho os olhos. Penso em outro lugar: vou nadar no Mediterrâneo.

Minha vida se resumia a isso. Aquele cheiro. Aquela voz, aquelas palavras e aqueles hábitos. Os últimos anos da minha vida com ele ocuparam mais espaço nas minhas lembranças do que os primeiros, os que passaram rápido, os anos curtos, leves e despreocupados do amor. Naquela época em que nossa juventude se misturava.

Philippe Toussaint me fez envelhecer. Ser amada é continuar jovem.

É a primeira vez que faço sexo com um homem delicado. Antes de Philippe Toussaint, tiveram apenas alguns adolescentes do abrigo e de Charleville. Apenas a falta de coordenação e vidas difíceis se chocando, fazendo barulho. Gente perdida que não conhece o carinho. Que mal aprendeu a própria língua nos livros de escola, que mal aprendeu o que é amar.

Julien Seul sabe amar.

Ele está dormindo. Ouço sua respiração. É um novo fôlego. Escuto sua pele, respiro seus gestos, suas mãos sobre mim: uma no meu ombro esquerdo, outra cobrindo meu quadril direito. Ele está colado em mim. Mas fora de mim, não em mim.

Está dormindo. Quantas vidas vou precisar para voltar a dormir colada em alguém? Ter confiança suficiente para fechar os olhos e me libertar das almas que me assombram? Estou nua debaixo dos lençóis. Meu corpo não se encontrava nu debaixo dos lençóis desde o início dos tempos.

Adorei esse momento de amor, essa injeção de vida. Agora queria voltar para minha casa. Queria reencontrar Éliane, a solidão da minha cama. Gostaria de sair deste quarto de hotel sem acordá-lo. Fugir, na verdade.

Despedir-me amanhã de manhã me parece impossível. Uma conversa quase tão insuportável quanto ver o olhar de Stéphanie quando perdi Léonine.

O que eu diria a ele?

Tomamos uma garrafa inteira de champanhe para nos dar coragem, para que conseguíssemos nos tocar. Estávamos morrendo de medo um do outro, como as pessoas que gostam de verdade umas das outras. Como Irène Fayolle e Gabriel Prudent.

Não quero uma história de amor. Já passei da idade. Perdi a chance. Minha escassa vida amorosa é um velho par de meias guardado no fundo de um armário. Meias das quais nunca me livrei, mas que nunca mais vou usar. Mas não importa. Nada importa, só a morte de um filho.

Tenho a vida toda pela frente, mas não quero o amor de um homem. Quando nos acostumamos a morar sozinhos, não conseguimos mais viver com outra pessoa. Disso, eu tenho certeza.

Estamos a vinte quilômetros de Brancion-en-Chalon, bem ao lado de Cluny, no Hotel Armance. Não vou voltar a pé. Vou pegar um táxi. Descer até a recepção e chamar um táxi.

A ideia me dá ânimo. Deslizo para fora da cama com o máximo de cuidado que consigo. Como quando dormia com Philippe Toussaint e não queria acordá-lo.

Coloco o vestido, pego a bolsa e saio do quarto com os sapatos na mão. Sei que ele está me observando enquanto vou embora. Ele é elegante o bastante para não dizer nada e eu, deselegante o suficiente para não me virar.

Irreverente, é isso o que penso de mim mesma.

No táxi, tento ler as páginas do diário de Irène Fayolle ao acaso, mas não consigo. Está escuro demais. Quando passamos por um bloco de casas, a luz dos postes ilumina uma palavra entre dez.

"Gabriel... mãos... luz... cigarro... rosas..."

55

Sua vida é uma bela lembrança.
Sua ausência, uma dor silenciosa.

Quando saí do cemitério de Sasha, eram seis da tarde. Ao volante do Fiat Panda, segui na direção de Mâcon, para pegar a autoestrada. O tigre branco preso ao retrovisor me observava de soslaio, balançando-se despreocupadamente.

Voltei a pensar em Sasha, na sua horta, no seu sorriso, nas suas palavras. Pensei em como uma greve tinha mandado Célia para mim e a morte da minha filha, aquele horticultor de chapéu de palha. Um Wilbur Larch para chamar de meu. Um homem entre a vida e os mortos, sua terra e seu cemitério. *As regras da casa de sidra.*

Voltei a pensar na equipe da colônia de férias. Eles também deviam ser pessoas corajosas. Revi o rosto da diretora, Édith Croquevieille; do cozinheiro, Swan Letellier; da governanta, Geneviève Magnan; das duas jovens monitoras, Éloïse Petit e Lucie Lindon; e do zelador, Alain Fontanel. Os rostos de todos se juntaram na minha cabeça.

O que eu ia fazer com o endereço deles? Será que ia encontrá-los, um após o outro?

Enquanto dirigia, lembrei que o cozinheiro, Swan Letellier, trabalhava no Terroir de Souches, em Mâcon. Tinha visto em um mapa que o restaurante ficava no centro da cidade, na rua de l'Héritan.

Não peguei a estrada. Entrei em Mâcon e parei em um estacionamento a duzentos metros do restaurante, perto da prefeitura. Uma garçonete me recebeu com gentileza. Havia também mais dois casais sentados por ali.

A última vez que tinha posto os pés em um restaurante fora no Gino, no dia em que havia almoçado com os pais de Anaïs, no dia em que Léonine furara os ovos, gargalhando. Tinha voltado a viver aquele dia milhares de vezes: o almoço, o vestido que ela usava, suas tranças, seu sorriso, a mágica, o valor da conta, o momento em que ela entrara no carro dos Caussin e acenara para se despedir, o bicho de pelúcia escondido debaixo dos joelhos — um coelhinho cinza, cujo olho ameaçava cair e que eu pusera na máquina tantas vezes que ele perdera uma orelha. Algumas horas deveriam ser rapidamente esquecidas. Mas os acontecimentos nos obrigam a lembrar.

Não vi Swan Letellier. Ele devia estar na cozinha. Só vi as garçonetes, correndo de um lado para o outro. *Quatro meninas, como no túmulo*, pensei.

Tomei meia garrafa de vinho e não comi quase nada. A garçonete me perguntou se eu não havia gostado. Respondi que sim, mas que não estava com muita fome. Ela me lançou um sorriso de condescendência. Observei as pessoas entrarem e saírem. Fazia muitos meses que eu não bebia, mas estava me sentindo sozinha demais naquela mesa para tomar água.

Perto das nove da noite, o restaurante ficou lotado. Fui embora tropeçando, depois me sentei em um banco um pouco mais longe e esperei Swan Letellier. Os olhos nas sombras.

Eu podia ouvir o rio Saône correr ali perto. Tive vontade de me jogar nele e me juntar a Léo. Será que a encontraria? Não era melhor me jogar no mar? Será que ela ainda estava lá? Que forma teria? E eu, será que ainda estava lá? Qual era o sentido da minha vida? Para que ela havia servido? Para quem? Por que haviam me colocado sobre um aquecedor no dia do meu nascimento? O aquecedor estava quebrado desde o dia 14 de julho de 1993.

O que eu ia falar para o coitado do Swan Letellier? O que eu queria saber exatamente? O quarto havia pegado fogo. De que adiantava questionar o presente? Remexer a merda?

Não tinha coragem de voltar para o carro da Stéphanie, voltar para a cancela, dirigir à noite.

No instante em que quis me levantar, saltar o muro atrás de mim e pular na água escura, um gato siamês veio se esfregar nas minhas pernas, ronronando. Ele me encarou com seus belos olhos azuis. Abaixei para tocar nele. Seu pelo era macio, quente, maravilhoso. Ele subiu nos meus joelhos, e eu levei um susto. Não tive coragem de me mexer. Ele se deitou em cima de mim, se esticando. Como um peso morto nas minhas coxas, uma trava de segurança. Eu ia me jogar no vazio e ele me impediu. Acho que, naquela noite, o gato salvou minha vida — o pouco que restava dela, pelo menos.

Quando os últimos clientes foram embora e as luzes do salão do restaurante foram apagadas, Swan Letellier foi o primeiro a aparecer.

Não saí do banco em que estava sentada.

Ele usava uma jaqueta preta, cujo tecido brilhava sob a luz dos postes, jeans e tênis. Tinha um andar cambaleante.

Eu o chamei. Não reconheci minha voz. Foi como se outra mulher tivesse gritado. Uma desconhecida que eu abrigava dentro de mim. Com certeza era efeito do álcool. Tudo me parecia abstrato.

— Swan Letellier!

O gato pulou para o chão e se sentou aos meus pés. Swan Letellier virou o rosto para mim e me observou por alguns segundos.

— Oi? — finalmente reagiu, não muito confiante.

— Sou a mãe da Léonine Toussaint.

Ele ficou imóvel. Eu tinha a mesma expressão de quando havia assustado os adolescentes na noite em que me transformara em mulher de branco. Senti seu olhar assustado analisar o meu. Embora eu estivesse mergulhada na escuridão, conseguia distinguir perfeitamente seus traços onde ele estava.

Uma das quatro garçonetes saiu do Terroir des Souches. Ela se aproximou e se aconchegou atrás dele.

— Pode ir — disse ele, bem seco. — Eu já vou.

Na mesma hora ela percebeu que ele olhava na minha direção. Ela me reconheceu e sussurrou alguma coisa no ouvido dele. Sem dúvida que eu havia acabado de virar meia garrafa de vinho sozinha. A moça me observou, depois foi embora, praticamente gritando para Swan:

— Vou esperar você na casa do Titi!

Swan Letellier se aproximou de mim. Quando chegou bem perto, esperou que eu falasse.

— Sabe por que estou aqui?

Ele balançou a cabeça.

— Sabe quem eu sou?

— A senhora já disse. A mãe da Léonine Toussaint.

— Sabe quem é Léonine Toussaint?

Ele hesitou antes de responder.

— A senhora não estava no enterro nem no julgamento.

Eu não esperava que ele me dissesse isso. Foi como se ele tivesse me dado um tapa. Cerrei os punhos até enfiar as unhas na pele. O gato siamês continuava perto de mim. Sentado aos meus pés, me encarando.

— Eu não consigo acreditar que as crianças foram até a cozinha naquela noite.

— Por quê? — me respondeu ele, na defensiva.

— Um palpite. O que o senhor viu?

— Nós tentamos entrar no quarto, mas já era tarde demais.

— O senhor se dava bem com o restante da equipe?

Ele pareceu ter dificuldade de respirar. Tirou uma bombinha do bolso e inalou o remédio pela boca.

— Tenho que ir. Estão me esperando.

Reconheci o medo dele. As pessoas que sentem medo fungam mais do que as outras. Naquela noite, sentada naquele banco, diante daquele jovem inquieto e inquietante, senti medo. Senti que o fogo que consumira minha filha a consumiria para sempre, se eu não descobrisse a verdade.

— Não quero pensar mais nisso. A senhora devia fazer a mesma coisa. É triste, mas é a vida. Às vezes ela é horrível. Sinto muito.

Ele me deu as costas e começou a andar muito rápido. Quase correndo. Sua reação só me fez me agarrar à ideia de que nada que havia sido escrito no relatório enviado ao procurador era verdade.

Baixei os olhos. O gato siamês tinha ido embora sem que eu notasse.

56

Doces são as lembranças que nunca somem.

Quando Jean-Louis e Armelle Caussin vêm rezar diante do túmulo de Anaïs, eles não me reconhecem. Não fazem a ligação entre a jovem tímida e malvestida com a qual almoçaram no dia 13 de julho de 1993, em Malgrange, e a bem cuidada funcionária da prefeitura que percorre os corredores do cemitério de Brancion com passos decididos. Já até compraram flores comigo, mas sem me reconhecer.

Depois da morte da minha filha, perdi quinze quilos e meu rosto ganhou rugas e inchou. Envelheci cem anos. Eu tinha o rosto e o corpo de uma criança, mas em um invólucro todo amassado.

Uma menininha velha.

Tinha sete anos e alguma coisa.

Sasha dizia que eu era...

— Um passarinho velho que caiu do ninho e depois pegou chuva.

Depois que conheci Sasha, me transformei. Deixei o cabelo crescer e mudei meu estilo. Parei de gostar de calças jeans e moletons.

Quando reencontrei meu corpo, quando o vi em uma vitrine de loja, percebi que era o corpo de uma mulher. Eu o cobri com vestidos, saias e camisas. Meus traços mudaram. Se meu rosto fosse uma pintura, teria passado dos ovais angulares de Bernard Buffet aos quase etéreos de Auguste Renoir.

Sasha me fez trocar de século; me fez dar um passo para trás para continuar seguindo em frente.

Da última vez que vi Paulo em sua caminhonete, dei a ele as últimas coisas de Léonine, minha boneca Caroline, minhas calças e meus sapatos vagabundos. Lixei as unhas, passei lápis nos olhos e comprei escarpins.

Stéphanie, que sempre havia me visto de calça jeans e sem maquiagem, me observava com um olhar desconfiado quando eu colocava o pó e o blush na esteira do caixa. Era ainda pior do que na época em que eu colocava diante dela as mais variadas garrafas de bebidas.

As pessoas são engraçadas. Elas não aguentam ver uma mãe que perdeu a filha, mas ficam ainda mais impressionadas ao vê-la se reerguer, se vestir, se arrumar.

Assim como outras mulheres aprendem a cozinhar, aprendi a usar cremes diurnos, cremes noturnos e blush.

A mulher do cemitério parece triste, mas sempre sorri para quem passa. Imagino que parecer triste seja uma exigência da profissão. Ela se parece com uma atriz da qual esqueci o nome. É bonita, mas não sei que idade tem. Notei que está sempre bem vestida. Ontem, comprei flores para Gabriel com ela. Não queria levar minhas rosas para ele. A mulher que cuida do cemitério me vendeu uma linda urze lilás. Nós conversamos sobre flores. Ela parece apaixonada por jardins. Quando falei que tinha um roseiral, o rosto dela se iluminou. Não era mais a mesma.

Foi isso que Irène Fayolle escreveu sobre mim no seu diário, em 2009. Um mês depois do enterro de Gabriel Prudent. Anos depois do desaparecimento de Philippe Toussaint.

Se Irène Fayolle tivesse ficado sabendo que, um dia, "a moça do cemitério" passaria uma noite de amor com seu filho...

Não tenho notícias de Julien Seul. Imagino que ele chegará um dia, em silêncio, como costuma fazer. Como eu quando saí do Hotel Armance.

Penso na nossa noite de amor enquanto estou parada diante do caixão de Marie Gaillard (1924-2017), que estamos enterrando. Soube que ela era má feito uma bruxa. Sua empregada sussurrou para mim que veio ao enterro da "velha" para garantir que estava mesmo morta. Belisquei a palma da minha mão com força para não rir. Não há nenhum gato em volta do túmulo, nem mesmo os do cemitério. Nenhuma flor, nenhuma placa. Marie Gaillard foi enterrada no túmulo da família. Espero que ela não seja tão má com as pessoas que vai reencontrar.

É comum ver visitantes cuspindo nos túmulos. Aliás, vejo isso com mais frequência do que imaginava. Quando comecei, achei que as brigas morriam com a pessoa detestada. Mas as lápides não encerram o ódio. Já vi enterros sem lágrimas. Já vi até enterros felizes. Algumas mortes agradam todo mundo.

Depois do enterro de Marie Gaillard, ouvi a faxineira dela murmurar:

— A maldade é como o esterco. O cheiro fica grudado no ar por muito tempo, mesmo depois que o recolhemos.

A partir de janeiro de 1996, comecei a voltar para visitar Sasha a cada quinze dias, sempre aos domingos. Como o pai que não tem a guarda do filho e o encontra no fim de semana, de duas em duas semanas. Sempre pegava o Fiat Panda da Stéphanie, que me emprestava o carro sem reclamar. Saía às seis horas da manhã e voltava à noite. Sentia que aquilo não duraria mais muito tempo. Que qualquer dia Philippe Toussaint me faria perguntas e me impediria de ir. Ele estava muito desconfiado.

Minhas visitas ao cemitério de Brancion continuavam, e eu estava mudando fisicamente. Como uma mulher que arranja um amante. Meu único amante foi o fertilizante que Sasha me ensinou a fazer com estrume. Ele me ensinou que, em função do tempo, é preciso cavar em outubro e recomeçar na primavera. Ele me ensinou a prestar atenção nas minhocas, a mantê-las vivas para que elas pudessem "fazer o trabalho".

Ele me ensinou a observar o céu e a decidir se era preciso plantar em janeiro ou mais tarde, caso eu pretendesse fazer a colheita em setembro.

Ele me explicou que a natureza andava com calma, que as berinjelas plantadas em janeiro não brotariam antes de setembro e que, nas plantações industriais, os legumes eram pulverizados com grande quantidade de adubos químicos para crescer rápido. Uma produção inútil para a horta do cemitério de Brancion. Ninguém esperava aqueles legumes além dele, o zelador, e eu, seu "passarinho velho que caiu do ninho". Para cultivar a natureza, bastava usar a própria natureza. Nenhum outro adubo é necessário, a não ser o natural. Ele me ensinou a preparar um extrato de urtiga e uma infusão de sálvia para tratar os legumes e as flores. Pesticidas, nunca.

— Violette, o natural dá muito mais trabalho, mas, enquanto estamos vivos, sempre encontramos tempo — me dizia Sasha. — Ele cresce que nem os cogumelos no orvalho da manhã.

Ele logo passou a me tratar de maneira mais íntima e informal, mas eu nunca cheguei a tratá-lo assim.

Quando me via, começava a gritar comigo:

— Já viu como você está vestida? Por que não se veste de uma maneira que valorize a mulher bonita que você é? Aliás, por que usa o cabelo curto? Está com piolho?

Ele me dizia isso como se estivesse falando com um dos seus gatos, que ele tanto adorava.

Eu chegava no domingo de manhã, perto das dez. Entrava no cemitério e ia até o túmulo de Léonine. Sabia que ela não estava mais *ali*. Que, sob o mármore, só havia o vazio. Como um terreno baldio, uma terra de ninguém. Eu ia ler seu nome e seu sobrenome na placa. E beijá-la. Não colocava flores no túmulo. Léonine não ligava para flores. Aos sete anos, preferimos brinquedos e varinhas mágicas.

Quando abria a porta da casa do Sasha, sempre sentia aquele cheiro, uma mistura de comida simples, de cebola refogada na frigideira, de chás e de Rêve d'Ossian, com o qual ele molhava os lenços espalhados ao acaso pelo cômodo. E, assim que entrava, eu respirava melhor. Estava de férias.

Nós almoçávamos um de frente para o outro. O cardápio era sempre bom, colorido, cheiroso, saboroso e vegetariano. Ele sabia que eu tinha horror a carne.

Sasha me perguntava sobre minhas semanas, meu dia a dia, a vida em Malgrange-sur-Nancy, meu trabalho, minhas leituras, as músicas que ouvia, os trens que passavam. Nunca me falava de Philippe Toussaint ou, quando o mencionava, dizia "ele".

Nós logo saíamos para trabalhar juntos na horta. Não importava se estivesse nevando ou fosse um dia sol, sempre havia alguma coisa para fazer: plantar, preparar sementes, tirar mudas, fincar guias, lavrar, retirar ervas daninhas, cuidar da organização das fileiras.

Ficávamos o tempo todo debruçados sobre a terra, mexendo nela. Nos dias bonitos, a brincadeira favorita dele era me molhar com a mangueira. Sasha tinha um olhar infantil, e suas brincadeiras combinavam com esse olhar.

Era zelador do cemitério havia anos. Nunca falava da vida privada. A única aliança que usava era a que havia achado na sua primeira horta, na cenoura.

Às vezes, tirava do bolso *Regain*, o romance de Jean Giono, e lia algumas passagens para mim. Eu recitava de cor alguns trechos de *As regras da casa de sidra*.

Às vezes, éramos interrompidos por uma emergência: alguém que havia dado um jeito nas costas ou torcido o tornozelo.

— Continue — me dizia Sasha. — Eu já volto.

Ele desaparecia por meia hora para cuidar do paciente e voltava sempre com uma xícara de chá, um sorriso nos lábios e a mesma pergunta:

— E então? O que você fez com a nossa terra?

Como adorei aquela primeira experiência de plantio. As mãos na terra, o nariz no ar, fazendo a ligação entre o céu e a terra. E assim aprender que um não existia sem o outro. Então, voltar duas semanas depois do primeiro plantio e ver a transformação, entender as estações de outra maneira, a força da vida.

Entre aqueles domingos, eu tinha a impressão de que a espera era interminável. Os domingos que eu não ia a Brancion eram um deserto em que apenas o futuro importava, a linha do horizonte do domingo seguinte.

Eu ocupava meu tempo lendo as anotações que havia feito, o que tinha plantado, como fizera determinadas mudas, minhas sementes. Sasha tinha me confiado revistas de horticultura que eu devorava como fazia com *As regras da casa de sidra*.

Depois de dez dias, eu parecia uma prisioneira que conta as últimas horas que faltam para sua libertação. A partir de quinta à noite, eu começava a tremer de ansiedade. Na sexta-feira e no sábado, como não aguentava mais, ia caminhar no intervalo entre a passagem dos trens. Precisava disso para canalizar minha energia sem que Philippe Toussaint percebesse. Pegava ruas da vizinhança nas quais ele não passava com a moto. Quando por acaso ele estava em casa, eu dizia que ia sair para fazer compras rápidas. No fim da tarde de sábado, eu passava para pegar o Panda da Stéphanie, que ficava estacionado na frente da casa dela.

Ninguém no mundo foi alguma vez capaz de gostar tanto de um carro como eu adorava o Fiat Panda da Stéphanie. Nenhum colecionador, nenhum motorista de Ferrari ou de Aston Martin sentiu o que eu sentia ao pôr as mãos trêmulas no volante. Ao girar a chave, pôr o carro em primeira e pisar no acelerador.

Eu falava com o tigre branco. Ficava pensando no que encontraria, nas plantas que teriam crescido, nas sementes que deveria colher, na cor das folhas, no estado da terra, solta, seca ou úmida, na casca das árvores frutíferas, no avanço dos brotos, dos legumes, das flores, no medo da geada. Ficava pensando no que Sasha teria preparado para o almoço, no chá que beberíamos, no cheiro da sua casa, na sua voz. Ia encontrar meu Wilbur Larch. Meu médico pessoal.

Stéphanie achava que eu ficava ansiosa para encontrar minha filha, mas estava ansiosa para encontrar a vida após minha filha. Outras vidas que não a minha. A principal tinha se apagado, o vulcão havia se extinguido. Mas eu sentia as ramificações, os sulcos surgirem dentro de mim. Eu sentia o que estava semeando. Eu estava *me* semeando. E isso apesar de a terra desértica que me constituía ser muito mais pobre do que a da horta do cemitério. Uma terra cheia de pedregulhos. Ainda assim, um broto de erva consegue crescer em qualquer lugar, e eu era feita desse lugar qualquer. Uma raiz pode realmente ganhar vida no asfalto. Basta uma microfissura para que a vida penetre no impossível. Um pouco de chuva, um tantinho de sol, e de repente surgem brotos vindos de sabe Deus onde, do vento, talvez.

No dia em que me agachei para colher os primeiros tomates que havia plantado seis meses antes, fazia muito tempo que Léonine cobria a horta com sua presença, como se ela tivesse levado o Mediterrâneo até o jardinzinho do cemitério em que estava enterrada. Naquele dia, percebi que ela estava em cada pequeno milagre que a terra produzia.

57

O destino seguiu seu caminho,
mas nunca separou nossos corações.

Junho de 1996, Geneviève Magnan

Sou tão sensível que, quando leio ou ouço a palavra "ácido", sinto dor na língua e meus olhos ardem. Todo o meu corpo queima. É isso que penso quando vejo uma propaganda de balas azedinhas na TV.

— Você é sensível demais — cuspia minha mãe, entre dois tapas.

Deve ser uma questão de equilíbrio: como minha alma é podre e só serve para ser jogada para cães vira-latas, meu corpo absorve tudo.

Troco de canal. Se pelo menos eu pudesse mudar de vida apertando um botão do controle remoto. Desde que fiquei desempregada, estou atolada na minha poltrona velha, sem saber o que fazer. Dizendo a mim mesma que nada é muito sério. Que acabou. Que não podemos mudar o que aconteceu. Que o caso foi encerrado. Elas estão mortas. Enterradas.

Eu estava dormindo quando Swan Letellier me ligou. Ele me deixou um recado que não entendi. Suas palavras soaram confusas. Ele estava em pânico, tudo se misturava em seu cérebro de passarinho. Tive que ouvir o recado várias vezes para colocar as palavras que ele havia dito no lugar certo: a mãe de Léonine Toussaint estava esperando por ele na frente do restaurante no qual ele trabalha como cozinheiro. Ela parece maluca, não acredita que as meninas tenham ido até a cozinha para fazer chocolate quente naquela noite.

Depois do julgamento, achei que nunca mais ouviria falar de Léonine. Como nunca mais ouviria falar de Anaïs, Océane nem de Nadège. Por sorte, foi a outra, a diretora, que pegou a pena toda. Dois anos de cadeia. Os ricos têm que se foder um pouco, a justiça tem que ser feita de vez em quando. Nunca aguentei aquela mulher, metida a santinha.

A mãe da Léonine Toussaint... As famílias não eram aqui da região. Só burgueses mandam os filhos para se esbaldar no lago de um castelo. Achei que os pais só fossem até o cemitério quando viessem para a cidade e que voltassem rapidinho para casa, depois de pôr flores e crucifixos no túmulo das filhas.

O que ela está investigando? O que ela quer? Será que vai vir à minha casa? Vai querer falar com todo mundo? Letellier está em pânico, mas faz um tempão que não tenho mais medo de ninguém.

Éramos seis no castelo. Letellier, Croquevieille, Lindon, Fontanel, Petit e eu.

Quando penso de novo em tudo isso, me lembro da primeira vez que o vi. Não da última, da primeira. Normalmente me lembro da última. E do ódio que arde no meu sangue como um rio de azedinhas.

A primeira vez foi em uma festa de fim de ano para as crianças do jardim de infância da região. Minha camisa estava suja de vômito — leite devolvido pelo mais novo, que havia ficado enjoado por causa do calor. Eu a havia aberto um pouco para que as pessoas não vissem a mancha. Ele nem me notou, apenas deu uma olhada no meu sutiã de amamentação. Senti um arrepio. Um olhar de cachorro no cio. Ele me deixou com vontade. Bastante.

Ele não me viu, mas eu "só tinha olhos para ele", como os ricos dizem.

Os dois meses de férias escolares foram grandes estraga-prazeres.

Depois fui contratada como assistente do maternal. No primeiro dia, eu o esperei feito um cachorrinho. Quando o vi entrar no pátio da escola para pegar a filha, minha pele enrijeceu como o couro da jaqueta dele. Eu desejei ser o animal que tinha sido esfolado para mantê-lo aquecido.

Ele ia muito pouco à escola. Era sempre a mãe que levava e pegava a filha.

Levou meses para que ele falasse comigo. Com certeza não tinha porra nenhuma para fazer naquele dia. Nenhuma outra mulher para comer. Era um garanhão e, caramba, como era lindo. Parecia bom de cama. Eu sentia isso, mesmo a cem metros de distância, ele com suas camisetas e calças justas. Com aqueles olhos azuis gelados, ele despia qualquer rabo de saia: mães que iam e vinham pelos corredores com cheiro de amônia.

Entre as janelas que eu limpava depois da aula... Os cagões que eu levava ao banheiro.

Um dia, parei para dizer qualquer coisa aleatória a ele. Uma história sobre uns óculos que eu supostamente havia encontrado no armário de um dos alunos. Será que era dele? Ele foi tão frio quanto o freezer da escola.

— Não, não é meu — disse apenas.

Ele estava acostumado a ser abordado pelas mulheres. Dava para perceber, dava até para sentir isso no ar. Ele tinha uma cara de príncipe do mal, de traidor, de safado, um rosto lindo, como aqueles dos filmes antigos.

No fim do ano escolar, de tanto me ver perambulando nos corredores em uma tentativa de esbarrar com ele, de encurralá-lo, ele acabou marcando um encontro comigo. Não um encontro para flertar comigo. Não. Ao me dar a hora e o lugar, já tinha tirado minha roupa.

Ele simplesmente me abordou:

— Uma noite, bem rapidinho.

Porque ele era casado e eu também. Ele não queria encheção de saco nem quartos de hotel. Transava em banheiros de boate, contra as árvores ou no banco traseiro de um carro.

Levei horas me preparando. Depilei as pernas, me enchi de creme, usei uma máscara de argila no rosto, no meu nariz grande, passei perfume na axila e deixei os meninos na casa de uma amiga que ia ficar de bico calado. Uma que dormia com todo mundo e que eu já havia descoberto. Uma cujo próprio adultério a impediria de fofocar.

Íamos nos encontrar perto da "pedra pequena". Era assim que as pessoas da região chamavam uma pedra grande que ficava na saída da cidade, um tipo de menir quebrado, um canto escuro onde crianças quebravam as lâmpadas dos postes desde sempre.

Ele chegou de moto. Pôs o capacete no assento. Como as pessoas fazem, às vezes, quando não vão ficar muito tempo no lugar. Não me disse bom dia, boa noite, como vai. Acho que mal sorri para ele. Meu coração estava disparado. Minha garganta parecia que ia estourar. Meus sapatos novos afundavam na lama, criando bolhas nos meus pés.

Ele me virou. Sem olhar para mim. Abaixou minha calcinha e minhas meias, afastou minhas pernas. Não fez nenhum tipo de carinho. Não disse nada bonito ou feio. Não disse nada. Ele me fez gozar com tanta força que quase morri. Comecei a tremer feito uma folha morta da qual a árvore quer se livrar o mais rápido possível.

Depois, quando ele foi embora, minhas bolhas e meus olhos começaram a vazar ao mesmo tempo. Minha mãe sempre me dissera que o amor era para os ricos, "não para uma inútil".

Todas as vezes que o encontrei na pedra pequena, ele me comeu por trás, sem me olhar. Entrava e saía de mim, me fazendo gritar alto, como uma porca sendo esfaqueada. Ele nunca soube que meus gritos eram o paraíso e o inferno, o bem e o mal, o prazer e a dor, o início do fim.

Eu sentia seu hálito na minha nuca e adorava. Eu o queria de novo.

— A gente se vê na semana que vem? No mesmo horário? — dizia eu, enquanto ele fechava o zíper.

— Está bem — respondia ele.

Na semana seguinte, eu estava lá. Eu estava sempre lá. Ele, nem sempre, nem todas as vezes. Às vezes ele não ia. Transava com outras mulheres. Eu esperava, as costas apoiadas na pequena pedra gelada. Esperava a luz dos seus faróis. Isso se estendeu por vários meses.

Da última vez que o vi, ele veio de carro. Não estava sozinho. Havia um homem no banco do passageiro. Entrei em pânico, quis ir embora, mas ele me agarrou pelo braço e me deu um beliscão.

— Você vai ficar aqui, não vai se mexer — sibilou. — Você é minha.

Ele me virou, me sujou como sempre fazia e eu o deixei fazer aquilo, guinchando. Eu me ouvi berrar. Ouvi a porta do carro bater. Ouvi minha mãe me dizer: "O amor é para os ricos."

— Ela é sua — o ouvi dizer ao passageiro do carro, que estava bem perto de nós. — Pode aproveitar.

Falei que não. Mas eu o deixei fazer o que queria.

Os dois foram embora. Eu ainda estava de costas, a calcinha na altura dos tornozelos. Um fantoche desarticulado. Minha boca encostada na pedra pequena.

O sabor da pedra na boca, um pouco de musgo. Achei que fosse sangue.

Depois, me mudei, junto com meus dois filhos. Nunca mais o vi.

Alguém bate na minha porta. Deve ser ela. Não foi ao enterro. Não foi ao julgamento. Tinha que acabar indo a algum lugar.

58

São as palavras que eles não disseram que fazem os mortos pesarem tanto nos caixões.

Junho de 1996. Fazia seis meses que eu ia à casa do Sasha aos domingos, de quinze em quinze dias. Havia acabado de sair de lá, ainda estava com terra debaixo das unhas. Coloquei o endereço deles no meu GPS. Um vilarejo chamado La Biche aux Chailles, logo depois de Mâcon. Dirigi por uns trinta minutos, mas me perdi no caminho, sem saber se ia para frente ou dava meia-volta, e chorei de raiva. Acabei achando. Uma casinha de reboco gasto e escurecido, espremida entre outras duas, maiores e mais imponentes. Parecia uma pobre menininha entre os dois pais bem vestidos.

Os nomes deles estavam na caixa do correio presa à porta: "G. Magnan. e A. Fontanel."

Meu coração entrou em pânico. O enjoo me dominou.

Já estava tarde. Pensei em como seria obrigada a dirigir à noite para voltar para Malgrange e que tinha horror àquilo. Com o estômago revirado, bati várias vezes à porta. Tive que bater com força. Machuquei os dedos. Vi a terra embaixo das minhas unhas. Minha pele estava seca.

Foi ela quem abriu a porta. Na hora, não fiz a ligação entre a mulher que estava na minha frente e a que usava um chapéu ridículo em uma festa de casamento, na foto que Sasha havia posto no envelope. Ela envelhecera e engordara muito desde que a fotografia tinha sido tirada. Na foto, estava mal maquiada, mas maquiada. À luz daquele fim de tarde, sua pele parecia marcada pelos anos. Olheiras violetas apareciam sob seus olhos e uma marca de rosácea corria por suas bochechas.

— Olá, meu nome é Violette Toussaint. Sou a mãe da Léonine. Léonine Toussaint.

Dizer o nome e o sobrenome da minha filha diante daquela mulher fez meu sangue gelar. Pensei: *Com certeza foi ela quem serviu a última refeição à Léonine.* E pensei também, pela milésima vez: *Como pude deixar minha filha de sete anos ir para* aquele lugar?

Geneviève Magnan não me respondeu. Ficou imóvel e me deixou continuar, sem abrir a boca. Tudo nela estava trancado com duas voltas de chave. Nenhum sorriso, nenhuma expressão, apenas seus olhos de peixe morto, avermelhados, pousados sobre mim.

— Eu gostaria de saber o que a senhora viu naquela noite, na noite do incêndio.

— Para quê?

A pergunta me deixou abismada.

— Não acredito que minha filha de sete anos tenha ido a uma cozinha para esquentar leite — respondi, sem pensar.

— Devia ter dito isso durante o julgamento.

— E a senhora? O que a senhora disse durante o julgamento?

— Eu não tinha nada a dizer.

Ela sussurrou um "tchau" e bateu com a porta na minha cara. Acho que fiquei muito tempo daquele jeito, sem fôlego, diante da porta, observando a pintura descascada e os nomes dos dois escritos em uma fita plástica: "G. Magnan. e A. Fontanel."

Voltei para o carro de Stéphanie. Minhas mãos ainda tremiam. Eu havia sentido ao falar com Swan Letellier que alguma coisa não estava clara na sequência de eventos *daquela noite*, e meu "encontro" com Geneviève Magnan só me confirmara isso. Por que aquelas pessoas pareciam estar uma mais incerta do que a outra? Será que eu estava inventando coisas? Será que estava ficando louca? Ainda mais louca?

Durante a viagem de volta, passei da luz à escuridão. Pensei em Sasha e na equipe do castelo de Notre-Dame-des-Prés. Pensei que, quando viesse de novo, em quinze dias, eu iria ao castelo. Nunca tivera coragem de passar na frente dele. Apesar de o lugar ficar só a cinco quilômetros do cemitério de Brancion. Depois voltaria à casa de Magnan e Fontanel e daria chutes na porta até que eles falassem.

Cheguei perto das 22h37 na frente de casa. Só tive tempo de estacionar antes de baixar a cancela para o trem de 22h40. Quando abri a porta, vi que Philippe Toussaint tinha dormido no sofá. Fiquei observando meu marido, sem acordá-lo, pensando que o havia amado, muito tempo antes. Que se tivesse dezoito anos e o cabelo curto, eu teria me jogado sobre ele e dito: "Vamos fazer amor?"

Mas eu tinha onze anos a mais e meu cabelo havia crescido.

Então, eu me deitei na cama. Fechei os olhos, mas o sono não veio. Philippe Toussaint veio se deitar no meio da noite.

— Olha só, você voltou — murmurou ele.

Pensei: *Ainda bem, se não quem teria baixado a cancela para o trem das 22h40?* Fingi que estava dormindo, que não o havia escutado. Senti que ele me cheirava, que procurava o cheiro de outra pessoa no meu cabelo. O único cheiro que deve ter encontrado foi o do perfume sintético do Fiat Panda. Ele logo começou a roncar.

Pensei na história das sementes que Sasha havia me contado. Ele tentara plantar melões na horta, mas eles nunca tinham brotado. Tentara por dois anos seguidos, mas era impossível, os melões se recusavam a brotar. No ano seguinte, ele havia jogado sementes de melão para os passarinhos. Mais longe, nos fundos da horta, onde se amontoavam vasos, ancinhos, regadores e bacias. Um dos pássaros, sem querer ou não, deve ter trazido uma das sementes no bico e a deixado cair no meio de um corredor da horta. Alguns meses depois, uma planta bonita crescera, e Sasha não a havia arrancado, apenas contornado. Ela dera dois belos melões. Bem grandes, bem açucarados. E, todo ano, voltava a dar um, dois, três, quatro, cinco.

— Viu? Esses melões vêm do céu — havia me dito Sasha. — Isso é a natureza. É ela que decide.

Caí no sono com aquelas palavras.

Sonhei com uma lembrança. Estava levando Léonine à escola. Era o dia da volta às aulas. Estávamos andando pelos corredores, sua mão na minha. Então ela a havia soltado, porque "já era grande".

Acordei gritando.

— Eu a conheço! Eu já a vi!

Philippe Toussaint acendeu a luz da cabeceira da cama.

— O quê? O que houve?

Ele esfregou os olhos e me olhou como se eu estivesse possuída.

— Eu a conheço! Ela trabalhava na escola. Não na sala da Léonine, mas na do lado.

— O quê?

— Eu a vi. Depois de ir ao cemitério, passei na casa de Geneviève Magnan.

Philippe Toussaint surtou.

— O quê?

— Preciso entender. Encontrar as pessoas que estavam no castelo de Notre-Dame-des-Prés naquela noite.

Ele se levantou, deu a volta na cama e me pegou pelo colarinho. Não consegui respirar quando ele me ergueu da cama.

— Você está começando a me encher o saco! — começou a berrar. — Se continuar assim, vou internar você! Está me ouvindo? E já estou avisando: você não vai mais voltar lá! Está me ouvindo? NUNCA mais você vai pôr os pés lá!

Com o passar dos anos, ele havia me deixado mergulhar em uma solidão sem fundo, um poço escuro. Eu poderia ser qualquer outra pessoa, substituída, podia ter contratado uma interina para baixar e erguer a cancela, fazer as compras, o almoço e o jantar, lavar as roupas dele e dormir do lado esquerdo da cama. Ele não teria sentido nada nem visto nada.

Nunca tinha me sacudido nem me ameaçado. Ao fazer aquilo, ele me trouxe de volta. Estava voltando a ser eu mesma.

Na manhã do dia seguinte, passei na casa de Stéphanie para devolver as chaves do carro. Na segunda-feira, o mercado ficava fechado. Ela morava sozinha na rua principal, no primeiro andar de um prédio. Ela me chamou para entrar e me serviu um mazagrã. Ela usava uma camiseta comprida com o rosto de Claudia Schiffer.

— Aqui em casa, segunda-feira é dia de faxina — disse.

Era engraçado ver a cabeça dela acima da cara da top model, mas foi seu rosto que me deixou emocionada, a cara redonda, as bochechas cheias e avermelhadas, o cabelo bagunçado.

— Enchi seu tanque.

— Ah, legal, obrigada.

— Parece que o tempo vai ficar bom.

— Ah, é verdade.

— Seu café é muito bom... Meu marido não quer mais que eu vá ao cemitério de Brancion.

— Ah, bem, mas como assim? Você precisa ir para visitar a sua filha.

— É, eu sei. De qualquer forma, obrigada por tudo.

— Ah, imagina, não foi nada.

— Foi, sim, Stéphanie. Foi tudo.

Eu a abracei com força. Ela não ousou se mexer. Como se ninguém nunca tivesse demonstrado qualquer carinho por ela. Seus olhos e sua boca ficaram mais redondos do que de costume. Três discos voadores. Stéphanie continuaria sendo um enigma, a extraterrestre do mercado. Eu a larguei no meio da sua sala, seus braços soltos.

Depois, peguei a rua principal e fui até a escola. Como na música "Du côté de chez Swann", refiz o caminho ao contrário. O mesmo que eu fazia toda manhã com Léo. Na mochila dela, o potinho de comida ocupava mais espaço do que os livros e os cadernos. Eu era obcecada por fazer lanches gigantescos para ela, para que nunca lhe faltasse nada. Porque eu ainda tinha aquele vazio das experiências com as famílias provisórias. Naquela época, quando saíamos em passeios da escola, os outros levavam salgadinhos, barras de chocolate, sanduíches de pão integral, balas e refrigerantes na mochila. Não era como se me faltasse qualquer coisa, mas não havia nada de especial no meu saco plástico. "Meninas de orfanato se contentam com pouco." Não era o fato de ter menos que me entristecia, era o de não poder dividir meu almoço esparso. De ter apenas o suficiente. Eu queria dar a Léonine a chance de dividir o dela com os outros.

Não foram as crianças que me deixaram incomodada quando entrei no pátio, mas os cheiros do refeitório — um prédio anexo à escola — e os corredores lotados. Era hora do almoço. Eu vinha buscar Léonine na hora do almoço.

— Viu, mamãe? O cheiro do refeitório não é muito bom. Ainda bem que vou poder voltar para casa — ela sempre me dizia.

Na escala da dor, se é que uma escala horrenda como essa existe, entrar na escola de Léonine foi mais difícil do que entrar no cemitério. Em Brancion, minha filha estava morta entre os mortos. Dentro da escola, ela estava morta entre os vivos.

As crianças que tinham sido colegas de Léonine não estavam mais lá. Tinham acabado de entrar no ensino fundamental II. Eu não teria aguentado encontrar com elas, reconhecê-las, mas sem reconhecê-las de verdade. As mesmas silhuetas, com um acréscimo: *a vida*. Pernas de gafanhoto, traços menos arredondados, aparelhos nos dentes, os pés em tênis de gigantes.

De bolsos vazios, percorri os corredores. Pensei em como Léonine não ia querer que eu segurasse sua mão para ir até a sala. Uma mãe havia me dito que, a partir do momento que eles entravam no fundamental II, nós os perdíamos um pouco mais a cada ano. É, e quando eles iam para colônias de férias, podíamos perdê-los completamente, de uma vez só.

Léonine chamava a professora do primeiro ano de "Srta. Claire". Quando a doce Claire Berthier, debruçada sobre os cadernos, ergueu a cabeça e me viu entrar na sala, ela empalideceu. Não nos víamos desde a morte da minha filha. Minha presença a deixou incomodada. Se pudesse ter se enfiado em um buraco, ela teria feito isso.

A morte de uma criança deixa um peso nas crianças maiores, nos adultos, nos vizinhos, nos comerciantes. Eles baixam os olhos, nos evitam, trocam de calçada. Quando uma criança morre, para muitos, os pais morrem com ela.

Nós nos cumprimentamos com educação. Não dei a ela tempo de falar. Saquei imediatamente a foto em que Geneviève Magnan usava o chapéu ridículo.

— Você a conhece?

Surpresa com minha pergunta, a professora franziu a testa e encarou a foto, respondendo que não se lembrava.

— Acho que ela trabalhou aqui — insisti.

— Aqui? Quer dizer na escola?

— É, em uma sala ao lado desta.

Claire Berthier voltou a levar os belos olhos verdes à foto e analisou o rosto de Geneviève Magnan por mais tempo.

— Ah... Acho que me lembro. Ela trabalhava na turma da Sra. Piolet, com o maternal... Chegou no meio do ano. Não ficou muito tempo aqui.

— Obrigada.

— Por que a senhora está me mostrando esta foto? Está procurando esta mulher?

— Não, não, eu sei onde ela mora.

Claire sorriu para mim como alguém sorri para uma maluca, uma louca, uma viúva, uma órfã, uma alcoólatra, uma idiota, uma mãe-que-perdeu-a-filha.

— Tchau, obrigada.

59

É quando a árvore se deita que medimos sua grandeza.

Guardei o diário de Irène Fayolle na gaveta da mesa de cabeceira. Li aleatoriamente as passagens em que ela fala sobre mim, nunca na ordem cronológica. Ela veio ao meu cemitério alguns vezes, entre 2009 e 2015, para rezar no túmulo de Gabriel. Anos nos quais fez anotações sobre o clima, sobre Gabriel, os túmulos do entorno, os vasos de flores e sobre mim.

Julien tinha posto papéis coloridos nas páginas em que a mãe falava sobre a "moça do cemitério" no diário. Isso na hora me lembrou de *Carta de uma desconhecida*, de Stefan Zweig. Era como se ele tivesse colocado flores sobre os trechos em que a mãe falava sobre mim.

3 de janeiro de 2010
Hoje notei que a moça do cemitério tinha chorado...

6 de outubro de 2009
Ao sair do cemitério, encontrei a moça que cuida dele. Ela sorria. Estava com um coveiro, um cachorro e dois gatos...

6 de julho de 2013
A moça do cemitério limpa os túmulos, embora não seja obrigada...

28 de setembro de 2015
Encontrei a moça do cemitério. Ela sorriu para mim, mas parecia estar pensando em outra coisa...

7 de abril de 2011
Acabei de saber que o marido da moça do cemitério desapareceu...

3 de setembro de 2012
A casa da moça do cemitério estava trancada e as persianas, fechadas. Perguntei a um coveiro qual era o motivo de a casa estar assim, e ele me explicou que no Natal e no dia 3 de setembro, a zeladora não gosta de ver ninguém. Esses dois dias e as férias de verão são os únicos do ano em que ela pede para ser substituída...

7 de junho de 2014
Parece que a moça do cemitério anota em cadernos os discursos que são feitos para os mortos...

10 de agosto de 2013
Quando fui comprar flores, soube que a moça do cemitério tinha ido de férias para Marselha. Talvez eu a tenha visto...

Quando saio dos trechos que falam sobre mim, quando abro o diário em lugares sem os marcadores de página coloridos inseridos por Julien, tenho a sensação de entrar no quarto de Irène e remexer embaixo do seu colchão. Como seu filho, quando começou a procurar Philippe Toussaint, procuro Gabriel Prudent quando saio da trilha.

Há algumas palavras que eu não entendo. Irène escrevia com uma letra tão feia quanto a dos médicos quando anotam o nome dos remédios nas receitas. Ela deixava manchas minúsculas com a caneta esferográfica.

Depois da noite de amor no quarto azul, Gabriel Prudent e Irène Fayolle não deixaram o hotel juntos.

Tinham que entregar o quarto ao meio-dia. Gabriel ligou para a recepção para dizer que ia ficar mais vinte e quatro horas. Ele fez carinho em Irène com a ponta dos dedos.

— Tenho que me livrar de toda essa embriaguez antes de sair daqui — murmurou, entre um e outro cigarro. — Tenho que me livrar, principalmente, de toda essa embriaguez de você.

Ela não gostou daquilo. Era como se ele tivesse dito: "Tenho que me livrar de você antes de sair daqui."

Ela se levantou, tomou um banho e se vestiu. Desde que havia se casado, nunca havia dormido fora de casa. Quando saiu do banheiro, Gabriel tinha adormecido. No cinzeiro, uma fumaça suja saía de uma bituca mal esmagada.

Ela abriu o frigobar para pegar uma garrafa d'água. Gabriel abriu os olhos de novo e a viu bebendo a água. Ela já havia vestido o casaco.

— Fique mais um pouco.

Irène levou as costas da mão à boca para enxugá-la. Ele adorou aquele gesto. Sua pele, seu olhar, seu cabelo com um prendedor preto.

— Eu saí ontem de manhã. Ia entregar flores em Aix e voltar logo depois... Tenho certeza de que meu marido já declarou meu desaparecimento.

— Você não gostaria de desaparecer?

— Não.

— Venha morar comigo.

— Sou casada e tenho um filho.

— Peça o divórcio e leve seu filho com você. Eu me dou muito bem com crianças.

— Ninguém se divorcia assim, em um passe de mágica. Para você, parece que tudo é simples.

— Mas tudo é simples.

— Não quero ir ao enterro do meu marido. Você abandonou sua esposa e ela morreu.

— Você está sendo desagradável.

Ela vasculhou a bolsa. Conferiu se a chave do carro estava dentro dela.

— Não, realista. Não podemos abandonar as pessoas assim. Se é fácil para você jogar tudo para o alto e reconstruir a vida em outro lugar, sem se preocupar com as outras pessoas, com a tristeza delas... Bom, que bom.

— Cada um faz o que quer.

— Não. A vida dos outros também conta.

— Eu sei. Passo a minha defendendo a deles no tribunal.

— Você defende a vida dos outros. Das pessoas que não conhece. Não a sua. Não a de quem você conhece. É quase... fácil.

— Já está me criticando. Depois de apenas uma noite de amor. Estamos indo um pouco rápido demais.

— Só a verdade conta.

Ele ergueu a voz:

— Odeio a verdade! A verdade não existe! É igual a Deus... É uma invenção dos homens!

Ela deu de ombros, como se quisesse dizer o que acabou dizendo de fato:

— Isso não me surpreende.

Ele olhou para ela com tristeza.

— Já... não surpreendo você.

Ela assentiu. Lançou um sorriso breve para ele e bateu a porta sem se despedir.

Desceu os três andares de escada e procurou o furgão. Não se lembrava onde havia estacionado na véspera. Enquanto procurava nas ruas adjacentes ao hotel, diante de vitrines em que as últimas promoções de inverno eram anunciadas, ela quase voltou para o quarto e se jogou nos braços dele. No instante em que ia dar meia-

-volta, viu o carro estacionado de qualquer jeito no final de um beco, sobre a calçada.

No final de um beco. De qualquer jeito. Era ridículo. Ela precisava voltar, encontrar Paul e Julien.

No furgão, o cheiro de cigarro era muito presente. Ela abriu bem as janelas, apesar do frio. Seguiu até Marselha. Não passou no roseiral. Foi direto para casa.

Paul a estava esperando.

— É você? — ele quase gritou, quando ela abriu a porta.

Estava morrendo de preocupação, mas não a declarara desaparecida. Sabia que a mulher podia desaparecer de um dia para o outro. Ele sempre soubera. Era bonita demais, calada demais, misteriosa demais.

Ela pediu desculpas a ele. Explicou que tinha encontrado uma pessoa no cemitério, um viúvo abandonado pela família. Enfim, era uma história engraçada, e ela teve que cuidar de tudo.

— Como assim, tudo?

— De tudo.

Paul nunca fazia perguntas. Para ele, as perguntas pertenciam ao passado. Paul vivia no presente.

— Da próxima vez, me ligue.

— Você já comeu?

— Não.

— Cadê o Julien?

— Na escola.

— Está com fome?

— Estou.

— Vou fazer macarrão.

— Está bem.

Ela sorriu, foi até a cozinha, pegou uma panela, encheu de água e pôs para ferver com sal e ervas. Pensou no macarrão que havia comido na véspera com Gabriel, no amor que haviam feito.

Paul entrou na cozinha, colou-se às costas dela e beijou seu pescoço. Ela fechou os olhos.

60

Uma lembrança nunca morre, apenas adormece.

Junho de 1996, Geneviève Magnan

As parisienses chegaram em um micro-ônibus, malas, cobertorzinhos, tranças, vestidos de flores, sacos para vômito, gritos de alegria. Tagarelando, dando gritinhos: tinham entre seis e nove anos. Algumas eu conhecia. Já tinha visto nos anos anteriores. Só meninas. Quatro vão chegar de carro, mais tarde. Duas de Calais; as outras duas, de Nancy.

Nunca gostei de meninas. Elas me faziam lembrar das minhas irmãs. Não suportava nenhuma delas. Por sorte, só tive dois meninos, bem fortes. Meninos não dão gritinhos. Eles brigam, mas nunca dão gritinhos.

Nunca fui boa em matemática. Aliás, nem nas outras matérias. Mas sei o que são probabilidades. Minha vida de bosta me ensinou isso muito bem — pronto, vou enfiar isso na sua cabeça. Quanto maior é o número, maior é a chance de que alguma coisa aconteça. Mas o número, nesse caso, era minúsculo. Um vilarejo com trezentas pessoas, esquecido pelo mundo, onde eu tinha sido substituta por dois anos.

Quando a vi sair do carro, toda clarinha, primeiro pensei na semelhança, não na probabilidade. Pensei: *Minha cara, você surtou. Você vê* o mal *em tudo.*

Fui para a cozinha fazer crepes para todas aquelas pequenas. Voltei a vê-las no refeitório, cercadas por jarros de água e garrafas de suco de romã. Servi um monte de crepes doces para elas e as meninas os devoraram.

Quando a diretora fez a chamada e a menina respondeu "presente", quase capotei ao ouvir o sobrenome dela. Um sobrenome que acompanha os mortos.

Uma das monitoras me deu um copo de água gelada.

— O calor está fazendo você se sentir mal, Geneviève? — disse ela.

— Deve ser isso — respondi.

Naquele momento, percebi que o diabo existia. Já sabia que Deus era uma invenção de gente idiota, mas o diabo, não. Naquele dia, eu poderia ter tirado meu chapéu para ele, um chapéu que nunca tive. Na minha família, quase nunca usávamos chapéus.

— Chapéus são para os burgueses — dizia minha mãe, entre tapas.

A menina era a cara do pai, cuspida e escarrada. Eu a vi engolir os crepes, pensando na última vez que estive com ele, no gosto de sangue na minha boca. Fazia três anos que eu não o via, mas pensava nisso o tempo todo. Às vezes, à noite, eu acordava em uma poça de suor. Sonhava de saudade dele e também por causa da vontade de me vingar, de acabar com ele como ele tinha acabado comigo.

Depois do lanche, as meninas saíram para esticar as pernas. Tirei as mesas. O tempo estava bonito, então abri as janelas. Eu a vi brincar, correr com as outras dando gritos de alegria. Achei que não ia aguentar ver aquilo a semana toda. Sete dias vendo aquele homem por meio dela, nas refeições da manhã, da tarde e da noite. Eu tinha que dizer que estava doente. Mas precisava daquele trabalho. Cuidar do castelo me sustentava o ano todo. E eu não podia fugir para as colinas no meio da alta temporada. A diretora tinha avisado a todo mundo: em julho e agosto, nenhuma falta seria tolerada, a não ser que a gente estivesse morrendo. Uma bela de uma vagabunda, metida a santinha.

Pensei em fazer a garota tropeçar para que quebrasse a perna na escada e fosse mandada às pressas de volta para a casa do pai. Encaminhada de volta ao remetente, sem estresse. Com um recado preso no vestido: "Com minhas piores lembranças."

Preparei a comida: salada de tomates, peixe empanado, *pilaf* de arroz e iogurte. Coloquei a mesa, vinte e nove pratos. Fontanel me deu uma mão.

— Você não parece muito bem, gordinha.

Pedi para ele calar a boca. Isso o fez rir.

Ele se inclinou para fora da janela para olhar para as duas monitoras enquanto as meninas brincavam de pique-pega.

Pique-pega...

61

Sabemos que você estaria conosco hoje,
se o céu não fosse tão distante.

Quando nos mudamos para o cemitério, em agosto de 1997, Sasha já havia deixado a casa. Como sempre, a porta estava aberta. Ele havia nos deixado um recado e as chaves na mesa. Tinha nos dado as boas-vindas, explicando onde ficava o aquecedor, o quadro de luz, o registro de água, as lâmpadas e os fusíveis extras.

As caixas de chá tinham sumido. Estava tudo limpo. Sem ele, a casa parecia triste, tinha perdido a alma. Como uma moça abandonada pelo amor da juventude. Fui ao segundo andar pela primeira vez, vi o quarto vazio.

A horta tinha sido regada na véspera.

O chefe dos serviços técnicos da prefeitura nos encontrou à noite para verificar se estava tudo bem.

No início, as pessoas vinham até nossa casa em busca de tratamento para suas tendinites e dores crônicas. Não sabiam que Sasha tinha ido embora. Ele não havia se despedido de ninguém.

Os sinos da igreja batem. Nunca há enterro aos domingos, apenas a missa para pôr ordem nos vivos.

Em geral, nas tardes de domingo, o Elvis vem almoçar comigo. Ele me traz carolinas de baunilha e eu preparo penne com cogumelos para ele. Coloco um pouco de salsinha fresca por cima. É uma iguaria. Colho o que tenho na horta, de acordo com a estação. Além disso, nós comemos tomates, rabanetes ou salada de vagem.

Elvis fala muito pouco. Isso não me incomoda. Não adianta tentar conversar com ele. Elvis é igual a mim, não tem pais. Ele viveu em um orfanato de Mâcon até os doze anos. Depois, foi trabalhar em uma fazenda em Brancion-en-Chalon. A fazenda fica na entrada do vilarejo, mas agora está em ruínas.

Todos os membros da família estão mortos e enterrados há muito tempo no meu cemitério. Elvis nunca passa perto do túmulo deles. Tem medo do pai, Emilien Fourrier (1909-1983), um babaca que batia em tudo que se mexia. Em volta do túmulo deles, os corredores não são arados. Elvis sempre me disse que não queria ser enterrado com a família. Ele me fez prometer que ia cuidar para que isso não acontecesse. Mas, para isso, tenho que morrer depois dele. Então fiz com que ele preparasse um contrato com os irmãos Lucchini para ter um túmulo próprio, só dele, com a foto de Elvis Presley na lápide e as palavras "*Always on my mind*" em letras douradas. Por mais que Elvis pareça uma criança, como costuma acontecer com meninos que não conheceram o carinho de uma mãe, ele logo vai se aposentar.

Nono e eu fazemos as contas dele e preenchemos seus documentos administrativos. Seu nome verdadeiro é Éric Delpierre, mas nunca ouvi ninguém o chamar assim. Acho que todos os moradores de Brancion desconhecem sua verdadeira identidade. Ele vive com seu pseudônimo desde sempre. Apaixonou-se por Elvis Presley quando tinha oito anos.

Algumas pessoas se apegam à religião, mas ele se apegou ao Elvis, ou melhor, Elvis se apegou a ele. Suas canções o dominaram e ficaram dentro dele, como orações. O padre Cédric reza o Pai Nosso e Elvis, "Love Me Tender". Eu e Nono nunca conhecemos nenhuma namorada dele.

Procurando folhas secas de louro no armário de temperos, encontro uma carta de Sasha, escondida entre o azeite e o vinagre balsâmico. Deixo as cartas de Sasha espalhadas em todos os cantos da casa para esquecê-las e acabar encontrando alguma por acaso. Esta é de março de 1997.

Querida Violette,

Minha horta se tornou mais triste do que meu cemitério. Os dias começam e terminam como se fossem pequenos enterros.

Como faço para ver você de novo? Quer que eu organize seu sequestro, aí, perto dos trens?

Dois domingos por mês não era nada de mais. Não era o fim do mundo.

E por que você obedece a ele? Sabia que, às vezes, temos que nos rebelar? E agora quem vai cuidar dos meus novos pés de tomate?

Ontem, a Sra. Gordon veio aqui para que eu cuidasse de sua herpes-zóster. Foi embora sorrindo. Quando ela me perguntou "O que posso fazer para agradecer?", quase respondi "Traga a Violette para mim".

Estou preparando as sementes de cenoura. Eu as coloquei em xícaras de barro. Espalhei as sementes pela sala, ao lado das caixas de chá, bem atrás das janelas. Assim, quando o sol sai, bate direto nelas. Quando está calor, elas crescem bem. Nada funciona tão bem quanto o calor. O ideal seria colocá-las na frente de uma lareira, mas minha casinha não tem uma. É por isso que o Papai Noel nunca passa aqui. Depois, quando tiverem crescido, vou colocá-las embaixo da claraboia. Cebolas, cebolinhas e feijões podem ser colocados direto na terra. Mas não as cenouras. Não se esqueça dos santos do gelo, os dias 11, 12 e 13 de maio, todos os anos. O momento decisivo é aí, e é aí que você tem que fazer as mudas. Teoricamente. Se quiser proteger os brotos jovens, coloque vasos em cima deles durante a noite, ou um plástico fino.

Volte rápido. Não faça como o Papai Noel.

Com toda a minha amizade,

Sasha

Elvis bate na porta e entra com as carolinas de baunilha embaladas com papel branco. Dobro a carta de Sasha e a coloco no lugar, para esquecê-la e encontrá-la de novo, outro dia, por acaso.

— Está tudo bem, Elvis?

— Violette, tem uma pessoa procurando você. Ela disse que "Queria falar com a esposa de Philippe Toussaint".

Meu sangue gela. Uma sombra acompanha Elvis. Ela entra e me encara sem dizer nada. Depois, analisa o interior da minha casa, antes de voltar os olhos para mim. Vejo que ela chorou muito. Estou acostumada a ver pessoas que choraram muito, mesmo que isso tenha acontecido muitos dias antes.

Elvis bate na própria coxa para chamar Éliane e a leva com ele para fora, como se quisesse protegê-la. A cadela o segue, alegre.

Só eu e ela ficamos na casa.

— Sabe quem eu sou?

— Sei. Françoise Pelletier.

— Sabe por que estou aqui?

— Não.

Ela respira fundo para segurar as lágrimas.

— Você viu o Philippe naquele dia?

— Vi.

— O que ele veio fazer aqui?

— Veio me devolver uma carta.

Françoise Pelletier não está se sentindo bem. Muda de cor, gotas de suor surgem na sua testa. Não se mexe nem um centímetro, mas vejo ciclones passarem em seus olhos azul-escuros. Suas mãos estão fechadas. Suas unhas, fincadas na pele.

— Sente-se.

Ela esboça um sorriso de agradecimento e puxa uma cadeira. Sirvo um grande copo d'água para ela.

— Que carta? — me pergunta ela, em seguida.

— Meu advogado mandou um pedido de divórcio para a casa de vocês em Bron.

Minha resposta parece deixá-la aliviada.

— Ele não queria mais ouvir falar de você.

— Eu também não.

— Dizia que tinha ficado maluco por sua causa. Odiava este lugar, este cemitério.

— ...

— Por que ficou aqui quando ele foi embora? Por que não se mudou? Refez sua vida?

— ...

— Você é uma mulher bonita.

— ...

Françoise Pelletier toma o copo d'água em um só gole. Está tremendo muito. Quando alguém morre, os gestos de quem fica se tornam mais lentos. Todos os gestos dela parecem interrompidos pela lentidão. Sirvo mais água. Ela me lança um sorriso penoso.

— A primeira vez que vi Philippe foi em Charleville-Mézières, em 1970, no dia da primeira comunhão dele. Ele tinha doze anos e eu, dezenove. Ele usava uma túnica e uma cruz de madeira no pescoço. Nunca tinha visto alguém tão incomodado com uma roupa. Eu me lembro de ter pensado: *Não dá para acreditar nesse garoto vestido de coroinha.* Ele parecia um desses meninos que bebe o vinho da missa e fuma escondido. Eu tinha acabado de me tornar noiva de Luc Pelletier, irmão de Chantal Toussaint, a mãe de Philippe. Luc insistira para que fosse à missa de manhã e almoçássemos com ele. Ele não se dava nem um pouco bem com a irmã e o cunhado. Os dois o chamavam de "metido a besta", mas ele adorava o sobrinho. Passamos um dia bem chato com eles. Esperamos Philippe abrir os presentes e, às três da tarde, já tínhamos ido embora. A mãe de Philippe olhou torto para mim o dia todo. Dava para sentir que estava exasperada com o fato de o irmão estar com alguém tão jovem. Eu tinha trinta anos a menos do que Luc. No mesmo ano, Luc e eu nos casamos em Lyon. Philippe e os pais foram ao casamento, cheios de ressentimento. Philippe ficou bêbado depois de beber o resto do vinho de todos os adultos. Tão bêbado que, na abertura da festa, ele me beijou na boca e berrou: "Eu te amo, titia." Fez todos os convidados rirem. Passou o resto da noite vomitando no banheiro, enquanto sua mãe vigiava a porta, dizendo: "Coitadinho. Faz uma semana que está com indigestão." Ela o defendia o tempo todo, custasse o que custasse. Philippe me fazia rir muito. Eu adorava o rostinho lindo dele. Depois que nos casamos, Luc e eu abrimos uma oficina mecânica em Bron. Primeiro, fizemos consertos básicos, trocas de óleo, manutenção, pintura... Depois, nos tornamos uma concessionária. O negócio sempre deu muito dinheiro. Trabalhávamos duro, mas nunca passamos necessidade. Nunca. Dois anos passaram e Luc chamou o "Philippinho", como ele o chamava, para vir à nossa casa nas férias de verão. Nós morávamos em uma casa de campo a vinte minutos da empresa. Philippe comemorou os catorze anos com a gente e, como presente, Luc deu a ele uma moto de cinquenta cilindradas. Philippe chorou de alegria. Por causa disso, Luc e a irmã brigaram. Chantal xingou o irmão por telefone, chamando-o de todos os nomes feios possíveis. Disse que ele não tinha o direito de dar uma moto ao filho dela, que era perigoso demais, que ele queria que Philippe se matasse, que ele tinha feito isso porque era um inútil que nunca tinha conseguido ter filhos. O que era verdade. Ele nunca teve nenhum. Nem com a primeira esposa nem comigo.

Françoise prossegue:

— Naquele dia, Chantal enfiou o dedo na ferida. Luc nunca mais falou com a irmã. Mas, apesar de os pais não gostarem, Philippe voltava todo verão para nossa casa. E nunca queria ir embora. Dizia que queria morar com a gente o ano todo. Implorava para que ficássemos com ele, mas Luc explicava que não podia, que, se fizesse isso, estaria pedindo para morrer. A irmã o mataria. Era um menino carinhoso; bagunceiro, mas carinhoso. Luc gostava de vê-lo. Ele tinha dado seu amor ao sobrinho. Philippe foi, por muito tempo, o filho que ele nunca tivera. Eu me dava bem com o menino. Falava com ele como se fosse uma criança e ele sempre me dava broncas. Me dizia: "Não sou criança." Quando fez dezessete anos, ele viajou com a gente para Biot, perto de Cannes. Tínhamos alugado uma casa com vista para o mar. Íamos à praia todos os dias. Saíamos de manhã, almoçávamos em uma birosca e voltávamos à noite. Philippe saía com várias meninas, uma por dia. Às vezes, uma delas nos acompanhava à praia durante o dia. Ele as beijava na toalha estendida na areia, e eu achava que ele tinha uma maturidade desconcertante e uma indiferença perturbadora. Nunca parecia ligar para nada. Ia dançar toda noite e voltava de madrugada. Antes de sair, monopolizava o banheiro e largava os frascos de perfume em todos os cantos. Roubava as giletes do tio, sempre deixava o creme de barbear na beira da pia, nunca fechava a pasta de dente e largava as toalhas de banho no chão. Tudo isso tinha o poder de irritar Luc. Irritava, mas também o fazia rir. E eu recolhia e lavava as roupas do filho que nunca teria com Luc. Nós adorávamos receber Philippe. Ele nos trazia juventude, tranquilidade. Philippe e eu só tínhamos sete anos de diferença. Isso importa nos vinte primeiros anos. Vivemos em dois planetas diferentes, mas, com o tempo, essa diferença acaba, os planetas se aproximam: passamos a gostar dos mesmos filmes, das mesmas séries, das mesmas músicas. Acabamos rindo das mesmas coisas. Durante aquelas férias em Biot, tive um caso com um barman. Nada de original nem de muito perigoso. Luc e eu nos amávamos. Sempre nos amamos loucamente. Luc sempre me dizia: "Sou um velho idiota. Se você quiser se divertir com homens mais jovens, vá, mas não me deixe saber. E não se apaixone. Isso eu não vou suportar." Hoje, tenho certeza absoluta de que, ao me jogar nos braços de outros homens, ele esperava que eu engravidasse. Era uma vontade inconsciente, claro, mas acho que ele esperou por muito tempo que eu voltasse para casa um dia com um pãozinho no forno. Um filho que carimbaria com seu sobrenome. Enfim... Naquelas férias, estávamos dando uma festa na casa. Umas vinte pessoas estavam lá, todos nós tínhamos bebido e o Philippe me pegou com meu amante na piscina. Nunca vou esquecer o olhar que ele me lançou. Nos olhos dele, vi uma mistura de choque e prazer, um tipo de satisfação. Acho que, naquela noite, ele me viu como uma mulher pela primeira vez. Uma mulher e, consequentemente, uma presa. Philippe era um predador formidável. De uma beleza que poderia condenar um santo. Não preciso dizer isso para você...

Ela retoma o foco:

— Claro, ele não contou nada a Luc. Não me denunciou, mas, quando nos esbarrávamos dentro de casa, ele abria um sorriso conivente para mim. Um sorriso que significava: "Somos cúmplices." E eu odiava aquilo. Teria dado vários tapas nele. Ele ganhou uma presunção insuportável. Nós, que ríamos juntos, paramos de rir de um dia para o outro. Comecei a não suportar a presença dele, o cheiro do seu perfume, a bagunça que ele deixava em todos os cantos, o barulho que fazia às cinco da manhã. Quando eu o mandava pastar, Luc sempre me dizia: "Seja boazinha com o menino. Ele já tem a mãe para encher o saco dele." À mesa, assim que Luc nos dava as costas, Philippe me encarava, com um leve sorriso. Eu baixava os olhos, mas sentia o olhar ardente de arrogância dele em mim. Na última noite, ele voltou mais cedo que de costume, sem nenhuma menina. Eu estava na varanda, sozinha, deitada em uma espreguiçadeira. Tinha dormido. Ele colocou os lábios nos meus. Eu acordei, dei um tapa nele e disse: "Escute aqui, seu pirralho. Se fizer isso de novo, nunca mais vai pôr os pés na nossa casa." Ele foi dormir sem dizer nada. No dia seguinte, fomos embora da casa de praia. Nós o levamos até a estação. Ele pegou um trem para Charleville-Mézières. Na plataforma, deu um abraço forte em mim e em Luc, cada um com um braço. Eu não queria o carinho dele, mas não tinha escolha. Luc não suportava o fato de eu não aguentar mais o sobrinho dele. Isso o deixava muito triste. Eu estava em um beco sem saída. Philippe nos agradeceu centenas de vezes. Enquanto nos abraçava, ele deslizou uma das mãos pelas minhas costas e a pôs na minha bunda, me segurando contra sua coxa. Não pude reagir. Luc estava abraçado a nós. O gesto de Philippe me paralisou. Achei que ele tinha uma coragem gigantesca e os gestos de um homem muito seguro de si. Ele acabou nos soltando. "Tchau, tia, tchau, tio." Subiu no trem, jogando a mochila no ombro, e acenou para nós com seu sorriso angelical. E, enquanto meus olhos o metralhavam, ele sorria, como se dissesse: "Peguei você."

Françoise não para:

— Nós voltamos para Bron e para o trabalho. Na primavera seguinte, Philippe ligou para nos dizer que não viria para nossa casa nas férias. Ia comemorar os dezoito anos na Espanha com os amigos. Confesso que fiquei aliviada. Não teria que encontrá-lo nem evitar seus olhares e gestos descabidos. Luc ficou muito chateado, mas, ao desligar, disse: "É normal. É da idade." Nós voltamos para Biot. Passamos um mês com amigos que tínhamos conhecido lá, mas a presença de Philippe fazia falta a Luc. Ele costumava me dizer: "A casa é ótima, mas não tem barulho suficiente aqui." Não era Philippe que fazia falta, na verdade, apesar de Luc ser muito apegado a ele. Era um filho nosso. Lembro que, quando voltamos daquelas férias, no caminho de volta, propus que adotássemos uma criança. Ele não quis. Com certeza porque tinha pensado nisso durante muito tempo. Simplesmente me disse que nós dois estávamos bem sozinhos, muito bem. Em janeiro, a mãe de Luc e Chantal morreu. Fomos ao enterro e, apesar das circunstâncias, Luc e a irmã não disseram nem uma palavra um para o outro. Philippe estava lá. Não nos víamos tinha um ano e meio. Ele havia mudado bastante. Luc o abraçou por muito tempo, dizendo que Philippe já estava uma cabeça mais alto do que ele. Philippe fingiu não me ver durante toda a cerimônia. Pouco antes de entrar no carro, enquanto Luc ia cumprimentar alguns parentes, ele me encurralou contra a porta, do alto de seu um metro e oitenta, e me disse: "Olha só, tia, você está aqui. Eu não tinha visto você." Ele me deu um beijo na boca sem que eu tivesse tempo de reagir, depois sussurrou para mim: "Até o verão que vem." E o verão seguinte chegou. O verão de seus vinte anos. Antes mesmo que ele pusesse o pé na casa de praia, eu o peguei pelo colarinho. Ele apertou os olhos, rindo. Acho que devia ser engraçado. Eu, que meço um e sessenta na ponta dos pés, e ele, imenso, colado contra a parede do corredor, minhas mãos trêmulas o segurando com toda a força. "Já estou avisando. Já falei com ele. Se quiser férias tranquilas, você vai parar com essa história. Você não vai se aproximar de mim, não vai me olhar, não vai fazer insinuação nenhuma e tudo vai ficar bem." Ele respondeu, irônico: "Está bem, tia. Eu prometo. Vou me comportar." A partir dali, ele fingiu que eu não existia. Continuou sendo educado: bom dia, boa noite, obrigado, até logo. Mas nossas conversas se restringiam a esses quatro cumprimentos. Nós íamos juntos à praia de manhã, ele no banco de trás, nós na frente. Sempre saía tarde, espalhava suas coisas pela casa toda. Algumas meninas o encontravam à noite ou em sua toalha na praia, à tarde. Às vezes ele saía para transar com elas atrás de uma pedra, era um vaivém de peitos permanente. Onde quer que a gente pusesse os pés, as risadinhas furtivas começavam. Isso fazia Luc gargalhar. Philippe era tão bonito, com o rosto angelical, o cabelo louro, a pele bronzeada. Tinha um corpo de homem, magro e musculoso. Na praia, todas as meninas ficavam vesgas ao vê-lo. Até os homens tinham inveja dele. Isso dava a Philippe muita confiança, todos aqueles olhares voltados para ele. Às vezes, Luc sussurrava ao meu ouvido: "Minha irmã deve ter traído o Toussaint. Não é possível que aquelas duas pessoas horríveis tenham gerado um menino tão bonito." Aquilo me fazia rir muito. Luc sempre me fazia rir. Eu tinha mesmo uma vida muito boa com ele. Tinha amor de sobra. Nós éramos os melhores amigos do mundo. Eu não teria sobrevivido a uma separação. Ele era um amigo, um pai, um irmão. Muito pouca coisa acontecia na nossa cama, mas eu recuperava o tempo perdido por fora de vez em quando. E sei o que está pensando: *Quando é que o Philippe conseguiu ficar com ela?*

Um longo silêncio se segue antes que Françoise continue seu monólogo. Ela esfrega uma mancha imaginária da calça jeans com as costas da mão. O tempo para. Estamos sozinhas, cara a cara. É como se Philippe tivesse trocado de perfume. Como se Françoise tivesse deixado um estranho entrar na minha cozinha.

— Na noite em que ele fez vinte anos, Luc e eu organizamos uma festa para Philippe na nossa casa. Os amigos dele vieram. Havia música, bebida e um bufê montado à beira da pequena piscina. O tempo estava bom, todos estávamos dançando juntos e eu não sei o que me deu, mas comecei a flertar com um amigo de Philippe, um tal de Roland, um garoto idiota com quem Philippe passava os dias. Nós nos afastamos um pouco para dar uns beijos. Acabamos nos juntando aos outros na hora do bolo e dos presentes. Quando reaparecemos, Philippe me fuzilou com o olhar. Achei que ele fosse me bater. Ele soprou as vinte velas, os olhos cheios de raiva. No mesmo instante, Luc trouxe para o sobrinho o presente que tinha coroado com uma fita vermelha: uma Honda CB100 cinza, com um cheque de mil francos em um envelope preso ao capacete. Todos se abraçaram, taças de champanhe foram erguidas, gritos de alegria e incredulidade foram lançados. Vi que Philippe fingia estar relaxado, sorrindo para todo mundo, se exibindo como sempre, mas sua mandíbula não destravava. Estava extremamente irritado. Quando a música voltou a tocar, quando todo mundo começou a dançar, Roland voltou para perto de mim, então Philippe o pegou pelo ombro e murmurou alguma coisa para ele. Roland respondeu "Está falando sério, cara?" e a briga começou. Luc, que tinha ido se deitar, ao ouvir a briga se levantou e pôs Roland para fora com uns belos chutes na bunda. Quando o assunto era seu sobrinho, Luc reagia como a irmã: nada era culpa dele. Luc perguntou a Philippe o que tinha acontecido, e o sobrinho respondeu, já bêbado: "O Roland está caçando nas minhas terras... Minhas terras são minhas!"

A narrativa progride:

— A festa continuou como se nada tivesse acontecido. Naquela noite, não dormi. Philippe despiu e colou uma das namoradas dele no beiral da janela do nosso quarto. Eu via as silhuetas dos dois se agitarem para todos os lados. Eu ouvia a moça gemer e Philippe dizer a ela um monte de safadezas destinadas a mim, obviamente. Falava alto o bastante para que eu ouvisse, mas não o bastante para acordar Luc. Sabia que o tio tomava remédios para dormir. Sabia também que eu estava ali, perto deles, de olhos bem abertos, a cabeça no travesseiro, e estava ouvindo tudo. Ele estava se vingando. Nos dias seguintes, nós o vimos pouco. Ele saía para andar de moto de manhã até à noite. Mesmo durante o dia, não ia à praia com a gente. A toalha dele ficava seca e vazia. Às vezes eu dormia e sonhava que ele estava de pé perto de mim, depois se deitava, colocando todo o peso nas minhas costas. Eu acordava sentindo que ia sufocar. Uns dez dias depois do aniversário, ele voltou a aparecer na praia. Eu tinha ido nadar longe da areia. Eu o vi se aproximar do Luc, apenas um ponto. Seu cabelo louro e sua postura. Ele deu um abraço forte no tio e se sentou perto dele. Luc acabou me indicando com o dedo. Philippe me viu e tirou a roupa. Então entrou na água para se juntar a mim. Ele se aproximou de mim nadando *crawl*. Eu não podia fugir. Estava encurralada, feito um rato. Enquanto ele se aproximava, entrei em pânico, não conseguia nadar, fiquei imóvel. Não sei por quê, mas achei que ele estava indo me afogar, que queria me fazer mal. Entrei tanto em pânico que comecei a chorar. Comecei a gritar. Mas, de onde estava, ninguém conseguia me ouvir. Eu tinha passado das boias de navegação havia algum tempo. Em alguns minutos, ele chegou perto de mim. Na hora, ele viu que eu não estava me sentindo bem. Continuei pedindo socorro, mas sem olhar para ele. Philippe quis me ajudar, mas eu bati nele, gritando: "Não toque em mim!" E bebi um monte de água. Ele me pôs nas costas à força e me levou de alguma maneira até uma das boias. Enquanto ele nadava, eu batia nele e ele me devolvia os golpes para que me acalmasse. Acabamos chegando. Eu me agarrei à boia, e ele também estava exausto. Nós recuperamos o fôlego e ele me pediu: "Agora faça o favor de se acalmar! Respire. Vamos voltar para a areia!" E gritei: "Não toque em mim!" Então ele disse: "Eu não posso tocar em você, mas todos os meus amigos podem, é isso?" Respondi "Você é meu sobrinho!", mas ele retrucou "Não, sou sobrinho do Luc". Completei: "Você é só um moleque mimado." E ele falou: "Eu te amo." Então respondi: "Pare com isso agora!" Mas ele insistiu: "Não, não vou parar nunca!" Comecei a ficar com frio, a bater os dentes. Olhei para a areia e ela me pareceu muito distante. Vi Luc. Quis estar nos seus braços pesados, protetores, tranquilizadores. Pedi que Philippe me levasse para a areia. Ele voltou a me pôr nas costas. Pus os braços em volta do pescoço dele. Ele começou a nadar e eu me deixei levar. Sentia seus músculos sob o meu corpo, mas não sentia nada além de medo e aversão.

Françoise segue com a história:

— Não voltei a ver Philippe nos dois verões seguintes. Luc e eu fomos para o Marrocos. Ele ligava de vez em quando para nos dar notícias. Veio nos ver em maio, quase três anos depois do episódio na praia. No ano em que fez vinte e três anos. Chegou com a Honda que Luc tinha dado a ele e uma namorada no carona. Quando ele tirou o capacete e eu vi aquele rosto, aquele sorriso, aqueles olhos, vou me lembrar até a morte de ter pensado: *Eu amo esse cara*. Naquele dia, fez calor. Nós quatro jantamos no jardim. Ficamos muito tempo falando todo tipo de amenidades. A namorada, cujo nome eu esqueci, era muito jovem. Estava se sentindo muito intimidada. Luc estava encantado por estar vendo o sobrinho de novo. Philippe havia saído da escola havia muito tempo e passava de subemprego para subemprego. Meu sangue parou de correr quando Luc se ofereceu para contratá-lo na oficina. Explicou que o treinaria e que, se tudo corresse bem, ele o contrataria. Nunca acreditei em Deus. Não fiz catequese e quase nunca coloquei os pés em uma igreja, mas, naquela noite, rezei: *Meu Deus, faça com que Philippe nunca trabalhe com a gente*. Na hora, senti o olhar de Philippe em mim. Ele respondeu ao tio: "Só me deixe falar com meu pai. Tenho que ver se ele não vai dar um escândalo." Nós fomos nos deitar. Não dormi a noite toda. O dia seguinte era feriado. Philippe e a namorada acordaram tarde. Enrolamos até a hora do almoço. Durante a tarde, Luc tirou uma soneca e eu fiquei vendo televisão com a namorada de Philippe, enquanto ele saía para dar uma volta de moto. Desde que os dois haviam chegado, eu fazia de tudo para não ficar sozinha com ele. Então veio a hora do aperitivo. Desci até adega para pegar uma garrafa de champanhe e senti o perfume dele atrás de mim. Ele não perdeu tempo. Me disse: "Não vou trabalhar na oficina, mas, hoje à noite, à meia-noite, vá até o jardim, sente-se na mureta e espere." Antes mesmo que eu pudesse abrir a boca, ele me interrompeu: "Não vou tocar em você." E subiu logo em seguida. Peguei a garrafa e encontrei Luc e a garota, que me esperavam à mesa. Philippe chegou cinco minutos depois, como se viesse do jardim. Fiquei me perguntando o que ele esperava de mim. Nos fundos do jardim, havia um barracão de madeira e, atrás dele, uma mureta. Uma mureta antiga, na qual Philippe brincava com um skate quando era adolescente. Aliás, Luc a chamava de "muro do Philippe". E dizia coisas do tipo "A gente devia colocar umas jardineiras no muro do Philippe", "Devíamos dar uma pintada no muro do Philippe", "Vi um gato angorá bonito no muro do Philippe outro dia"... A noite passou como se estivesse em meio à névoa. Eu bebi feito um gambá. Às onze da noite, todo mundo se levantou para ir se deitar. Philippe olhou para mim, depois disse a Luc: "Tio, não acho que eu vá poder vir trabalhar para você. Falei com meus pais hoje e eles fizeram um escândalo." Luc respondeu: "Tudo bem, meu filho."

Ela emenda:

— Eu abri um livro quando fui para a cama. Luc adormeceu do meu lado. Quanto mais a hora avançava, mais meu coração entrava em pânico. Não havia barulho nenhum na casa. Às 23h55, coloquei um casaco e fui me sentar na mureta. Eu estava no escuro. O jardim dava para os fundos da casa, então nenhum poste o iluminava. Eu me lembro de ficar levando susto com qualquer barulho. Além disso, tinha medo de que Luc acordasse e me procurasse pela casa. Não sei quanto tempo fiquei sentada daquele jeito, sem me mexer. Estava paralisada de medo. Nada acontecia. Só havia silêncio ao meu redor. Mas eu tinha medo de me mexer. Pensava: *Se me mexer, Philippe vai mudar de opinião. Ele vai vir trabalhar para a gente.* Se isso tivesse acontecido, eu teria ido embora. Teria me divorciado sem dizer nada a Luc. Ele teria morrido se soubesse que o sobrinho adorado me queria. Teria morrido se soubesse que eu o amava. Philippe e a namorada acabaram aparecendo. Ele disse para ela: "Não diga nada. Relaxe." Philippe a puxava pela mão. Ela andava sem ver nada, tinha os olhos vendados. Na outra mão, ele segurava uma lanterna, que ergueu na minha direção e me iluminou. Senti os olhos arderem. Só distinguia as silhuetas deles. Ele pôs as costas da menina contra uma árvore. Estava de frente para mim. Pôs a lanterna a seus pés, sempre virada na minha direção. Eu parecia presa na armadilha dos faróis de um carro. Ele me pediu: "Quero ver seu rosto." A menina achou que ele estivesse falando com ela. Ele deu uma série de ordens e ela fez tudo sob meu olhar, sem saber que eu estava ali, perto deles. "Como é proibido, quero pelo menos transar com seu rosto." Ele fez amor com a moça. Eu não conseguia enxergá-lo. Estava cega pela luz, mas sentia ele me encarando. Em dado momento, ele me pediu: "Vem, vem, vem." Pediu que eu me levantasse e me aproximasse deles. Ela ainda estava de costas, Philippe estava encostado nela, virado tanto para ela quanto para mim. Eu estava tão perto dos dois que sentia o cheiro de seus corpos. "É, isso, olhe como eu te amo." Os olhos dele nos meus, nunca vou esquecer. Nem o sorriso triste dele. O modo como ele a segurava, seus vaivéns, seus olhos nos meus, seu gozo, sua vitória sobre mim. Voltei para o meu quarto, trêmula. Dormi abraçada a Luc. Naquela noite e nas seguintes, sonhei com Philippe. No dia seguinte, Philippe e a garota voltaram para casa. Não vi quando foram embora. Fingi estar com dor de cabeça para ficar na cama. Quando ouvi a moto ser ligada e depois o barulho do motor desaparecer, me levantei e prometi a mim mesma que nunca mais ia vê-lo. Mas pensava nele. Com frequência. No verão seguinte, dei um jeito de viajar para as Ilhas Seychelles com Luc, como se ainda fôssemos namorados, dizendo que queria uma nova lua de mel com ele. Voltei a ver Philippe no verão em que ele fez vinte e cinco anos. Ele apareceu na minha casa sem avisar. Na verdade, Luc sabia. Os dois queriam me fazer uma surpresa. Fingi estar feliz, mas quis vomitar. Emoções demais, aversão, atração. Na mesma noite, ele fez amor com uma moça embaixo da minha janela, murmurando: "Vem, vem, vem, olhe como eu te amo." Isso durou um mês. Eu tentava evitá-lo o dia todo. Quando encontrava com ele no café da manhã, ele me dizia, com uma leveza falsa: "Bom dia, tia. Você dormiu bem?" Mas ele não sorria mais. Parecia triste. Alguma coisa tinha mudado. No entanto, toda noite ele fazia aquilo com uma mulher diferente. Eu também não sorria mais. Também estava triste. Ele havia conseguido me contaminar com um amor doentio. Por causa de tudo que ele fazia, eu estava mais doente do que apaixonada por ele.

Françoise continua:

— No último dia das férias, fui levá-lo à estação. Falei que não queria vê-lo nunca mais. Ele respondeu: "Venha, vamos embora juntos. Sei que, com você, tudo vai ser possível. Com você, tenho toda a coragem do mundo. Se não quiser, vou me transformar em um coitado, um inútil." Ele partiu meu coração. Expliquei com todo carinho que nunca deixaria Luc. Nunca. Ele me perguntou se podia me beijar uma última vez e falei que não... Se o tivesse deixado me beijar, teria ido embora com ele. No dia 30 de agosto de 1983, quando o trem dele desapareceu, eu soube que nunca mais o veria. Senti isso. Pelo menos, não naquela vida. Sabe, existem muitas vidas em uma vida. Perdemos contato com Philippe. No início, ele continuou ligando e, depois, pouco a pouco, com os anos, sumiu. Luc achou que ele tinha decidido obedecer aos pais. Tinha tomado partido deles. Nós retomamos nossos hábitos, nossa vida. Uma vida tranquila e serena. Um ano depois, soubemos que Philippe tinha conhecido alguém, a senhora, que tinha tido um filho e se casado. Que ele havia se mudado. Mas ele nunca nos ligou para contar. Eu sabia que era por minha causa. Mas o Luc sofreu muito por não ter mais notícias dele. Acho que ele teria gostado de conhecer você, conhecer sua... Talvez as coisas tivessem sido diferentes. Mais fáceis. Depois houve todo aquele drama. Nós ficamos sabendo quase por acaso. A colônia de férias. Pavoroso. Luc quis ir falar com Philippe. Ele telefonou para a irmã para saber o telefone do sobrinho, mas ela desligou na cara dele. Ele não insistiu. Pôs isso na conta da tristeza. Luc me disse: "Além disso, o que a gente podia dizer para eles? Coitado do Philippe." Em outubro de 1996, Luc morreu nos meus braços, de ataque cardíaco. Aquele havia sido um dia bonito. Tínhamos rido juntos no café da manhã. No fim da manhã, no entanto, ele parou de respirar. Gritei para que ele abrisse os olhos, gritei para que o coração dele voltasse a funcionar, mas não adiantou nada. Luc não estava mais me ouvindo. Eu me senti culpada. Por muito tempo achei que tinha sido por causa do Philippe. Daquele amor secreto engraçado. Nem um pouco engraçado. Ele foi enterrado em uma cerimônia absolutamente restrita. Não avisei aos pais de Philippe. Para quê? Luc não teria suportado vê-los no próprio enterro. Teria sido capaz de ressuscitar por cinco minutos só para dar uns tapas neles e pedir que fossem embora. Também não avisei ao Philippe. Para quê? Decidi manter a oficina, mas contratei um gerente. Viajei para longe de Bron por vários meses. Precisava pensar, "processar meu luto", como se diz.

Ela explica:

— Mas me afastar não ajudou muito. Pelo contrário. Também cheguei perto da morte. Fiquei deprimida. Acabei em um hospital psiquiátrico, sob efeito de remédios. Não conseguia nem contar até dez. A morte de Luc quase custou a minha vida também. Ao perder meu marido, perdi todas as minhas referências. Eu o havia conhecido ainda tão jovem... Quando comecei a voltar ao normal, decidi retomar o controle dos negócios. A empresa era toda a nossa vida e, sobretudo, a minha. Vendi nossa casa no campo para comprar outra na cidade, a cinco minutos da oficina. No dia da venda, quando dei a chave para os novos proprietários, um melro pousou no muro do Philippe e ficou cantando a plenos pulmões. Em 1998, eu estava fazendo um orçamento para o veículo de um cliente quando o vi entrar na oficina. Estava no meu escritório e o vi chegar de moto pela janela. Ele não havia nem tirado o capacete e eu já sabia que era ele. Fazia quinze anos que eu não o via. O corpo dele havia mudado, mas a postura ainda era a mesma. Achei que fosse morrer. Assim como me senti com a partida do meu marido, achei que meu coração fosse parar. Não achei que fosse rever Philippe um dia. Quase nunca pensava nele. Ele fazia parte das minhas noites. Sonhava com ele com frequência, mas, durante o dia, raramente pensava nele. Ele fazia parte apenas das minhas lembranças. Então, ele tirou o capacete. E começou a fazer parte do meu presente. Ele estava com uma cara horrível. Uma expressão péssima. Foi um choque para mim. Eu havia deixado um menino de vinte e cinco anos em uma estação de trem e reencontrei um homem sombrio. Eu o achei extremamente bonito. Com olheiras, mas bonito. Quis correr para os braços dele, como nos filmes de Lelouch. E me lembrei das últimas palavras dele: "Venha, vamos embora juntos. Sei que, com você, tudo vai ser possível. Com você, tenho toda a coragem do mundo. Se não quiser, vou me transformar em um coitado, um inútil." Andei na direção dele. Mas como *eu* estava? Eu também havia mudado. Ia fazer quarenta anos. Estava esquálida. Minha pele mostrava tudo. Eu tinha bebido e fumado demais. Acho que ele não quis nem saber. Quando me viu, se jogou nos meus braços. Ou melhor, "caiu nos meus braços". Ele começou a chorar. Por muito tempo. No meio da oficina. Eu o levei para a minha casa. Para a nossa casa. E ele me contou tudo.

Françoise Pelletier foi embora depois de uma hora. Sua voz ainda ecoa nas minhas paredes. Achei que ela havia me procurado para me machucar, mas ela viera me presentear com a verdade.

62

Não sonho mais, não fumo mais,
nem mesmo tenho história,
sou sujo sem você, sou feio sem você,
sou como um órfão em um dormitório.

Gabriel Prudent apagou a bituca do cigarro e entrou no roseiral cinco minutos antes do fechamento. Irène Fayolle já havia apagado as luzes da loja e o acesso aos jardins estava fechado. Ela havia abaixado as portas de ferro. Estava no depósito quando o viu diante do balcão. Ele esperava como um cliente abandonado, deixado por conta própria.

Eles se viram ao mesmo momento, ela na luz branca de uma lâmpada halógena, ele iluminado apenas por um neon vermelho preso sobre a porta de entrada.

Ela continua linda. O que ele está fazendo aqui? Espero que seja uma boa surpresa. Será que ele veio me dizer alguma coisa? Ela não mudou. Ele não mudou. Quanto tempo faz? Três anos. Da última vez, ficou um pouco chateada. Ele parece perdido. Foi embora sem se despedir. Espero que ele não esteja com raiva de mim. Não, senão eu não estaria aqui. Será que ela ainda está com o marido? Será que ele refez a vida? Parece que ela mudou a cor do cabelo. Está mais claro. Ele ainda usa o casaco azul-marinho. Sempre toda de bege. Ele parecia mais jovem na TV da última vez. O que ela fez esse tempo todo? O que ele viu, defendeu, conhe-

ceu, comeu, viveu? Anos. Águas passadas. Será que ela vai aceitar beber alguma coisa comigo? Por que ele veio tão tarde? Será que ela se lembra de mim? Ele não me esqueceu. Que bom que ela está aqui. Tivemos sorte. Normalmente, na quinta à noite, o Paul vem me buscar. Eu poderia ir embora sem dizer nada. Será que ele vai me beijar? Ela vai ter tempo para mim? Tenho a reunião de pais e mestres hoje à noite. Talvez eu devesse tê-la seguido na rua. Será que ele me seguiu? Fingido encontrar com ela por acaso em uma calçada. Paul e Julien estão me esperando na frente da escola às sete e meia. A professora de francês quer falar com a gente. O primeiro passo, eu gostaria que ela desse o primeiro passo. Isso é uma música. E viver, cada um no seu canto. Será que vamos ao hotel? Será que ele vai me fazer beber como na última vez? Ela com certeza tem várias coisas para me dizer. E o professor de inglês também. Tenho que dar o presente a ela. Não posso ir embora sem dar o presente. O que estou fazendo aqui? A pele dela, o hotel. Seu hálito. Ele não fuma mais. É impossível, ele jamais pararia de fumar. O problema é que não teria coragem. Suas mãos...

Diário de Irène Fayolle

2 de junho de 1987

Eu saí do depósito e Gabriel me seguiu, sorrindo timidamente. Ele, o grande advogado, ele, que tinha tanto carisma, que falava alto, não sabia mais falar, parecia uma criancinha. Ele, que defendia criminosos e inocentes, não soube dizer nada para defender nosso amor.

Nós nos vimos na rua. Gabriel ainda não havia me dado o presente e nós não tínhamos dito nenhuma palavra. Tranquei a loja e nós caminhamos até meu carro. Assim como três anos antes, ele se sentou ao meu lado e apoiou a cabeça no descanso, e comecei a dirigir sem destino. Eu não queria mais parar, estacionar. Não queria que ele saísse do meu carro. Fui parar na autoestrada, peguei a rota para Toulon, depois segui pela costa até o Cap d'Antibes. Eram dez da noite quando estacionei à beira-mar, com o tanque vazio, ao lado de um hotel, La Baie Dorée. Nós caminhamos até as placas que mostravam o preço dos quartos e o cardápio do restaurante. Uma mulher loura nos recebeu com um sorriso bonito. Gabriel perguntou se era tarde demais para jantar.

Era a primeira vez que eu ouvia o som da voz dele desde que ele havia entrado no roseiral. No carro, ele não havia dito nada. Havia apenas procurado uma música no rádio.

A mulher da recepção respondeu que, fora de temporada, o restaurante ficava fechado durante a semana. Ela ia mandar duas saladas e dois sanduíches para o quarto.

Mas nós não tínhamos pedido quarto nenhum.

Sem esperar uma resposta, ela nos entregou uma chave, a do quarto sete, e nos perguntou se preferíamos vinho branco, tinto ou rosé para acompanhar o jantar. Olhei para Gabriel: era ele que devia escolher a bebida.

Por fim, a moça da recepção nos perguntou quantas noites íamos ficar, e aí fui eu que respondi: "Nós ainda não sabemos." Ela nos levou até o quarto sete para nos mostrar como funcionavam as luzes e a TV.

Na escada, Gabriel sussurrou no meu ouvido: "Devemos parecer apaixonados para ela nos propor um quarto."

O quarto sete era amarelo-claro. Tinha as cores da região do Midi. Antes de sair, a moça da recepção abriu uma porta de vidro que dava para uma varanda. O mar estava escuro e o vento, fraco. Gabriel pôs o casaco azul-marinho nas costas de uma cadeira e pegou alguma coisa que então me entregou. Um objeto pequeno embrulhado com papel de presente.

"Vim entregar isso para você. Não achei que, ao entrar no seu roseiral, íamos acabar aqui, neste hotel."

"Você está arrependido?"

"De jeito nenhum."

Abri o embrulho. Encontrei um globo de neve. Eu o sacudi várias vezes.

A moça da recepção bateu na porta, depois trouxe um carrinho com bandejas, que deixou no meio do quarto. Ela pediu desculpas e desapareceu com a mesma velocidade que havia entrado.

Gabriel pôs as mãos em meu rosto e me beijou.

"De jeito nenhum" foram as últimas palavras que ele disse naquela noite. Não tocamos na comida nem no vinho.

Na manhã do dia seguinte, liguei para Paul para dizer que ia demorar para voltar e desliguei. Depois avisei minha funcionária e pedi para que ela cuidasse sozinha do roseiral por alguns dias. Sentindo certo pânico, ela disse: "Tenho que cuidar do caixa também?" Respondi que sim. E desliguei, sem me despedir.

Pensei em nunca mais voltar para casa. Desaparecer de uma vez por todas. Não enfrentar mais nada, especialmente o olhar de Paul. Fugir, de maneira covarde. Encontrar Julien, mas mais tarde, quando ele fosse maior, quando ele pudesse entender.

Nem eu nem Gabriel tínhamos outra roupa para trocar. No dia seguinte, fomos a uma loja comprar algumas. Ele não me deixou escolher nada bege e me comprou vestidos coloridos, com detalhes dourados em todos os cantos. Comprou sandálias também. Sempre tive horror a sandálias, pavor que alguém pudesse ver meus pés.

Durante aqueles poucos dias, senti que estava fantasiada. Eu era outra pessoa, que usava outras roupas. Roupas de uma outra mulher.

Por muito tempo me perguntei se tinha me fantasiado ou se havia me encontrado pela primeira vez, me descoberto.

Uma semana depois de chegarmos a Cap d'Antibes, Gabriel teve que ir ao tribunal de Lyon defender um homem acusado de homicídio. Ele tinha certeza de que o réu era inocente. Ele me implorou para ir com ele. Pensei: Talvez possamos abandonar nossas rosas e famílias, mas não um homem acusado de assassinato.

Voltamos para Marselha para pegar o carro de Gabriel, que estava estacionado a algumas ruas do meu roseiral. Eu deixaria o furgão com a chave escondida embaixo do pneu esquerdo dianteiro, como fazia às vezes, e nós iríamos juntos para Lyon.

Quando vi o carro de Gabriel, um carro esporte conversível vermelho, percebi que não conhecia aquele homem. Que não sabia nada sobre ele. Tinha acabado de ter os melhores dias da minha vida, mas e depois?

Não sei por quê, mas aquilo me lembrou dos romances de verão. O desconhecido bonito da praia, pelo qual nos apaixonamos perdidamente e que, tempos depois, reencontramos em Paris, todo engomadinho, em uma rua cinzenta em pleno outono, e já sem todo aquele charme das férias.

Pensei em Paul. Eu sabia tudo sobre ele. Seu carinho, sua beleza, sua delicadeza, seu amor, sua timidez, nosso filho.

No mesmo instante, vi Paul dirigindo o próprio carro. Provavelmente saindo do roseiral. Devia estar me procurando em todos os cantos. Estava muito pálido, perdido em seus pensamentos, e não me viu. Eu teria preferido que ele tivesse olhado nos meus olhos. Por não ter me visto, ele me deu a chance de escolher: Voltar para ele ou entrar no carro do Gabriel? Eu me vi na vitrine de uma loja. Com meu vestido verde e dourado. Vi a outra mulher.

Gabriel já estava ao volante do conversível. Falei para ele: "Me espere."

Fui até meu roseiral — passei na frente dele, mas não havia ninguém. Minha funcionária devia estar nos fundos, no jardim.

Então, comecei a correr como se estivesse sendo perseguida. Nunca corri tão rápido. Entrei no primeiro hotel que encontrei e me tranquei em um quarto para poder chorar com tranquilidade.

No dia seguinte, voltei a trabalhar no roseiral, vesti minhas roupas beges, coloquei o globo de neve no balcão e voltei para casa.

Minha funcionária me contou que um advogado muito famoso tinha ido ao roseiral na véspera, que havia me procurado em todos os cantos, como um louco. Que era menos bonito do que na televisão, mais baixo.

Uma semana depois, os jornais anunciaram que o Dr. Gabriel Prudent tinha obtido a absolvição do homem de Lyon.

63

A ausência de um pai reforça a lembrança de sua presença.

Além de Geneviève Magnan, uma única coisa o havia marcado durante o processo, a ponto de se tornar uma obsessão: a cara de Fontanel. O terno, os gestos, o comportamento de Fontanel. Entre todas as pessoas que tinham ido depor, Philippe Toussaint só se lembrava dele.

Alain Fontanel tinha sido chamado por último pelo advogado de defesa. Depois das inspetoras, dos bombeiros, dos especialistas e do cozinheiro. Logo após Fontanel ter respondido com uma voz firme às perguntas do juiz, Philippe Toussaint tinha visto os olhos de Geneviève Magnan abaixarem. Assim que passou por ela nos corredores do tribunal, no primeiro dia do processo, e que soube que ela estava em Notre-Dame-des-Prés naquela noite, ele pensou imediatamente: *Foi ela quem pôs fogo no quarto. Ela se vingou.*

Contudo, o incômodo profundo que Philippe Toussaint sentira foi no momento da fala de Fontanel. Ele achara que talvez não fosse o único a estar sentindo aquilo, aquela vertigem diante da mentira. Ele havia analisado os outros pais, observado se Fontanel causava o mesmo efeito que causara nele, mas não vira nada. Os outros pais estavam mortos. Como Violette, mortos. Como a diretora no banco dos réus, com o olhar vazio. Ela havia escutado Fontanel sem ouvi-lo.

Mais uma vez, Philippe Toussaint pensara: *Sou a única pessoa viva.* Ele tinha se sentido culpado. A morte de Léonine não o deixara dormente como os outros. Como se, no caso deles, Violette tivesse assumido tudo. Como se ela não tivesse dividido sua dor. Mas ele sabia, do fundo do coração, que tinha sido a raiva que o havia erguido, que o mantivera acima daquela confusão. Uma raiva incômoda, pesada, violenta, sombria, que nunca confessara a ninguém porque Françoise não estava mais por perto. Raiva de seus pais, da mãe, das pessoas que não haviam reagido quando o fogo...

Ele não tinha sido bom pai. Fora um pai ausente, distante, falso. Era egoísta demais, voltado demais para si mesmo para ser capaz de dar amor. Tinha decidido que só se interessaria por motos e mulheres. Todas as mulheres que esperavam para ser consumidas como frutas maduras em uma banca de feira. Com o passar dos anos, ele havia se servido tanto entre as vizinhas que um amigo lhe indicara *o endereço*, um lugar onde poderia se divertir com várias pessoas. Onde as mulheres não se apaixonavam, não perdiam a paciência, não faziam cara feia e iam em busca da mesma coisa que os homens.

O veredito tinha sido dado: dois anos de prisão para a diretora, um deles em regime fechado. E indenizações, muitas indenizações. Com as quais ele ficaria. Um costume que a vagabunda da mãe dele lhe dera.

— Fique com tudo. A outra só está lá para roubar todo o seu dinheiro.

Quando saíra do tribunal, seus pais o esperavam do lado de fora, mais rígidos do que a justiça que ele vira ser feita. Ele quisera fugir, achar uma porta secreta para não ter que enfrentar o olhar deles. Não os suportava mais desde a morte de Léonine. Sua mãe, que acusava Violette de todos os males, não conseguira atacá-la depois da tragédia. Bem que tinha tentado, mas, no fim das contas, fora ela que havia insistido para que Léonine fosse passar as férias naquele lugar infeliz. Ele fora almoçar com os dois, as costas curvadas. Não conseguira engolir nada, dizer nada. No verso da conta, anotara, com a caneta que o pai havia usado para fazer o cheque:

"Édith Croquevieille, diretora;
Swan Letellier, cozinheiro;
Geneviève Magnan, governanta;
Éloïse Petit e Lucie Lindon, monitoras;
Alain Fontanel, zelador."

Tinha voltado para casa, levando como única bagagem o depoimento de Fontanel:

— Eu estava dormindo no segundo andar. Fui acordado pelos gritos de Swan Letellier. As mulheres já haviam começado a tirar as outras crianças. O quarto do térreo estava pegando fogo. Foi impossível entrar. Podia ter sido pior.

Violette não havia reagido quando ele anunciara o veredito.

— Está bem — dissera apenas, antes de sair para abaixar a cancela.

Naquele instante, ele tinha se lembrado de Françoise, dos verões em Biot. Pensava muito neles, saía de férias em sua memória quando o presente o deprimia demais. Então havia pegado o controle do Nintendo e jogado até cansar, gritando e se irritando quando Mario não pulava um obstáculo, como se estivesse correndo sem sair do lugar. Quando desligou a TV, Violette já estava dormindo no quarto fazia muito tempo. Ele não havia se juntado a ela. Tinha subido na moto para ir até *o endereço*, transar com mulheres que esperavam a mesma coisa que ele, sexo triste, prazer, um quarto fechado. Mas as palavras de Fontanel não o tinham largado: "Eu estava dormindo no segundo andar. Fui acordado pelos gritos de Swan Letellier. As mulheres já haviam começado a tirar as outras crianças. O quarto do térreo estava pegando fogo. Foi impossível entrar. Podia ter sido pior."

O que podia ter sido pior?

A morte de Léonine havia feito seu umbigo desaparecer. Aquele umbigo do qual a mãe lhe ensinara a cuidar, custasse o que custasse.

— Não pense nos outros, pense em você.

Às vezes, ele dizia à Violette:

— Vamos ter outro filho.

Ela aceitava para se livrar dele. Para se livrar do homem que a havia abandonado anos antes, que a traía, não com todas as mulheres que o cercavam, mas com Françoise, a única que ele havia amado. Não tinha se casado com Violette para que ela fosse feliz, tinha se casado com ela para se libertar da mãe que o assediava.

Ele sentira uma tristeza enorme por Violette ao ver que ela havia perdido a filha deles. Tinha sofrido mais com a tristeza da esposa do que com a perda da filha. Tinha sofrido por não ter podido fazer nada por Violette. Por não ter nada para resolver. Pelo silêncio dela, por nunca conseguir falar sobre nada com ela além de uma marca de xampu ou um programa de TV. Por não saber perguntar à esposa: "Como você está se sentindo?" Ele também tinha se sentido culpado por isso. Não havia nem aprendido a sofrer. No fundo, não tinha aprendido nada. Nem a amar, nem a trabalhar, nem a ceder. Um inútil.

Ele havia se apaixonado por Violette na primeira vez que a vira atrás do bar. Sentira-se atraído por todo o açúcar com o qual ela parecia ter sido coberta. Como um pirulito colorido em uma barraca de feira. Não tinha nada a ver com o que havia sentido e sempre sentiria por Françoise, mas ele quisera aquela menina. Sua voz, sua pele, seu sorriso, sua leveza de pluma. Sua aparência de menino, sua fragilidade, seu jeito de se entregar sem limites. Tinha sido por isso que ele logo a engravidara. Queria que ela fosse dele, só dele. Como alguém que não quer dividir seu doce com ninguém. Que o devora em um canto, se lambuzando inteiro. Mas a mãe o pegara com a boca na botija: ele, o reizinho da casa, com o casaco todo sujo de açúcar. E, para completar, um pãozinho no forno da garota.

Em agosto de 1996, nove meses depois do julgamento que havia posto Édith Croquevieille na cadeia, Violette tinha viajado para ficar dez dias no chalé de Célia em Marselha. Aquela mulher que ele não suportava e sentia que era recíproco. Ele havia dito que, naquele meio tempo, ia andar de moto com os amigos de Charleville, amigos antigos. Mas não tinha mais amigos. Nem antigos nem atuais.

Ele fora para Chalon-sur-Saône sozinho. Alain Fontanel trabalhava em um hospital da cidade. O hospital Sainte-Thérèse, construído em 1979, onde Fontanel trabalhava cuidando da manutenção elétrica, do encanamento e da pintura, com dois outros colegas, desde que havia perdido o emprego em Notre-Dame-des-Prés. Philippe Toussaint não sabia como ia fazer para falar com ele. Será que precisava falar tranquilamente ou espancar o cara até que ele contasse a história toda? Fontanel era uns vinte anos mais velho do que ele, não seria difícil imobilizá-lo e dar um mata-leão nele. Não havia planejado nada, a não ser ficar sozinho com Fontanel. E então fazer as perguntas que ninguém fizera durante o julgamento.

Philippe Toussaint havia entrado no hospital e pedido para falar com Alain Fontanel.

— Sabe o número do quarto dele? — haviam lhe perguntado.

— Não, ele trabalha aqui — balbuciara.

— É enfermeiro? Residente?

— Não, cuida da manutenção.

— Vou me informar.

Enquanto a recepcionista tirava o telefone do gancho, Philippe Toussaint vira Fontanel entrar no refeitório, no térreo, a cinquenta metros dele. Usava um macacão de trabalho. Philippe tinha sentido o mesmo incômodo que no tribunal. Não conseguia suportar aquele cara. Sem pensar, andara rapidamente até Fontanel, até ficar bem atrás dele. Fontanel levava uma bandeja na mão e tinha entrado na fila do bufê. Philippe Toussaint pegara uma bandeja e pedira o prato do dia. Fontanel foi até uma janela, sozinho. Philippe Toussaint o seguira e se sentara diante dele sem pedir licença.

— Nós nos conhecemos?

— Nunca conversamos, mas nos conhecemos.

— Posso ajudar?

— Com certeza.

Fontanel cortou a carne, como se nada estivesse acontecendo.

— Não paro de pensar em você.

— Normalmente, são as mulheres que sentem isso.

Philippe Toussaint mordeu a bochecha com violência para se manter calmo, para não se empolgar.

— Bem, acho que você não disse tudo no julgamento... Fico ouvindo seu depoimento na minha cabeça, como se fosse um disco riscado.

Fontanel não demonstrou nenhuma surpresa. Ele observou Philippe Toussaint por um minuto, sem dúvida para se lembrar do processo, situá-lo, depois pegou o molho do prato com um pedaço grande de pão.

— E você acha que vou falar mais alguma coisa, assim, só pelos seus belos olhos?

— Acho.

— E por que eu faria isso?

— Por que eu poderia ser muito menos gentil.

— Pode me matar. Não dou a mínima. Devo até dizer que ia ser uma boa. Não gosto do meu trabalho, não amo minha esposa nem meus filhos.

Philippe Toussaint cerrou os punhos com tanta força que suas mãos empalideceram.

— Não tenho porra nenhuma a ver com a sua vida. Quero saber o que você viu naquela noite... Está mentindo que nem um político.

— A Magnan, você conhece a Magnan? Ela é minha esposa.

— ...

— Durante o processo, ela se mijava de medo sempre que olhava para você.

Assim que Fontanel disse o nome dela, ele voltou a ver Geneviève Magnan nos corredores da escola, os olhos famintos, correndo atrás dele como uma cadela no cio. Ele se viu transando com ela sempre no mesmo lugar, os pés na lama, sob a luz dos faróis da moto. Aquilo o deixou enjoado. Fontanel e o cheiro de comida e hospital... Será que ela havia ateado fogo no quarto para se vingar? A pergunta o torturava.

— O que aconteceu, meu Deus...

— Foi um acidente. Nada mais, nada menos. A porra de um acidente. Nem adianta investigar. Não vai achar nada de novo, estou avisando.

Philippe Toussaint tinha saltado por sobre a mesa, agarrado Fontanel e socado o homem como se tivesse ficado maluco. No rosto, na barriga, ele o socava sem pensar e sem ver onde batia. Tinha a sensação de estar espancando um colchão abandonado em uma esquina. Continuou batendo, ignorando os gritos ao seu redor. Fontanel não se defendeu. Apenas aceitou as pancadas. Alguém puxou Philippe pelo braço para impedir que ele continuasse, tentou imobilizá-lo, jogá-lo no chão, mas ele se debateu, com uma força sobre-humana, e fugiu correndo. Seus punhos ardiam e sangravam, de tanta força que tinha usado.

Como se já estivesse esperando por aquilo, Fontanel não disse nada, não deu queixa por agressão. Apenas declarou que ignorava a identidade do agressor.

64

Durma, papai, durma,
mas que você ainda escute
nossas risadas infantis
nas profundezas do firmamento.

Cemitério de Bron, 2 de junho de 2017, 25°C, três da tarde. Enterro de Philippe Toussaint (1958-2017). Caixão de carvalho. Estrela de mármore preto. Sem cruz.

Três coroas de flores: "Belas flores para belas lembranças que nunca desaparecerão", lírios brancos, "Receba estas flores com meus mais profundos pêsames".

Faixas mortuárias nas quais podemos ler "Ao meu companheiro", "Ao nosso colega de trabalho", "Ao nosso amigo". Em uma placa funerária, ao lado de uma moto dourada: "Longe, mas nunca esquecido."

Cerca de vinte pessoas estão presentes em torno do túmulo. Pessoas da outra vida de Philippe Toussaint.

Por eu ser a esposa legítima, autorizei Françoise Pelletier a enterrar Philippe Toussaint no túmulo de Luc Pelletier. Para que ele reencontrasse o tio que eu nem soubera que existia. Assim como nunca ficara sabendo de grande parte da vida de Philippe Toussaint.

Espero todo mundo ir embora para que eu possa me aproximar do túmulo. Coloco uma placa em nome de Léonine: "Ao meu pai."

65

Nada além de um breve recado
para dizer que amamos você.
Nada além de um breve recado
para pedir que você nos ajude
a superar as difíceis provações
daqui de baixo.

Agosto de 1996, Geneviève Magnan

Eu o esperei por muito tempo. Sabia que ele acabaria vindo. Sabia muito antes de ver a cara de Fontanel toda desfigurada quando voltou para casa. Ele andava com ajuda de muletas. O rosto estava todo roxo e tinha dois dentes quebrados.

— O que você fez agora? — perguntei.

Achei que ele tinha bebido demais, brigado de novo com outros bêbados. Ele sempre tivera a violência no sangue, a raiva. Ele também já tinha me dado uns tapas nas noites de bebedeira.

— Vá perguntar isso para o cara que comia você às escondidas — respondeu ele.

Aquela frase me fez mais mal do que os tapas da minha mãe e do Fontanel. As pancadas deles, perto daquela frase, eram fichinha. Brincadeira de criança.

Era ele quem estava desfigurado e mancando, mas era eu quem estava sofrendo. A ponto de não conseguir mais me mexer. Estava paralisada. Morrendo de medo.

Pensei no porco que tinham matado na semana anterior, na casa do vizinho. O modo como se cagara todo, como tinha tremido, como havia gritado. De medo e de dor. O horror. Os homens gargalhando, aquelas risadas. E, depois, nós, as mulheres, tínhamos sido chamadas para fazer chouriço. O cheiro da morte. Naquele dia, tive vontade de me enforcar. Não era a primeira vez, aquela vontade de "acabar com tudo", como dizem os ricos. Não, não era a primeira vez. Mas, daquela vez, ela me dominou por muito tempo. Mais do que o normal. Cheguei até a pegar dinheiro para ir comprar uma corda. Depois larguei, pensando nos meninos. Quatro e nove anos. O que eles fariam, sozinhos com Fontanel?

Eu sabia que um dia *ele* viria me fazer perguntas, assim que vi seu olhar parar em mim no tribunal.

Alguém bateu na porta. Achei que fosse o carteiro, já que estava esperando um pacote da La Redoute. Mas não era o carteiro — era ele, ele estava atrás da porta. Seus olhos estavam cansados. Vi a tristeza dele. Vi a beleza dele. E depois o desprezo. Ele me olhou como se eu fosse um monte de merda.

Quis fechar a porta de novo, mas ele deu um chute violento nela. Parecia um maluco. Pensei em ligar para a polícia, mas o que eu teria dito à polícia? Que eu tinha medo desde *aquela noite*. Ele não me tocou, tinha nojo demais de mim. Eu sentia o ódio e o horror que ele tinha.

— Foi mesmo um acidente — consegui dizer apenas. — Não fiz nada de propósito, eu nunca teria feito mal a uma criança.

Ele me encarou e, então, fez uma coisa que eu não esperava. Sentou-se à mesa da minha cozinha, apoiou a cabeça nos braços e começou a chorar. Soluçava que nem uma criança que havia se perdido da mãe na multidão.

— Você quer saber o que aconteceu?

Ele respondeu que não.

— Juro que foi um acidente.

Ele estava a um metro de mim. Quis tocar nele, tirar sua roupa, tirar a minha; queria que ele me possuísse, me fizesse gritar como antes, contra a pedra. Nunca ninguém se odiou tanto quanto me odiei naquele momento.

Ele, desesperado, perdido na cozinha que eu não limpava havia um milênio. Desde que fiquei desempregada, não mexo mais um dedo. Eu que sou responsável. Eu, a culpada.

Ele se levantou e foi embora sem olhar para mim. Depois que ele saiu, me sentei no lugar dele. Seu perfume havia ficado ali.

Depois da escola, eu deixaria meus filhos na casa da minha irmã. Minha irmã era muito mais carinhosa do que eu. Eu pediria a eles que se comportassem. Que não saíssem de lá. Pegaria o dinheiro da última vez. E, na volta, compraria aquela corda.

66

A morte de uma mãe é a primeira tristeza que choramos sem ela.

— Quer provar?

— Com prazer.

Colho alguns tomates-cereja e entrego ao Dr. Rouault.

— São deliciosos. Você vai ficar aqui?

— Para onde o senhor quer que eu vá?

— Com o dinheiro da sua herança, você poderia parar de trabalhar.

— Ah, não, não. Eu gosto da minha casa, do meu cemitério, do meu trabalho e dos meus amigos. Além disso, quem cuidaria dos meus animais?

— Enfim, mesmo assim, compre uma propriedade pequena, alguma coisa, em algum lugar.

— Ah, não. Depois disso, eu ia ser obrigada a ir até lá. Olha, as casas de campo impedem todas as outras viagens, as que decidimos fazer no último instante. E o senhor sinceramente já me imaginou tendo outra casa?

— Mas o que você vai fazer com todo esse dinheiro, se me permite perguntar?

— Quanto dá cem dividido por três?

— 33,33333 ao infinito.

— Bom, então vou doar 33,33333 ao infinito por cento ao Restos du Coeur, à Anistia Internacional e à Fundação Bardot. Vou poder salvar um pouco o mundo sem sair do meu cemitério. Venha, doutor, vamos tomar alguma coisa.

Ele pega a bengala e me segue, sorrindo. Nós nos sentamos embaixo da minha pérgola para degustar um maravilhoso sauterne gelado. O Dr. Rouault tira o paletó e estica as pernas, mergulhando os dedos em amendoins salgados.

— Olhe como o dia está bonito hoje. Todos os dias, eu fico inebriada com a beleza do mundo. Claro, sei que existe a morte, a tristeza, o tempo ruim, o Dia de Finados, mas a vida sempre vence. Sempre existe uma manhã em que a luz está bonita, em que a grama cresce nos terrenos queimados.

— Eu devia mandar os irmãos que se xingam no meu escritório para cá. Eles podiam fazer estágios de sabedoria com você.

— Acho que as heranças não deviam existir. Acho que devíamos doar tudo para as pessoas que amamos quando ainda estamos vivos. Nosso tempo e nosso dinheiro. As heranças foram inventadas pelo diabo para que as famílias se destruam. Só acredito na doação em vida. Não nas promessas da morte.

— Você sabia que seu marido era rico?

— Meu marido não era rico. Era solitário e infeliz demais. Por sorte, no fim da vida, ele viveu com a pessoa certa.

— Que idade você tem, minha querida?

— Não tenho a menor ideia. Desde julho de 1993, não comemoro mais meus aniversários.

— Você podia refazer a sua vida.

— Minha vida está boa assim.

67

Na areia movediça
em que a vida escorreu,
cresce uma doce flor
que meu coração escolheu.

Em agosto de 1996, um ano antes de vir morar no cemitério, saí do chalé de Sormiou antes da data costumeira. Peguei um trem até Mâcon, depois um ônibus que parava em Brancion-en-Chalon, na linha que seguia para Tournus. Meu ônibus passou por La Clayette, e eu vi o castelo de Notre-Dame-des-Prés de longe, através da janela, pela primeira vez. O ônibus parou alguns minutos depois na frente da prefeitura de Brancion-en-Chalon e, quando desci, tremia da cabeça aos pés. Minhas pernas tiveram dificuldade para me levar até o cemitério. A cada passo, eu revia o castelo, as janelas, as paredes brancas. Vi de relance o lago atrás dele, brilhante como um mar de safiras. Fazia muito calor.

A porta da casa de Sasha que dava para o cemitério estava entreaberta, mas não entrei. Fui direto para o túmulo de Léonine, ainda vendo as paredes do castelo. Diante da lápide em que estavam gravados o nome da minha filha e os de suas amigas, pela primeira vez, eu me arrependi de não ter ido ao enterro, de tê-la deixado ir embora sozinha, de não ter colocado nem mesmo uma pedrinha branca na sepultura. No entanto, mais uma vez, naquele dia percebi que Léonine estava muito mais presente no Mediterrâneo, de onde eu voltava, e nas flores do jardim de Sasha do que debaixo daquela lápide. Caminhei até a casa de Sasha com a morte na alma.

Ele não sabia que eu estava ali. Eu não tinha avisado que iria. Fazia mais de dois meses que eu não o via. Desde que Philippe Toussaint tinha proibido. A casa estava arrumada. A porta que levava à horta, escancarada. Não o chamei. Saí e o vi, deitado em um banco. Ele estava tirando um cochilo, com o chapéu de palha sobre o rosto. Eu me aproximei dele devagar, mas ele se levantou na hora e me abraçou.

— Nada é mais bonito do que o céu visto através de um chapéu de palha. Adoro olhar para ele pelos buracos, sem que o sol ofusque minha visão. Meu pardalzinho, que surpresa incrível… Você vai ficar o dia todo?

— Um pouco mais.

— Que maravilha! Você já comeu?

— Não estou com fome.

— Vou fazer macarrão para você.

— Mas não estou com fome.

— Com manteiga e *gruyère* ralado. Ande, venha, temos trabalho a fazer! Viu como tudo cresceu? Foi um ano ótimo para a horta! Um ano ótimo!

Naquele momento, quando o vi sorrir animado, senti alguma coisa quente na barriga, parecida com alegria. Não era algo falso, não era uma dessas explosões de vida que duram alguns segundos, mas uma plenitude, um sorriso nos lábios que não foi apagado em seguida; era uma vontade, pura e simplesmente. Eu não era mais teleguiada, mas sim habitada.

Queria guardar o verão e aquele momento, a horta e Sasha, para sempre.

Fiquei quatro dias com ele. Começamos pela colheita dos tomates maduros para fazer conservas. Primeiro, esterilizamos os potes em um balde cheio d'água, que Sasha pôs para ferver em uma fogueira. Depois, cortamos e tiramos as sementes dos tomates, antes de os colocarmos nos vidros com folhas frescas de manjericão. Sasha me ensinou como era importante ter borrachas novas para fechar hermeticamente os frascos. Nós os aquecemos por quinze minutos.

— Agora podemos guardar estes potes por pelo menos quatro anos. Mas, bem, todas as pessoas que descansam neste cemitério guardaram coisas. E isso serviu para alguma coisa? Nós dois não vamos esperar nada. Hoje mesmo, à noite, vamos abrir um.

Fizemos as mesmas coisas com as vagens. Descartamos as pontas e as botamos em potes com água salgada, depois os lacramos e os colocamos na água fervente.

— Este ano, as vagens brotaram à noite, há exatamente dois dias. Elas devem ter sentido que você estava chegando... Nunca subestime o poder premonitório das hortas.

No segundo dia, houve um enterro. Sasha me pediu para acompanhá-lo. Eu não tinha que fazer nada, só ficar perto dele. Era a primeira vez que eu via um enterro. Vi os rostos, a tristeza, a palidez, as roupas escuras bonitas. Vi apertos de mão, pessoas darem os braços, cabeças baixas. Ainda me lembro do discurso feito pelo filho do morto, com a voz embargada pelo choro:

— Papai, a mais bela sepultura, como disse André Malraux, é a memória dos homens. Você amava a vida, as mulheres, os vinhos finos e Mozart. Sempre que eu abrir uma boa garrafa de vinho ou encontrar uma mulher bonita, ou mesmo beber um grande vinho acompanhado de uma bela mulher, vou saber que você está por perto. Sempre que as vinhas mudarem de cor, passarem do verde para o vermelho, e o céu, em algumas horas, se iluminar com uma luz doce, vou saber que você está por perto. Quando ouvir um concerto para clarinete, vou saber que você está lá. Descanse, papai, vamos cuidar de tudo.

Quando todos foram embora e nós voltamos para a casa dele, perguntei a Sasha se ele costumava guardar os discursos que ouvia nos enterros. Se os registrava em algum lugar.

— Para quê?

— Eu queria saber o que foi dito no dia do enterro da Léonine.

— Não guardo nada. Os legumes não crescem de novo de um ano para o outro. Todo ano, temos que recomeçar. A não ser os tomates-cereja. Eles crescem sozinhos, sem nenhuma ordem definida, em qualquer lugar.

— Por que está me dizendo isso?

— A vida é uma corrida de revezamento, Violette. Você a passa para alguém, então essa pessoa a pega e passa para outra. Eu trouxe a vida de volta para você e, um dia, você vai passá-la para alguém.

— Mas estou sozinha no mundo.

— Não, eu estou aqui e vai haver outra pessoa depois de mim. Se quiser saber o que foi dito no dia do enterro da Léonine, escreva você mesma, escreva mais tarde, antes de ir se deitar.

No terceiro dia, li uma oração para Léonine.

Encontrei Sasha em um dos corredores do cemitério. Nós caminhamos ao lado dos túmulos, ele me falou dos mortos, os que haviam ido embora muito tempo antes e outros que tinham acabado de se mudar para lá.

— Você tem filhos, Sasha?

— Quando era jovem, quis ser como todo mundo, então me casei. Isso é uma grande besteira, uma ideia idiota: ser como todo mundo. Os bons modos, os fingimentos e os lugares-comuns são mortais. Minha esposa se chamava Verena. Ela era muito bonita e tinha uma voz doce, assim como você. Aliás, você se parece um pouco com ela. Como o jovem idiota pretensioso que eu era, achei que a beleza dela me faria ter uma ereção. No dia do casamento, quando a vi de renda branca, tímida e vermelha de vergonha, quando ergui o véu que cobria seu belo rosto, percebi eu que estava mentindo para todo mundo, inclusive para mim mesmo. Dei um beijo frio na boca da Verena, enquanto os convidados nos aplaudiam, mas a única coisa que me interessava eram os músculos debaixo das camisas dos homens. Fiquei bêbado logo no início da festa. A noite de núpcias foi um pesadelo. Eu me esforcei, pensando no irmão da minha esposa, um moreno de olhos grandes e escuros. Mas isso não funcionou, não consegui fazer amor com ela. Verena pôs aquilo na conta da emoção e da bebedeira. Com o passar das semanas, das noites dormindo um ao lado do outro, acabei conseguindo. Tirei a virgindade dela. Não sei nem dizer como aquilo me deixou triste, seus olhos apaixonados e carinhosos, enquanto eu só conseguia tocar nela por causa da minha imaginação imoral. As noites se seguiram e todos os homens do vilarejo passaram pela minha cabeça. Toquei em todos através dela.

Ele continuou:

— Depois nós nos mudamos. Foi a segunda besteira. Não é porque nos mudamos que nosso desejo muda. Ele se cola às malas. Diferente dos pássaros migratórios e das ervas daninhas, ele não consegue se adaptar a todos os climas. Troquei de janelas e varanda, mas continuei observando os homens. Traí minha esposa muitas vezes em banheiros públicos. Que vergonha... De tanto fingir, acabei doente. Não de fingir que amava a Verena, eu a amava de verdade. Eu a devorava com o olhar, mas só com o olhar. Adorava seus gestos, sua pele, seus movimentos, mas via a bela mecha castanha que escondia seu rosto como uma proibição destinada a mim. Acabei tendo leucemia. Meus glóbulos brancos começaram a engolir meus glóbulos vermelhos. Eu via aqueles glóbulos brancos como mulheres de vestido de noiva que se multiplicavam nas minhas veias, a infâmia que me devorava. Isso vai parecer curioso, mas os períodos no hospital me tranquilizaram. Esse tempo me tirou a obrigação de "honrar" a Verena na nossa cama. "Desonrar" seria mais correto. Sob os lençóis, eu continuava a fechar os olhos e a acariciar seu corpo pensando em outras pessoas, qualquer uma. Até apresentadores de TV. Verena engravidou. Vi uma luz naquela gestação, a única resposta positiva aos três anos sombrios desde o nosso casamento. Quando vi sua barriga crescer, voltei a plantar. Então, me tornei um homem quase feliz outra vez. Eu sonhava com aquele filho. E ele nasceu. Um filho que batizamos de Émile. Verena me olhava menos, me desejava menos. Sua dedicação era toda para o filho, e eu me sentia cada vez melhor. Eu tinha amantes e uma mulher carinhosa, mãe do meu filho. Quase nadava em alegria. Uma alegria suja, mas ainda assim uma alegria. Sou um pai incrível, sabia? Além disso, um filho é muito prático quando não queremos mais tocar na nossa esposa. Ela fica cansada, vulnerável, costuma ter dor de cabeça. Ela o ouve chorar à noite porque está calor demais, ou frio demais, porque os dentes estão crescendo, porque ele teve um pesadelo, uma otite. Voltei a dormir uma vez com Verena, depois de um Ano-Novo cheio de bebidas, e isso bastou para que ela engravidasse de novo. Três anos depois do nascimento de Émile, nasceu Ninon. Uma menininha linda. Tive dois filhos com a Verena. Dois filhos. Gerei a vida, de verdade, duas vezes. Acho que Deus ri de tudo, até dos veados.

— Que idade eles têm agora?

— A mesma da minha esposa.

— Não entendi.

— Eles não têm mais idade. Morreram em 1976 em um acidente de carro. Na estrada entre Paris e Lyon. Eu ia encontrá-los três dias depois de trem, na casa que tínhamos alugado na beira da praia. Sabe por quê?

— Por que o quê?

— Por que ia encontrá-los três dias depois?

— ...

— Falei para a Verena que estava com trabalho atrasado. Em 1976, eu era engenheiro. A verdade era que tinha planejado ficar três dias transando com um colega de trabalho. Quando soube da morte deles, enlouqueci. Tive que ficar internado por muito tempo. Foi lá, entre aquelas paredes brancas, que aprendi a curar as pessoas com minhas mãos. Eu e você, nós tivemos nossa cota de tristeza, Violette, por isso estamos aqui. Nós dois parecemos aqueles romances do Victor Hugo. Uma fartura de grandes tristezas, de pequenas alegrias e esperanças.

— Onde eles estão enterrados?

— Perto de Valence, no túmulo da família da Verena.

— Mas como você veio parar aqui, neste cemitério?

— Depois que saí do hospital psiquiátrico, a assistência social teve que me ajudar. O prefeito daqui me conhece desde sempre e me contratou como gari. Aquele cara de macacão azul, que fala sozinho, passando a vassoura ao lado das lixeiras municipais, era eu. Quando recuperei o controle da minha vida, pedi o cargo de zelador do cemitério, que estava vago. Meu lugar era perto dos mortos. Dos mortos dos outros.

Sasha pegou meu braço. De repente, encontramos um casal que perguntou a ele a localização de um túmulo. Enquanto ele indicava a direção pela qual o casal deveria seguir, os corredores que teriam que pegar, eu o observei. À medida que tinha me falado da família morta, ele se curvara um pouco. Achei que nós dois éramos dois sobreviventes que ainda estavam de pé. Dois náufragos que um oceano de tristeza não conseguira afogar de verdade.

Depois que o homem e a mulher agradeceram, dei a mão a ele, então voltamos a caminhar.

— No início, o prefeito hesitou. Mas minha família havia morrido muito tempo antes. A morte já tinha passado da validade. Você não precisa que eu explique como entre a morte e o tempo existe sempre uma data de validade... Olhe, o tempo está maravilhoso. Hoje, vou ensinar a você a arte de fazer mudas de roseira. Você sabe o que são galhos sazonados?

— Não.

— São galhos que começam a produzir madeira a partir de agosto. Manchas amarronzadas aparecem no verde, as mesmas manchas das minhas mãos. São sinais de velhice. Eles são chamados de "galhos sazonados". E, bem, acredite se quiser, é com esses galhos velhos que fazemos os brotos novos. Não é incrível? O que você quer comer hoje à noite? E se eu preparasse abacate com limão para você? É muito bom para a saúde. É cheio de vitaminas e ácidos graxos.

No quarto dia, ele me levou à estação de Mâcon em seu velho Peugeot. Tinha colocado alguns frascos de tomate e outros de vagem na minha mala. Ela estava tão pesada que tive dificuldade para carregá-la até Malgrange.

No caminho de volta, entre o cemitério e o estacionamento da estação, ele me disse que queria se aposentar. Que estava cansado e já estava na hora de passar o bastão para alguém. E que só podia ser para mim.

68

Do amor deles,
mais azul que o céu que os cercava.

Você não vai deixar para trás sua vida de menina.

Não vai comemorar seus vinte e cinco anos.

Não vai dançar músicas lentas.

Não vai ter bolsas nem cólicas menstruais.

Não vai usar aparelho nos dentes.

Não vou ver você crescer, engordar, sofrer, se divorciar, fazer regimes, engravidar, amamentar, amar.

Você não vai ter acne nem DIU.

Não vou ouvir você mentir. Não vou ter que proteger nem defender você.

Você não vai roubar dinheiro da minha carteira. Não vou abrir uma poupança para você, para evitar que fique sem dinheiro.

Você não vai tomar pílula.

Não vou ver suas rugas nem suas manchas aparecerem, suas celulites, suas estrias.

Não vou sentir cheiro de cigarro nas suas roupas, não vou ver você fumar, depois parar de fumar.

Nunca vou ver você bêbada nem chapada.

Você não vai estudar para o vestibular assistindo ao Roland-Garros, não vai ter raiva da Madame Bovary, "aquela coitada", nem de Marguerite Duras, nem dos professores.

Não vai ter moto nem sofrer por amor.

Não vai dar beijos nem gozar.

Não vamos comemorar sua formatura.

Jamais vamos brindar alguma coisa.

Você não vai usar desodorante, não vai ter apendicite.

Nunca vou ter medo de você entrar no carro de estranhos. Isso você já fez.

Não vai ter dor de dente.

Não vamos correr para a emergência no meio da noite.

Você não vai procurar a agência de emprego.

Não vai ter conta no banco, carteirinha de estudante, desconto para jovens, CPF, nem cartões de fidelidade.

Nunca vou conhecer seus gostos, suas paixões. Que roupas, livros, músicas e perfumes gosta mais.

Não verei você fazer cara feia, bater portas, sair escondida, esperar alguém, pegar um avião.

Você não vai sair de casa. Não vai mudar de endereço.

Nunca vou saber se você rói as unhas, se usa esmalte, sombra ou rímel.

Nem se tem talento para aprender idiomas.

Seu cabelo nunca vai mudar de cor.

No seu coração, você vai manter sempre Alexandre, seu namoradinho da escola.

Você nunca vai se casar com alguém.

Sempre vai ser a Srta. Léonine Toussaint.

Você vai gostar para sempre de rabanadas, omeletes, batatas fritas, macarrãozinho, crepes, peixe empanado, ovos nevados e chantilly.

Vai crescer de outra maneira, no amor que eu sempre daria a você. Vai crescer em outro lugar, nos murmúrios do mundo, no Mediterrâneo, no jardim de Sasha, no voo de um pássaro, ao nascer do sol, ao cair da noite, espelhada em uma moça que vou encontrar por acaso, nas folhas de uma árvore, na oração de uma mulher, nas lágrimas de um homem, na luz de uma vela. Vai renascer mais tarde, um dia, sob a forma de uma flor ou de um menininho, com outra mãe. Você estará em todos os lugares que meu olhar pousar. Onde meu coração estiver, o seu vai continuar batendo.

69

Nada pode fazer murchar,
nem apagar a esperança
desta linda flor chamada lembrança.

— Bom dia, moça.

— Bom dia, meu jovem.

Um menininho fofo suga o canudo para tomar as últimas gotas do suco de maçã do fundo da latinha. Ele está sentado à mesa da minha cozinha, sozinho.

— Onde estão seus pais?

Ele aponta para o cemitério com um movimento da cabeça.

— Meu pai me pediu para esperar aqui porque está chovendo.

— Como você se chama?

— Nathan.

— Quer um pedaço de bolo de chocolate, Nathan?

Ele arregala os olhos gulosos.

— Quero, sim, obrigado. Esta casa é sua?

— É.

— Você trabalha aqui?

— Trabalho.

Ele pisca. Tem cílios pretos longos.

— Você dorme aqui também?

— Durmo.

Ele me olha como se eu fosse seu desenho animado preferido.

— Você não tem medo à noite?

— Não, por que eu teria medo?

— Por causa dos zumbis.

— O que é um zumbi?

Ele come um pedaço enorme de bolo de chocolate.

— Mortos-vivos que dão medo. Eu vi em um filme. Eles dão medo.

— Você não é muito pequeno para ver esse tipo de filme?

— Foi na casa do Antoine, no computador dele. A gente não viu tudo. Deu medo demais. Mas eu já tenho sete anos, tá?

— Ah, claro, mesmo assim.

— Você já viu um zumbi?

— Não, nunca.

Ele parece extremamente decepcionado. Faz uma cara deliciosa. Tutti Frutti entra pela portinhola. Seus pelos estão encharcados. Ele encontra Éliane na caminha e tenta roubar o calor dela. A cadela abre um dos olhos e volta a dormir logo depois. Nathan desce da cadeira para ir fazer carinho nos dois animais. Ele ergue a calça jeans com as duas mãos e arregaça as mangas do moletom. Está usando um par de tênis cuja sola se acende ao andar. Isso me lembra o clip de "Billie Jean", de Michael Jackson.

— Esse gato é seu?

— É.

— Como ele se chama?

— Tutti Frutti.

Ele cai na gargalhada. Está com os dentes cheios de chocolate.

— Que nome engraçado!

Julien Seul bate na porta que dá para o cemitério e entra. Está tão encharcado quanto o gato.

— Oi.

Ele olha rapidamente para o menino e sorri com carinho para mim. Sinto que ele gostaria de se aproximar de mim, de me tocar, mas ele não se mexe. Contenta-se em fazer isso apenas com o olhar. Sinto que ele me despe. Tira o inverno para ver o verão.

— Tudo bem, meu amor?

Eu congelo.

— Papai, você sabe como o gato se chama?

Nathan é filho de Julien. Meu coração dispara como um mustangue galopando, como se tivesse acabado de subir e descer a escada correndo, várias vezes.

— Tutti Frutti — logo responde Julien.

— Como você sabe disso?

— Eu conheço esse gato. Não é a primeira vez que venho aqui. Nathan, você cumprimentou a Violette?

Nathan me olha.

— Você se chama Violette?

— Sim.

— Vocês têm uns nomes engraçados aqui!

Ele volta para a mesa, senta-se e termina o bolo. O pai o observa, sorrindo.

— Temos que ir, querido.

Eu me sinto extremamente decepcionada. Como quando Nathan soube que eu nunca tinha visto um zumbi.

— Vocês não vão ficar mais um pouco?

— Estão nos esperando na Auvérnia. Uma prima minha vai se casar hoje à tarde.

Ele me olha. Depois diz ao filho:

— Meu amor, vai me esperar no carro. Está aberto.

— Mas está chovendo canivete!

Ficamos tão surpresos com a resposta do menino que caímos juntos na gargalhada.

— O primeiro a chegar no carro vai poder pôr a música que quiser.

Na mesma hora Nathan vem correndo me dar um beijo na bochecha.

— Se você vir algum zumbi, liga para o meu pai. Ele é policial.

Ele sai correndo pelo cemitério para chegar ao estacionamento.

— Ele é uma fofura.

— Puxou à mãe dele... E você leu o diário da minha?

— Ainda não terminei. Quer levar um café para tomar na estrada?

Ele faz um sinal negativo com a cabeça.

— Prefiro levar você para a estrada.

Desta vez ele se aproxima de mim e me abraça. Sinto sua respiração no meu pescoço. Fecho os olhos. Quando os abro, ele já está à porta. Molhou minha roupa.

— Violette, não estou nem um pouco a fim de que, um dia, alguém venha colocar suas cinzas no meu túmulo. Na verdade, não dou a mínima. Quero viver com você agora, imediatamente. Enquanto a gente ainda pode olhar o céu juntos... Mesmo quando ele está caindo na nossa cabeça, como hoje.

— Viver comigo?

— Quero que essa história... esse encontro entre minha mãe e aquele homem, talvez sirva para isso, para a gente, na verdade.

— Mas eu não sou apta.

— Apta?

— É, apta.

— Mas eu não estou falando do serviço militar.

— Sou inadequada, danificada. O amor é impossível para mim. Sou inviável. Mais morta do que os fantasmas que se arrastam pelo meu cemitério. Você não entendeu isso ainda? É impossível.

— Não podemos esperar que ninguém faça nada impossível.

— Pois é.

Ele me lança um sorriso triste.

— Pena.

Ele fecha a porta depois de sair e então volta a abri-la, sem bater, dois minutos depois.

— Vamos levar você com a gente.

— ...

— Ao casamento. São duas horas de viagem.

— Mas eu…

— Tem dez minutos para se arrumar.

— Mas eu não…

— Acabei de ligar para o Nono. Ele vai chegar daqui a cinco minutos para substituir você.

70

Um dia, vamos nos sentar perto de você na casa de Deus.

Agosto de 1996

Philippe tinha saído da casa de Geneviève Magnan mais triste do que as pedras — uma expressão estranha que seu tio Luc costumava usar. Fora até o cemitério. Um enterro acontecia naquele dia. As pessoas reunidas sob o sol, em grupos, longe do túmulo de Léonine. Ele não havia levado flores. Nunca levava. Normalmente, era sua mãe quem cuidava disso.

Era a primeira vez que ele ia vê-la sozinho. Vinha duas vezes por ano, sempre com os pais.

Os pais estacionavam na frente da cancela, não entravam mais por medo de encontrar Violette, de enfrentar o desespero dela. Ele, como bom filho, se sentava no banco traseiro do carro, como quando era criança e eles saíam de férias, quando o banco parecia imenso, mas, no fim da viagem, havia o mar.

Philippe sempre achou que era filho único porque seus pais só haviam feito sexo uma vez, por acidente. Philippe sempre achou que era fruto de um acidente.

Seu pai, curvado pela tristeza e pelos anos de vida com a esposa, dirigia mal. Freava sem que se soubesse por quê, acelerava também sem muito motivo. Ia para a esquerda, depois para a direita. Ultrapassava quando não devia, não ultrapassava nos trechos retos. Perdia-se com grande frequência. Parecia ignorar as placas.

A estrada entre a cancela e o cemitério parecia interminável para Philippe. Da primeira vez que a percorrera, ele havia sentido cheiro de queimado, apesar de eles ainda estarem a quilômetros do castelo. O ar estava empesteado, como depois de um incêndio enorme.

Eles haviam parado primeiro diante dos portões do castelo. Não tiveram coragem de entrar na hora. Os três tinham ficado prostrados, daquele jeito, no carro. Depois haviam caminhado por duzentos metros, até a construção imponente, cuja ala esquerda estava escurecida e destruída. Havia bombeiros, policiais, pais abismados e políticos. Uma confusão de pessoas horrorizadas. Muito silêncio, gestos atordoados, quase paralisados. Tudo seguia em câmera lenta. Nada daquilo parecia real, era como se estivesse vendo de longe, e a coisa toda estivesse enevoada por uma camada de algodão, de espuma. Era aquela sensação de quando o corpo e a alma se separam para não desmoronar. Quando o peso de tudo é demais para aguentar. O peso da dor.

Philippe não conseguira se aproximar do quarto número um. Todo o perímetro havia sido cercado — uma frase de série americana na Borgonha e na vida real. Faixas plásticas para delimitar o horror. Especialistas analisavam o chão e as paredes, tiravam fotos. Analisavam o trajeto do fogo, reescreviam a história explorando as marcas explícitas, as provas, as pistas, os sinais. O procurador precisava de um relatório preciso. Ninguém brinca com a morte de quatro crianças. Iam condenar e punir.

Ele ouvira muitas frases do tipo "sinto muito", "sentimos muito", "nossos pêsames", "elas não sofreram". Ele não vira a equipe do castelo, ou talvez vira, mas tinha esquecido. As outras crianças, as sortudas, as poupadas, já tinham ido embora. Tinham sido retiradas de lá rapidamente.

Ele não tivera que identificar o corpo de Léonine. Ele não existia mais. Não tivera que escolher um caixão nem textos para a cerimônia. Seus pais haviam cuidado de tudo. Então não precisaria escolher nada. Tinha pensado: *Nunca comprei nenhum par de sapatos, nenhum vestido, nenhuma presilha, nenhuma meia para a minha filha. Era Violette quem fazia isso, quem gostava de fazer isso.* Mas, para o caixão, Violette não estaria lá. Violette não estaria mais lá. Então ele não teria mais que cuidar de ninguém.

Naquela noite, do hotel, ele havia ligado para ela. A marselhesa havia atendido. Era assim que ele chamava Célia. Ele tinha se lembrado que pedira que ela fosse para sua casa. Violette estava dormindo. O médico tinha passado lá várias vezes para administrar um calmante a ela.

O enterro acontecera no dia 18 de julho de 1993.

As outras pessoas tinham se dado as mãos, os braços, se apoiado. Ele não tocara nem falara com ninguém. Sua mãe havia tentado, mas ele recuara assim como fazia aos catorze anos, quando ela tentava beijá-lo.

As outras pessoas haviam chorado, gritado. Desabado. Fora necessário reerguer algumas mulheres que haviam pendido como roseiras em um dia de vento forte. De fora, alguém poderia ter pensado que todas as pessoas no enterro estavam bêbadas, considerando que ninguém conseguia se manter de pé. Ele mantivera as costas eretas, não derramara lágrima alguma.

E, então, em meio à imensa multidão reunida em torno do túmulo, ele a vira. Toda vestida de preto. Muito pálida. Os olhos voltados para o vazio. Que porra Geneviève Magnan estava fazendo ali? Ele acabou deixando para lá. Não tinha mais vontade de fazer nada. Tinha se aberto para Françoise. Tinha se aberto para Violette e Léonine. Mas aquilo havia acabado.

A única frase que o dominara mil vezes, durante aqueles quatro dias na Borgonha, havia sido: *Eu nem soube proteger minha filha.*

Depois, os outros sairiam de férias. Depois, os outros ficariam ali, naquele cemitério desgraçado. E ele voltaria para o carro dos pais, para o banco imenso, e, no fim da viagem, não haveria o mar, e sim Violette e sua tristeza incalculável.

Um quarto vazio. Um quarto rosa vazio que ele sempre deixara abandonado. De onde saíam as risadas e as palavras que Violette lia toda noite.

Três anos depois daquela tragédia, sozinho diante do túmulo da filha, ele não dissera nada. Não pronunciara sequer uma palavra, uma oração para ela. Apesar de conhecer muitas orações. Tinham feito catequese, a primeira comunhão. Tinha sido naquele dia em que vira, pela primeira vez, Françoise nos braços do tio. No dia em que havia recitado, baixinho, com o irmão mais velho de um de seus amigos, tomando o vinho da missa:

Pai Nosso, que estais no sebo
santificada seja Vossa fome,
venha a nós o Vosso peido,
seja feita a Vossa maldade,
assim na tenda como no seu.
O vinho nosso de cada dia nos dai hoje,
perdoai os nossos gastos,
assim como nós perdoamos a quem nos tem batido.
E não nos deixeis cair na penetração,
mas livrai-nos do pau.
À menta.

Eles haviam chorado de rir, especialmente ao vestir a túnica por cima da camiseta e da calça jeans. Ficavam sacaneando uns aos outros:

— Você está parecendo um padre!

— E você, uma mulher!

E então ele tinha visto Françoise. E nunca mais vira nada além dela. Parecia filha do tio. Parecia uma irmã mais velha. Parecia a mãe ideal. Parecia a perfeição. Parecia um grande amor. Parecia o grande amor da vida dele.

Tivera vontade de vê-la de novo e, porque a via de novo, todos os anos, ele tivera ainda mais vontade de vê-la de novo.

Três anos depois da tragédia, diante do túmulo da filha, ele havia pensado que nunca voltaria a Brancion-en-Chalon, já que nenhuma palavra saía dele. Já que era incapaz de falar com Léonine. Ele quisera pegar a moto, procurar Françoise e se jogar nos braços dela. Mas os anos haviam passado e era preciso esquecê-la.

Era preciso voltar para Violette e se ajoelhar diante dela, suplicar, pedir perdão. Seduzi-la como ele havia feito no início. Antes da cancela e dos trens. Tentar cuidar dela, fazê-la rir. Ter outro filho com ela. Afinal, Violette ainda era tão jovem. Era preciso dizer que ele ia descobrir o que realmente havia acontecido naquela noite no castelo, confessar que tinha quebrado a cara de Fontanel e transado com Magnan muito tempo antes. Confessar que era uma pessoa horrível, mas que ia descobrir a verdade. Sim, teria outro filho com ela e cuidaria desse filho. Talvez tivessem um menininho, seu sonho. E ele se comportaria. Não sairia transando com todas que passassem pela sua frente. Talvez se mudassem. Mudaria de vida com Violette. Era possível mudar de vida, ele havia visto aquilo na TV.

Primeiro, ele tinha que voltar para falar com Magnan. *Eu nunca teria feito mal a uma criança*. Por que ela havia dito isso? Ele tinha que voltar para fazer a mulher confessar tudo. Ela quase havia falado antes, mas ele não quisera ouvir. Não estava pronto.

Philippe tinha olhado para o túmulo de Léonine uma última vez. Definitivamente não fora capaz de abrir a boca, como quando ela estava viva e ele também não dizia quase nada para ela. Nunca respondia suas perguntas. "Papai, por que a lua acendeu?"

Depois de deixar o túmulo de Léonine, enquanto caminhava a passos rápidos para a saída, ele os vira. Violette e o velho em um dos corredores. Violette estava de braço dado com ele. Philippe vira a mentira. Ouvira a mãe dizer?

— Não confie em ninguém. Só pense em você, em você.

Ele achava que ela estava em Marselha, no chalé da Célia. Achava que ela estava fazendo uma peregrinação. E ela estava lá, com outro homem. Estava sorrindo. Philippe não vira Violette sorrir nenhuma vez desde a morte de Léonine. Fazia seis meses que Violette ia até o cemitério domingo sim, domingo não. Então era isso. Ela pegava o carro vermelho da idiota do mercado para fingir para Philippe que ia ao túmulo de Léonine. Tinha escondido bem o jogo. Será que tinha um amante? Aquele velho? Como ela o havia conhecido? Onde? Violette com um amante era impossível.

Ele se escondeu atrás de uma grande cruz de pedra e os observou por um instante. Os dois haviam caminhado de braço dado até a casa situada na entrada do cemitério. O velho saíra perto das sete da noite para fechar os portões. Então era isso, era o zelador daquele lugar desgraçado. Sua esposa dormia com o zelador do cemitério em que sua filha estava enterrada. Philippe se ouviu rir, um riso maldoso. Uma vontade violenta de matar, bater, massacrar.

Violette havia ficado dentro da casa. Através de uma janela, ele a viu pôr a mesa para dois, como fazia na casa deles, um avental na cintura. Aquilo fizera tão mal a Philippe que ele havia mordido os dedos até tirar sangue. Como nos faroestes a que ele assistia quando criança, quando o caubói mordia um pedaço de madeira enquanto extraíam uma bala da barriga dele. Violette tinha uma vida dupla e ele não havia notado nada.

A noite tinha caído. O velho e Violette haviam apagado as luzes. Fechado as cortinas. E ela havia ficado dentro da casa. Tinha dormido lá. Não havia mais nenhuma dúvida.

Dois meses antes, ele proibira Violette de voltar à Borgonha. Quando ela falara de Magnan, contara que tinha ido vê-la, ele tivera medo. Medo de ser pego. Medo de que Violette soubesse que ela havia sido amante de seu marido, a mulher que cozinhava no castelo.

Mas a história era bem diferente. Ela mantinha um amante. Era por isso que parecia mais leve um dia antes de viajar. Domingo sim, domingo não. Ela tivera a coragem de dizer:

— Vou ao cemitério a cada quinze dias.

E ele não tinha percebido nada. Agora entendia por que a esposa parecia melhorar a cada semana.

Ele escalara o muro para sair. Estava tarde. Dera um chute forte na porta da rua, subira na moto e saíra correndo como um louco.

Devia ser perto das dez quando ele se viu na rua da casa em que Magnan morava. Havia policiais lá dentro, a van deles estava estacionada na frente da casa. Vizinhos de roupão conversavam sob a luz dos postes. Ele pensara que Fontanel devia ter batido nela com força demais.

Philippe dera meia-volta e voltara para o leste sem fazer nenhuma parada. Ao chegar, fora direto para *o endereço,* onde tinha acesso a tantos corpos.

71

Pela janela aberta, observamos juntos
a vida, o amor, a alegria.
Ouvimos o vento.

Diário de Irène Fayolle

22 de outubro de 1992

Ontem à noite, eu ouvi a voz de Gabriel no jornal. Eu o ouvi falar algo como "defender uma mulher que me deixou". Claro que ele não disse isso, minha alma deformou as palavras.

Paul estava me ajudando a preparar o jantar na cozinha e a TV estava ligada na sala ao lado. Fiquei tão surpresa ao ouvir o tom da voz dele, a das minhas lembranças mais lindas, que deixei cair a panela de água fervendo que estava segurando. Ela bateu no piso frio e queimou minhas canelas. Foi uma barulheira danada, então Paul entrou em pânico. Ele achou que eu estava tremendo por causa das queimaduras.

Ele me arrastou para a sala e me fez sentar no sofá de cara para a TV, de cara para Gabriel. Ele estava ali, dentro daquele retângulo ao qual eu não assistia nunca. Enquanto Paul corria de um lado para outro para aplicar gazes molhadas na minha pele ferida, vi imagens de Gabriel dentro de um tribunal. Um jornalista explicou que ele havia trabalhado em Marselha naquela semana. Que tinha conseguido inocentar três dos cinco ho-

mens acusados de serem cúmplices de uma fuga. O processo havia terminado na véspera.

Gabriel estava em Marselha, bem perto da minha vida, e eu não sabia. Mas, de qualquer forma, o que eu teria feito? Teria ido vê-lo? Para dizer o quê? Dizer, por exemplo, "Há cinco anos, eu fugi porque não quis abandonar minha família. Há cinco anos, eu tive medo de você, medo de mim. Mas quero deixar claro que nunca deixei de pensar em você"?

Julien saiu do quarto e disse ao pai que ele tinha que me levar ao hospital. Eu não quis. Enquanto meu marido e meu filho discutiam, antes de eu acabar achando uma bisnaga de Biafine no armário de remédios, vi Gabriel agitar suas mãos bonitas na frente dos jornalistas. Vi a paixão com que ele defendia os clientes em sua longa túnica preta. Quis que ele saísse da tela, que fosse como com Mia Farrow em A Rosa Púrpura do Cairo.

E eu? Será que ele teria me defendido? Será que teria achado circunstâncias atenuantes para o dia em que o larguei?

Por quanto tempo ele havia me esperado ao volante do carro? Quanto tempo passou até que ele decidisse dar a partida? Em que momento entendera que eu não voltaria?

As lágrimas começaram a correr pelo meu rosto. Elas caíram, sem que eu pudesse impedir.

Paul desligou a TV.

Desabei diante da tela preta.

Meu filho e meu marido acharam que era por causa da dor. Eles ligaram para o médico da família, que analisou as queimaduras e disse que eram superficiais.

Não dormi a noite toda.

Ao ver Gabriel, ao ouvir de novo sua voz, entendi que tinha sentido saudade demais dele.

Na manhã do dia seguinte, Irène procurou o número do telefone do escritório de Gabriel. Ainda ficava em Saône-et-Loire, em Mâcon. Ela pediu para marcar um horário com ele e responderam que havia vários meses de espera, que a agenda do Dr. Prudent estava muito lotada, mas que seria mais rápido com um dos sócios dele. Irène explicou que tinha tempo, que podia esperar pelo Dr. Prudent. Deu a eles seu nome e seu número de telefone — não o de casa, mas o do roseiral. Perguntaram sobre que caso ela queria falar. Fez-se uma pausa.

— Um caso sobre o qual o Dr. Prudent já foi informado — respondeu Irène finalmente.

Uma data foi marcada. Seria necessário esperar três meses.

Gabriel ligou para ela dias depois, para o número do roseiral. Naquela manhã, Irène estava abrindo os portões quando o telefone tocou. Ela achou que fosse alguém encomendando flores e correu para atender, sem fôlego. Já havia pegado o bloco de recibos e uma caneta cuja tampa fora mordiscada por sua funcionária. Então ele disse:

— Sou eu.

E ela:

— Bom dia.

— Você ligou para o meu escritório?

— Liguei.

— Tenho um caso que vai durar a semana toda em Sedan. Você quer vir?

— Quero.

— Até logo.

E ele desligou.

No bloco de recibo, Irène rabiscou "Sedan" no campo "Mensagem do remetente".

Mil e duzentos quilômetros a percorrer. Era preciso atravessar toda a França. Traçar uma longa linha reta.

Ela saiu de Marselha perto das dez horas, pegou vários trens e conexões. Na estação de Perrache, em Lyon, ela passou pó no rosto e um pouco de gloss nos lábios, usando o espelho do banheiro. Era abril e ela usava uma capa de chuva bege. Aquilo a fez sorrir. Prendeu o cabelo louro com um elástico preto. Comprou um sanduíche de pão de forma, uma escova de dente e pasta de dente sabor limão.

Chegou a Sedan perto das nove da noite. Entrou em um táxi e pediu que o motorista a deixasse na frente do tribunal. Sabia que encontraria Gabriel no café ou no restaurante mais próximo. Irène sabia que Gabriel não costumava voltar cedo para o hotel. Ele trabalhava os casos em uma mesa no canto do restaurante. Entre um copo de cerveja e um prato de batata frita. Entre uma taça de vinho e o prato do dia. Gabriel precisava sentir a vida ao seu redor. Detestava o silêncio dos quartos de hotel, as colchas, as cortinas, a TV que ligamos para criar uma presença.

Ela o viu pela janela, sentado com outros três homens. Gabriel falava e fumava ao mesmo tempo. Eles tinham sujado a toalha da mesa e desabotoado o colarinho da camisa. As gravatas estavam largadas no braço das cadeiras.

Quando a viu entrar, Gabriel ergueu uma das mãos e a chamou:

— Irène! Venha se sentar com a gente!

Disse aquilo como se ela estivesse passando por ali, por acaso, no caminho de volta para casa.

Irène cumprimentou os outros três homens.

— Estes são três colegas meus, Laurent, Jean-Yves e David. Senhores, esta é Irène, a mulher da minha vida.

Os homens sorriram. Como se Gabriel estivesse brincando. Como se Gabriel só pudesse dizer esse tipo de coisa em tom de brincadeira. Como se ele tivesse muitas mulheres na vida dele.

— Sente. Está com fome? Está, sim, tem que comer. Srta. Audrey, traga o cardápio, por favor. O que você quer beber? Chá? Não, em Sedan ninguém toma chá! Srta. Audrey, traga a mesma garrafa, por favor! Um Volnay de 2007, você vai ver... Bem, vai ver como é uma maravilha. Venha se sentar ao meu lado.

Um dos colegas de Gabriel se levantou para dar lugar a ela. Gabriel pegou a mão de Irène e a beijou, fechando os olhos. Irène viu que ele usava uma aliança. Um aro de ouro branco.

— Estou feliz por você ter vindo.

Irène pediu um peixe e ouviu a conversa, de longe. Estava se sentindo uma fã que havia atravessado o país para passar a noite com um astro do rock sem pressa de ficar sozinho com ela porque o final já estava definido. Como se a noite de amor depois do show fosse garantida.

Irène quis desaparecer. Ela se arrependeu. Avaliou que poderia muito bem se levantar e achar uma saída de emergência, uma porta nos fundos para correr até a estação e voltar para casa, se deitar em seus lençóis limpos, perfumados com *aloe vera*. Discretamente, ela pediu um chá verde à garçonete. De tempos em tempos, Gabriel olhava para ela, perguntava se estava tudo bem, se ela não estava com frio, sede, fome.

Gabriel e os homens acabaram se levantando ao mesmo tempo. Gabriel foi acertar a conta no bar. Irène acompanhou o movimento em silêncio.

A chuva começou a cair do lado de fora. Ou a chuva tinha começado havia muito tempo e Irène não prestara atenção. Estava cada vez mais incomodada. Pensou em como tinha viajado sem levar nada. Só a bolsa, algumas notas de dinheiro e o talão de cheque. Pensou em como estava maluca, em como nada daquilo fazia o estilo dela. Ela costumava ser racional. E sentiu-se patética, uma fã medíocre.

Gabriel pegou um guarda-chuva emprestado com o restaurante e disse que levaria de volta no dia seguinte. Pegou Irène pelo braço e acompanhou os três outros homens. Todos caminharam na mesma direção. Gabriel apertava o braço dela com muita força.

No saguão do Hotel des Ardennes, todos pediram a chave na recepção e pegaram o elevador. Dois deles pararam no segundo andar.

— Boa noite, pessoal. Até amanhã.

O terceiro, no quarto andar.

— Boa noite, David. Até amanhã.

— Às sete e meia no salão do café da manhã?

— Está bem.

Entre o quarto e o sexto andar, Irène e Gabriel ficaram sozinhos, cara a cara. Ele não tirou os olhos dela.

A porta do elevador abriu, mostrando um corredor escuro. Eles foram até o quarto sessenta e um. Irène sentiu o cheiro de cigarro assim que abriu a porta. As paredes eram alaranjadas, como uma imitação do estuque marroquino.

Ele entrou antes dela, pedindo licença, foi acender a luz de todos os cantos do quarto e desapareceu no banheiro.

Irène não soube o que fazer com a capa de chuva nem com o próprio corpo. Ficou imóvel à porta do quarto, como uma estátua de mármore, um manequim em uma vitrine. Olhou para a mala entreaberta de Gabriel, suas camisas impecáveis. Os pulôveres, os pares de meia. Ela perguntou a si mesma quem havia passado o colarinho das camisas e dobrado a roupa dele.

Gabriel saiu do banheiro, sorrindo.

— Entre, tire a roupa.

Irène deve ter feito uma cara estranha, porque ele caiu na gargalhada.

— Não totalmente — completou, então. — Tire a capa de chuva.

— ...

— Estou achando você muito quieta.

— Por que você me pediu para vir?

— Porque quis. Eu queria ver você. Sempre quero ver você.

— E que aliança é essa?

Ele se sentou na cama. Ela tirou a capa de chuva.

— Uma mulher me pediu em casamento. Não pude recusar. É difícil dizer não a uma mulher que está nos pedindo em casamento. E, além disso, é inconveniente. E você? Ainda está casada?

— Estou.

— Assim ficamos empatados. Um a um.

— ...

— Costumo sonhar com você.

— Eu também.

— Sinto sua falta. Venha aqui.

Irène se sentou perto dele, mas não encostou nele. Deixou um espaço entre eles, uma linha transversal.

— Você já enganou a sua esposa?

— Com você, eu não a enganaria. Eu a trairia.

— Por que você se casou de novo?

— Eu já falei. Minha esposa me pediu em casamento.

— Você a ama?

— Por que está me fazendo essa pergunta? Você deixaria seu marido por mim? Eu não preciso responder à sua pergunta. Você é uma mulher comprometida, Irène, amarrada. Agora, sim, tire toda a roupa. Quero olhar para você.

— Apague a luz.

— Não, eu quero ver você. Não existe pudor entre a gente.

— Você acha que seus amigos pensaram que sou uma puta?

— Não são amigos, são colegas. Tire a roupa.

— Então tire a roupa você também.

— Está bem.

72

Ó, Jesus, que minha alegria perdure.
Que o inventor dos pássaros
faça de mim um herói.

Continua chovendo. Os limpadores de para-brisa lavam nosso rosto.

No banco traseiro, Nathan caiu no sono. Eu me viro várias vezes para olhar para ele. Faz muito tempo que não vejo uma criança dormir. De tempos em tempos, ouvimos músicas no rádio, mas a interferência volta nas curvas. No meio de uma delas, Julien e eu falamos de Irène e Gabriel.

— Depois do que aconteceu em Sedan, eles voltaram a se ver muitas vezes.

— O que você sentiu ao descobrir tudo isso sobre a sua mãe?

— Sinceramente? Tenho a impressão de ter lido a história de uma estranha. Aliás, pode ficar com o diário dela. Não quero pegá-lo de volta. Pode guardar com os seus registros.

— Mas eu...

— Eu insisto. Fique com ele.

— Você leu tudo?

— Li, várias vezes. Especialmente os trechos em que ela fala de você. Por que nunca me contou que vocês se conheciam?

— A gente não se conhecia de verdade.

— Você tem um jeito incrível de ver as coisas por outro ângulo, Violette, de brincar com as palavras... Sempre tenho vontade de fazer você me contar seus segredos. É pior do que meus presos... Sinceramente, eu não gostaria de prender você... Ficaria louco no seu interrogatório.

Caio na gargalhada.

— Você me lembra um amigo meu — digo.

— Um amigo?

— Ele se chamava Sasha. Ele salvou a minha vida... Me fazendo rir, como você.

— Vou tomar isso como um elogio.

— E é. Aonde nós vamos?

— A Pardons.

— ...

— É o nome de uma rua de La Bourboule. Foi lá que meu pai nasceu. É lá que uma parte da minha família ainda mora... Às vezes eles até se casam.

— Vão querer saber quem eu sou.

— Vou dizer que você é minha esposa.

— Você é maluco.

— Não o suficiente.

— O que vamos dar aos jovens noivos?

— Na verdade, eles não são tão jovens assim. Viveram um bocado antes de se conhecer. Minha prima tem sessenta e um anos e o futuro marido dela, uns cinquenta anos. Tem um posto de gasolina a uns vinte quilômetros daqui. Vamos achar uns presentes divertidos para eles. Além disso, o Nathan tem que se arrumar.

— Eu já estou arrumada.

— Você está sempre arrumada. Vive arrumada... Está sempre vestida para ir a uma cerimônia, seja de casamento ou de enterro.

Caio na gargalhada pela segunda vez.

— E você? Não vai se arrumar?

— Não, eu nunca. Uso calça jeans e suéter no inverno, calça jeans e camiseta no verão.

Ele me olha e sorri.

— Vai mesmo comprar os presentes de casamento em um posto de gasolina? — pergunto.

— Vou.

Enquanto Julien enche o tanque, vou com Nathan à loja do posto. Seguro a mão dele. Um costume antigo. Gestos que nunca esquecemos. Que fazem parte de nós sem que tenhamos que pensar. Como uma cor de cabelo, um cheiro familiar, uma semelhança. Faz tanto tempo que não seguro a mão de uma criança. Estou abalada sentindo os dedinhos dele apertarem os meus. Ele cantarola uma música que não conheço.

Eu me sinto leve quando entro na loja. Nathan arregala os olhos vendo a quantidade de barras de chocolate e de balas na frente dos caixas.

Paro na frente da porta que leva ao banheiro masculino.

— Eu não posso entrar. Vou esperar você aqui.

— Está bem.

Nathan entra com a bolsa de roupas. Ele sai, cinco minutos depois, usando com orgulho um terno de três peças em linho claro sobre uma camisa branca.

— Você está muito bonito, Nathan.

— Você tem gel?

— Gel?

— Para o meu cabelo.

— Vou ver se eles vendem aqui.

Enquanto procuramos gel nas várias prateleiras, Julien compra dois romances, um livro de receitas, uma caixa de biscoitos, um barômetro, dois jogos americanos coloridos, um mapa da França, três DVDs, uma coletânea com as melhores trilhas sonoras de filmes, um mapa-múndi, balas de anis, uma capa de chuva masculina, um chapéu de palha feminino e um bicho de pelúcia. Ele pede para o caixa embalar tudo com papel de presente. Mas o caixa não tem. E acrescenta, sorrindo, que não estamos numa loja de departamentos, e sim no meio da estrada. Julien acaba encontrando uma grande sacola de compras de tecido amassado com o logo da WWF no qual põe tudo. Nathan pede para o pai comprar adesivos coloridos, para que ele possa colar na sacola e, então, colorir o panda, desenhar bambus e um céu azul em torno do animal.

— Que ideia genial, filho — responde Julien.

Tenho a sensação de ser outra mulher, de ter mudado de vida. De ser a esposa de um outro homem. Como Irène, quando ela trocou o bege por roupas coloridas e por sandálias abertas, em Cap d'Antibes.

Nathan e eu finalmente achamos o último pote de gel "superfixação", escondido entre duas giletes, três escovas de dente e um pacote de lenços umedecidos. Soltamos um grito de vitória. Caio na gargalhada pela terceira vez.

Nathan comemora e vai se pentear no banheiro. Ele sai com o cabelo duro. Deve ter derramado o pote todo na cabeça. Julien observa o filho com um olhar duvidoso, mas não fala nada.

— Vocês acham que eu fiquei bonito?

Julien e eu respondemos que sim ao mesmo tempo.

73

Nenhum trem vai me levar para a felicidade,
nenhum calhambeque vai estacionar lá,
nenhum Concorde terá a sua envergadura,
nenhum navio vai até lá, a não ser você.

Setembro de 1996

Os dias de Philippe sempre se repetiram. Acordar perto das nove horas. Tomar o café da manhã preparado por Violette. Café fraco, pão na chapa, manteiga sem sal, geleia de cereja sem pedaços. Banho e barba. Moto até uma da tarde. Passeio pelas trilhas do campo, arriscar a vida todos os dias, acelerando nos lugares em que nunca havia policiais nem radares. Almoçar com Violette.

Jogar *Mortal Kombat* no Mega Drive até quatro ou cinco da tarde. Passeio de moto até sete da noite. Jantar com Violette. Depois, com a justificativa de que precisa dar uma volta, andar pela rua principal, para encontrar uma amante ou participar de uma festa libertina organizada *no endereço*. Ir para lá de moto e não voltar antes da uma ou duas da madrugada. Se não quisesse fazer nada, por causa da chuva ou de uma preguiça que o dominava, assistir à televisão. Violette ficava por perto, lendo ou assistindo ao filme que ele havia escolhido.

Desde que a havia surpreendido com o zelador do cemitério, quinze dias antes, Philippe não via mais Violette da mesma maneira.

Ele a observava de rabo de olho. Queria saber se ela estava pensando naquele velho, se ela ligava para ele quando estava longe, se escrevia para ele.

Havia uma semana que, quando voltava para casa, Philippe apertava o botão "redial" do telefone, mas ouvia sistematicamente a voz desagradável da mãe, para quem ele havia ligado na véspera ou dois dias antes, e sempre desligava na cara dela.

A cada quinze dias, ele *tinha* que telefonar. Era um ritual. E as palavras eram sempre as mesmas:

— Tudo bem, meu filho? Está comendo bem? Está dormindo o suficiente? Como está a saúde? Tome cuidado na estrada. Não estrague os olhos com o videogame. E sua esposa? Tudo bem no trabalho? A casa está limpa? Ela lava os lençóis toda semana? Estou conferindo as suas contas. Não se preocupe, não falta nada para você. Seu pai fez um depósito no seu seguro de vida semana passada. Minhas dores voltaram. Nunca tivemos sorte, de verdade. As pessoas são muito decepcionantes. Tome cuidado. Seu pai está cada vez menos corajoso. Por sorte eu estou aqui para cuidar de vocês. Até logo, meu filho.

Sempre que desligava, Philippe se sentia mal. Sua mãe era uma lâmina de barbear que o irritava cada vez mais. Às vezes, ele se perguntava se ela tinha notícias do irmão dela, Luc. Sentia falta do tio. E a ausência de Françoise o destruía. Mas sua mãe respondia irritada ou, quando queria que ele se sentisse culpado, com ar entristecido:

— Não me fale mais daquelas pessoas, por favor.

A mãe incluía Françoise e Luc no mesmo saco.

Tirando essas conversas, que o irritavam, Philippe aparentemente tinha uma vida perfeita. Ele continuava a ser o mesmo que Françoise havia visto pela última vez na estação de Antibes, em 1983: uma criança mimada. Uma criança infeliz.

Mas duas notícias, com cinco minutos de intervalo entre si, de repente sacudiram seus dias. A primeira chegara pelo correio.

Enquanto ele comia uma de suas torradas quentes e crocantes, bem do jeito que gostava, Violette anunciara que a cancela ia ser automatizada em maio de 1997. Eles tinham oito meses para achar um novo emprego. Ela pusera a carta endereçada a eles na mesa, entre o pote de geleia e a manteiga derretida, e fora baixar a cancela para o trem de 9h07.

Vou perder a Violette. Fora a primeira coisa em que Philippe pensara ao ler a carta. Mais nada a seguraria ali. O mesmo teto e o mesmo trabalho ainda os ligavam, ele não sabia por quê. Estavam ligados por um fio tão fino que era quase invisível. Com a exceção do quarto de Léonine, cuja porta continuava fechada, eles não tinham nada em comum. Ao perder a cancela, ela partiria para sempre com o velho do cemitério.

Pela janela da cozinha, ele vira uma mulher falando com Violette. Não a reconhecera na hora. Pensara primeiro que podia ser uma de suas amantes vindo denunciá-lo, mas a ideia logo se afastou. As mulheres com quem se relacionava não faziam o estilo ciumento. Ele não corria risco algum. Ele se sujava e sujava Violette, mas não corria risco.

Philippe vira Violette empalidecer à medida que a mulher falava.

Ele havia saído no mesmo instante e se deparado, cara a cara, com a professora de Léonine. Como ela se chamava mesmo?

— Bom dia, Sr. Toussaint.

— Bom dia.

Ela também estava pálida. Parecia abalada. Dera as costas para ele e saíra a passos rápidos.

O trem de 9h07 passara. Philippe vira alguns rostos nas janelas dos vagões e voltara a pensar em quando Léonine acenava para eles. Violette levantara a cancela de forma automática e silenciosa.

— Geneviève Magnan cometeu suicídio — dissera a Philippe.

Philippe se lembrara da última vez que havia passado na casa de Magnan, quinze dias antes. A van da polícia, mulheres de roupão sob a luz dos postes. Ela com certeza tinha se suicidado depois de falar com ele. Ele havia chorado diante dela. "Eu nunca teria feito mal a uma criança." Será que o peso da culpa a havia empurrado para a morte?

— Por favor, dê um jeito de ela não ser enterrada no mesmo cemitério que a Léonine — acrescentara Violette.

Philippe prometera. Nem que precisasse fazer aquilo com as próprias mãos, prometera a Violette.

— Não quero que ela suje a terra do meu cemitério — repetira várias vezes a mulher.

Philippe não tomara banho naquela manhã. Depois de escovar rapidamente os dentes, ele subira na moto e fora embora. Violette ficara para trás, estupefata, de pé diante de uma cancela que ela só teria que abaixar duas horas depois.

74

Você verá minha pena
emplumada de manhã
nevar sobre o papel
do arcanjo do amanhã.

Por que o tempo que passa
Nos encara e nos destrói?
Por que você não fica comigo?
Por que vai embora?
Por que a vida e os barcos
Que estão na água têm asas...

O salão está vazio. Apenas duas garçonetes terminam de tirar as mesas — uma recolhe as últimas toalhas de papel, a outra varre os confetes.

Julien e eu dançamos sozinhos em uma pista de dança improvisada. As últimas luzes de um globo de discoteca desenham estrelas minúsculas nas nossas roupas amassadas.

Todos foram embora, inclusive os noivos e inclusive Nathan, que foi dormir na casa do primo. Apenas a voz de Raphaël soa nos alto-falantes. É a última música. Depois, o DJ, um tio levemente barrigudo, vai fazer as malas.

Quero que o dia que acabei de ter se prolongue. Quero esticá-lo. Como quando estávamos em Sormiou e a noite tinha caído havia muito tempo e nós não conseguíamos voltar para o chalé. Quando os dedos dos nossos pés não sabiam como abandonar os respingos do mar.

Desde então nunca mais ri desse jeito. Na verdade, desde nunca. Nunca ri como hoje. Eu ria com Léonine, mas não rimos com nossos filhos como rimos com os outros. São risadas que vêm de outro lugar, de longe. As risadas, as lágrimas, o medo, a alegria, tudo se esconde em lugares diferentes do nosso corpo.

E outro dia passa
Nesta pequena vida, não podemos morrer de tédio...

A música termina. Ao microfone, o DJ nos deseja boa noite.

— Boa noite, Dédé! — grita Julien.

Eu nunca tinha ido a um casamento, a não ser o meu. Se todos são tão alegres e engraçados quanto este, estou muito disposta a mudar de hábito.

Enquanto ponho meu casaco, Julien desaparece na cozinha e volta com uma garrafa de champanhe e duas taças de plástico.

— Você não acha que a gente já bebeu o suficiente?

— Não.

Do lado de fora, ainda faz calor. Andamos lado a lado, com Julien segurando meu braço.

— Para onde nós vamos?

— São três da manhã. Para onde você quer que a gente vá? Eu adoraria levar você para minha casa, mas fica a quinhentos quilômetros daqui, então vamos voltar para o hotel.

— Mas não tenho intenção nenhuma de passar a noite com você.

— Bem, isso é muito, muito triste, porque eu tenho. E, desta vez, você não vai fugir.

— Vai me prender?

— Vou, até o fim dos seus dias. Não esqueça que sou policial. Tenho plenos poderes para isso.

— Julien, você sabe que não sou apta para o amor.

— Você está se repetindo, Violette. Isso me cansa.

E, de repente, toda a felicidade volta. É como uma bolha de doce loucura, uma bolha de alegria que sobe até a garganta, acaricia minha boca, agita meu ventre de felicidade e me faz cair na gargalha. Eu não sabia que esse som existia, que tinha aquela nota dentro de mim. Eu me sinto como um instrumento musical com uma tecla a mais. Um saudável defeito de fabricação.

Será que a juventude é isso? Será que podemos conhecê-la pouco antes de fazer cinquenta anos? Será que eu, que nunca tive uma, acabei guardando-a com cuidado sem notar? Será que ela nunca me abandonou? Que poderia aparecer hoje, em um sábado? Em um casamento na Auvérnia? Com uma família que não é minha? Ao lado de um homem que não é meu marido?

Chegamos na frente do hotel, cuja porta está trancada com duas voltas de chave.

— Violette, seu amigo aqui é o rei dos idiotas — começa Julien Seul, incrédulo. — Ontem, falei com a recepcionista pelo telefone e ela me pediu para passar aqui quando chegasse, à tarde, para pegar a chave e o código de acesso... E eu esqueci.

E eu começo de novo. Não consigo mais parar. Rio tão alto que minhas gargalhadas parecem ecoar umas nas outras, como se meu alto-falante estivesse no máximo. É tão bom que minha barriga chega a doer. Meu fôlego acaba e, quanto mais tento respirar, mais rio.

Julien me observa, sorrindo. Tento dizer a ele:

— Você vai ter problemas para me prender até o fim dos meus dias...

Mas as palavras não querem sair. Minhas risadas criam uma barragem contra tudo. Sinto lágrimas caírem. Lágrimas que Julien enxuga com os polegares, enquanto eu sigo rindo cada vez mais alto.

Nós andamos até o carro dele. Formamos um casal estranho, eu curvada e ele, com a garrafa de champanhe na mão, tentando me fazer continuar andando de algum jeito, com uma taça de plástico em cada bolso da calça.

Nós nos sentamos lado a lado no banco traseiro do carro e Julien interrompe minhas risadas com um beijo. Uma alegria silenciosa cria raízes dentro de mim.

Tenho a sensação de que Sasha está por perto. De que ele acabou de sugerir a Julien que plantasse brotos de mim mesma em cada um dos meus órgãos vitais.

75

Sou um andarilho.
Tenho a síndrome da outra margem do rio.

Hoje enterramos Pierre Georges (1934-2017). Sua neta tinha pintado o caixão. Desenhos de uma inocência impressionante. Ela havia passado três dias desenhando um campo e um céu azul sobre a madeira bruta. Sem dúvida, achando que o avô passearia por eles no além.

Pierre se chamava Elie Barouh, como o cantor, mas, antes da guerra, seus pais, também enterrados em Brancion, devem ter mudado o nome e o sobrenome dele. Uma rabina veio de Paris para fazer uma última homenagem a ele. Ela é a terceira rabina da França. Cantou as orações, foi muito bonito. Recitou o *kadish* quando o caixão foi posto no túmulo da família, em que os pais de Pierre descansavam havia décadas. Depois, todos jogaram um pouco de areia sobre o caixão. Depois do campo e do céu azul, ao lançar a areia branca, a família e os amigos de Pierre lhe ofereciam a praia.

Como o Deus dele não tinha sido convocado, o padre Cédric ficou na minha cozinha durante a cerimônia.

Dizem que um homem tem a família que merece. Ao ver os filhos e netos em volta do túmulo de Pierre, todos unidos em torno do mesmo adeus, achei que Pierre devia ter sido uma pessoa boa.

Depois, foi organizada uma festa no pequeno salão da prefeitura. A família e os amigos de Pierre se reuniram para cantar músicas para ele. As portas ficaram abertas e, da minha casa, ouvi as vozes e a música.

A rabina, Delphine, veio tomar um café na minha casa. Cédric ainda estava lá. O homem da igreja e a mulher da sinagoga estavam lindos na minha cozinha, juntos. Eles misturaram fé, risadas e juventude. Achei que Sasha teria adorado aquilo.

Como o dia estava bonito, fui trabalhar no jardim. Delphine e Cédric se sentaram sob a pérgola e ficaram mais de duas horas conversando e rindo.

Delphine pareceu fascinada pela beleza das minhas plantas e das árvores frutíferas. Cédric mostrou tudo a ela, como se fosse o feliz proprietário do terreno. Como se o Deus dele, cuja casa ficava perto dali, tivesse provocado aqueles pequenos milagres.

Enquanto plantava as berinjelas, ouvi uma das músicas que a família e os amigos de Pierre Georges cantavam na praça da prefeitura. Eles provavelmente tinham saído do salão de festas e ido se sentar embaixo das árvores.

Até Delphine e Cédric fizeram silêncio para ouvir.

Não, não tenho mais vontade de ficar me vangloriando
E procurar ardentemente o eco do meu "eu te amo".
Não, não tenho mais vontade de destruir meu amor
Parodiando jogos que sei de cor...
Você, que monta para mim o mais lindo espetáculo
Com tanta beleza, poderia criar um obstáculo...
Mas não vejo mais nada de todo o seu belo mistério.
Tenho medo de que não seja nada do que tema ou espere
Porque, apesar de todo o sonho encerrado em minha alma,
Nunca mais terei coragem de amar...

Debruçada sobre meu terreno, perguntei a mim mesma se eles a cantavam para Pierre ou para mim.

Perto das seis e meia da tarde, todos entraram em seus carros e voltaram para Paris. Mais uma vez, ouvi o barulho que tanto detesto, o de portas batendo.

Meus três amigos jantaram comigo, no jardim. Fiz para eles uma salada improvisada, com batatas *sauté* e ovos fritos. Nós nos divertimos. Os gatos se juntaram a nós, como se quisessem ouvir nossas conversas bobas e felizes.

— A gente se diverte bem na casa da nossa Violette, não é? — repetiu Nono durante todo o jantar.

— Muito — respondemos, em coro.

De repente, Elvis acrescentou:

— *Donte live mi nau.*

Eles foram embora perto das nove e meia. Os dias são mais longos em junho. Sentei em um banco no jardim para escutar o silêncio. Escutar todo o barulho que Léonine nunca faria, com exceção de uma pequena melodia de amor no meu coração, que só eu conheço.

Penso de novo em Nathan no banco traseiro do carro. Em nós três, no carro, voltando da festa, no domingo de manhã. A minha ressaca e a de Julien, talhadas em um galho, uma madeira ainda verde, um broto jovem, uma folha quase minúscula, que mal saíra da terra, duas ou três raízes que se pareciam com fios, muito fáceis de ser destruídos. Um início de amor infantil que tinha de ser arrancado. Desapareceria em um piscar de olhos.

No cabelo de Nathan, o gel havia formado placas brancas. Meio parecidas com neve. Julien disse que, quando chegassem em Marselha, ele teria que lavar a cabeça várias vezes antes de voltar para a casa da mãe. Nathan fez uma careta, tentando olhar nos meus olhos para que eu o ajudasse.

Os dois me deixaram na frente da minha casa, diante da porta que dava para a rua. Iam seguir viagem, mas Nathan quis ver os bichos. Florence e My Way foram se esfregar nas perninhas dele. Nathan fez carinho neles por muito tempo.

— Quantos gatos você tem de verdade? — me perguntou, por fim.

— Por enquanto, onze.

Falei o nome de cada um deles e aquilo pareceu um poema de Prévert. Ele deu uma gargalhada. Jogamos a ração velha para os pássaros e reenchemos as tigelas. Colocamos água fresca para eles. Enquanto isso, Julien foi até o túmulo de Gabriel para ver a urna da mãe.

Quando o pai voltou, Nathan suplicou para que ficassem mais um pouco. E eu quis suplicar para que eles ficassem por muito mais tempo. Mas não falei nada.

Eles lancharam no meu jardim e foram embora. Fui com eles até o carro. Antes de entrar no carro, Julien tentou me beijar na boca, mas recuei. Não queria um beijo na frente do Nathan.

Nathan quis se sentar no banco da frente.

— Não, só quando você fizer dez anos — respondeu o pai.

Nathan reclamou, depois me deu um beijo no rosto.

— Tchau, Violette.

Tive uma vontade absurda de chorar. Ao baterem as portas do carro, elas fizeram mais barulho do que as outras. Mas eu fingi que não me importava com o fato de estarem indo embora. Fingi que estava aliviada. Que tinha mil coisas a fazer.

Depois de pensar de novo em tudo aquilo, sentada no meu banco, entro em casa e fecho as duas portas, a que dá para a rua e a do cemitério. Éliane me segue até meu quarto e se estica ao pé da cama. Abro as janelas para que o frescor da noite entre. Passo o creme de rosas no corpo, abro a gaveta da mesa de cabeceira e mergulho no diário de Irène.

Antes de folhear as páginas, reflito sobre o fato de ela ter conhecido o neto, ter tido contato com ele por alguns anos. Então, eu me pergunto que tipo de avó ela era. Como recebeu o nascimento de Nathan. Imagino que ele tenha nascido um ano depois da morte de Gabriel.

O amor de Irène e Gabriel me lembra o jogo da forca, em que temos que adivinhar uma palavra. E eu ainda não encontrei a que o define.

Ao entrar na minha casa, Julien veio com a mãe e com Gabriel. Como nossos encontros vão terminar?

76

A família nunca é destruída,
ela se transforma.
Parte dela segue para o invisível.

Setembro de 1996

Naquela manhã, depois de ter prometido a Violette que Geneviève Magnan não seria enterrada no cemitério de Brancion, Philippe seguira primeiro na direção de Mâcon e, no último instante, continuara na estrada, descera até Lyon e, depois, até Bron. Ele havia chegado à oficina Pelletier no meio da tarde. Estacionara longe o bastante para não ser visto. A oficina estava como ele se lembrava. Suas paredes brancas e amarelas. Fazia treze anos que não punha os pés ali e, por mais que estivesse longe, ele conseguira sentir o cheiro dos óleos de motor misturados. O cheiro que tanto amava.

Apenas os modelos e as marcas de carros expostas, que ele podia ver através da viseira, tinham mudado. Ele mantivera o capacete na cabeça por horas. Esperara muito tempo para ver *os dois*.

Perto das sete da noite, ao ver Françoise e Luc lado a lado na Mercedes deles, ela ao volante, ele ao lado dela, o coração de Philippe disparara como um boxeador louco. Tinha batido até chegar à sua garganta. Os faróis traseiros do veículo já tinham sumido havia muito tempo quando Philippe se lembrara das melhores lembranças de sua vida, sempre com eles. Os momentos em que se sentira amado e protegido de verdade. Os momentos em que ninguém esperara nada dele. Os momentos que vivera longe dos pais. Ele não seguira a Mercedes. Só queria vê-los, ter certeza de que ainda estavam ali, vivos. Só isso, vivos.

Depois ele pegara a rota para La Biche-aux-Chailles. O maldito lugar em que Geneviève Magnan e Alain Fontanel moravam. Fizera o trajeto à noite. Adorava viajar de moto quando já estava escuro, com a poeira e as mariposas sob os faróis.

Ele estacionara na frente da casa deles. Um dos cômodos do térreo estava iluminado. Apesar das circunstâncias, Philippe não hesitara em bater na porta. Alain Fontanel estava sozinho, razoavelmente bêbado. Os hematomas que Philippe deixara nele duas semanas antes tinham quase sumido.

— Geneviève se matou. Você não vai poder foder ninguém hoje.

Foram essas as palavras que Fontanel dissera ao encontrar Philippe à porta. As palavras o haviam deixado zonzo e enjoado. Philippe tinha quase vomitado. Como podia ter chegado àquele fundo de poço?

O homem que estava diante dele era da pior espécie, mas ele era igualzinho. Tinha sido ele quem tivera um caso com Magnan. Quem, uma noite, a havia "emprestado" a um amigo, sem nenhum escrúpulo.

Philippe se sentira tonto lembrando daquilo. Ele se apoiara no batente da porta. Naquela noite, diante daquele homem bêbado, que o encarava, Philippe entendera que Magnan havia sofrido um martírio nas mãos dos dois safados que a tinham massacrado: ele e Fontanel. E aquele sofrimento o atravessara como um vento glacial. Como se o fantasma de Geneviève Magnan o tivesse perfurado com uma faca comprida. A escuridão caíra sobre ele.

Ao vê-lo quase desmaiar, Fontanel abrira um sorriso maldoso e dera as costas para ele, sem fechar a porta. Philippe o seguira por um corredor escuro. Dentro da casa, havia um cheiro de ambiente fechado, de ranço, de gordura e poeira, tudo misturado, como nos lugares em que nunca deixamos o ar entrar. Onde panos e esfregões nunca são usados. Philippe havia pensado em como Violette arejava a casa até no inverno. Violette. Enquanto seguia Fontanel, Philippe tivera uma vontade violenta de abraçá-la. Abraçá-la como nunca havia feito antes. Mas como o velho do cemitério com certeza tinha.

Os dois se sentaram à mesa da sala de jantar, onde não havia nada para comer, apenas dezenas de latinhas de cerveja vazias, largadas sobre a toalha de plástico que cobria a mesa. Duas ou três garrafas de vodca e outras bebidas também jaziam por ali. E, como se o diabo tivesse sido convidado a se acomodar entre aquelas paredes malditas para fazer companhia a eles, os dois começaram a beber em silêncio.

Fora só muito mais tarde que Fontanel falara, quando Philippe havia olhado para o retrato dos dois meninos pequenos sem conseguir desviar o olhar. Dois sorrisos emoldurados no canto de um aparador antigo e nojento. Uma foto tirada na escola, quando, depois da foto de grupo, os irmãos posam juntos para gerar outros suvenires para os pais.

— Os meninos estão na casa da irmã da Geneviève. Estão bem melhores com ela do que comigo. Nunca fui um bom pai... E você?

— ...

— No caso da morte das meninas, da sua filha, a Geneviève não teve culpa... Quero dizer, ela não fez nada de propósito. Eu só sei o fim da história, quando ela veio me acordar. Eu estava apagado, achei que estivesse tendo um pesadelo. Ela me sacudiu, alucinada. Chorava e gritava ao mesmo tempo. Eu não estava entendendo nada do que ela tagarelava... Ela me falou de você, disse que sua filha estava ali, falou da substituição na escola de Malgrange, do destino, tão terrível... Me falou da mãe, achei que ela tivesse bebido. Mas ela me puxou pelo braço, gritando: "Vem! Vem rápido! É assustador... Assustador!" Ela nunca tinha dito nada parecido. Quando cheguei ao quarto do primeiro andar, não podíamos fazer mais nada.

Fontanel havia virado uma latinha de cerveja de uma vez só, seguida por um copo de vodca. Fungara por muito tempo, depois cuspira as palavras olhando para um rasgo na toalha de plástico, arranhando-o com a ponta das unhas.

— Croquevieille, a diretora, me pagava uma miséria para cuidar da manutenção. Eletricidade, encanamento, pintura, jardins... Jardins porra nenhuma. Grama e pedras. Geneviève fazia as compras e cozinhava no verão. A diretora pagava um pouco mais para que a gente dormisse no castelo quando as meninas chegavam... Para que vigiássemos o lugar e ela pudesse ter mais ajuda. Naquela noite, Geneviève não devia ter trabalhado. Mas, quando as meninas foram dormir, Lucie Lindon pediu para ser substituída por duas horas, pediu que ela ficasse de olho nos quartos do térreo. A verdade é que Lindon queria ir para o segundo andar, para fumar um baseado no quarto de Letellier. Geneviève não teve coragem de dizer não. Lindon sempre ajudava minha esposa. Mas Geneviève não ficou no castelo. Foi embora. Deixou as meninas sozinhas para ir até a casa da irmã ver nossos filhos, porque o menor estava doente e ela estava preocupada. No verão, ela ficava furiosa por ter que deixar os dois, enquanto outras pessoas iam à praia... Ela me criticava: "Você não vale nada. Nem consegue levar a gente para a praia..."

Fontanel fora ao banheiro.

— Vida de merda — sussurrara ao sair.

Ao voltar para a sala de jantar, ele havia se sentado do outro lado da mesa, em outro lugar. Como se a cadeira dele tivesse sido ocupada enquanto ele estava no banheiro.

— Geneviève deve ter ficado fora do castelo por uma hora, no máximo. Quando voltou, assim que abriu a porta do quarto número um, a cabeça dela começou a girar, e logo depois ela caiu de cara no chão... À tarde, já tinha quase desmaiado. Ela achou que estivesse doente... Que tivesse pegado o vírus do nosso filho. Teve dificuldade de se levantar... Então, ela abriu a janela para respirar um pouco de ar puro... E foi isso que a salvou. Cinco minutos depois, ela percebeu que tinha alguma coisa errada... Que o sono das meninas estava profundo demais. Geneviève não entendeu na hora... O monóxido de carbono é um gás que não tem cheiro... Em cada quarto, havia um aquecedor individual da época de Matusalém... Uma carcaça velha que não funcionava mais e em que não podíamos tocar... Mas alguém tinha feito isso. Geneviève percebeu na hora, porque aquelas merdas ficavam escondidas atrás de um armário falso e o daquele quarto estava aberto... A porta estava balançando, solta.

Alain Fontanel havia aberto outra latinha com um isqueiro largado na mesa, sem parar de falar.

— Todo mundo sabia que as instalações do castelo eram podres... Era uma verdadeira bomba-relógio. Não pude fazer nada. Era tarde demais. Elas foram asfixiadas... Intoxicadas com monóxido de carbono. As quatro.

Fontanel tinha se calado. Sua voz traíra a emoção pela primeira vez. Ele acendera um cigarro e fechara os olhos.

— Na hora, desliguei o aquecedor. Até achei o fósforo usado para ligar a chama. A Geneviève nunca soube mentir... Quando você estava transando com ela, eu sabia. Ela tinha um olhar de apaixonada. Parecia uma retardada. Fedia a perfume, colocava umas coisas na cara, uns sapatos que acabavam com os pés dela... Naquela noite, eu vi nos olhos dela que não tinha sido ela, que não era culpa dela. Vi o medo dela. Ela estava fedendo... Além disso, a pessoa tinha que saber o que estava fazendo para ligar uma porcaria igual àquela. A Geneviève não teria conseguido... Era absolutamente proibido tocar nos antigos aquecedores do castelo. E toda a equipe sabia do negócio. Eles insistiam nisso o tempo todo. Não estava escrito no regulamento, senão a diretora iria direto para a cadeia, mas a gente sabia... Ela devia ter tirado aqueles troços de lá... A Croquevieille sabia direitinho tirar dinheiro dos pais, mas, quando o assunto era gastar com reforma, ela sumia. Os únicos aquecedores que eram novos eram os dos chuveiros comuns.

Alguém havia batido à porta. Fontanel não tinha aberto.

— Vizinhos de merda — resmungara apenas, servindo-se de mais bebida.

Enquanto Fontanel falava, Philippe não se mexera. Em intervalos regulares, tomara grandes goles de vodca para queimar a dor, afogar a tristeza.

— A Geneviève entrou em pânico. Disse que não queria ir para a cadeia. Que, se alguém soubesse que tinha ido ver os filhos, ela ficaria com toda a culpa. Ela me implorou para ajudá-la. De início, neguei. "Como você quer que eu ajude?", perguntei. "Vamos contar a verdade, que foi um acidente... Vamos achar o retardado que fez isso." Ela ficou maluca, o rosto dela se deformou... Ela me xingou, me ameaçou. Disse que ia contar para todo mundo na polícia que eu ficava olhando as monitoras... que tinha me visto pegar as calcinhas delas na roupa suja... que ela tinha provas. Dei um tapão na cara dela para que calasse a boca... E então lembrei que, quando eu estava no Exército, uma noite, um idiota tinha queimado parte do alojamento depois de esquecer uma panela de comida no fogão sem desligar o fogo... Foi assim que tive a ideia... Com o fogo, tudo desapareceria. Quando tudo pega fogo, ninguém é preso... Especialmente se menininhas tiverem feito uma besteira e esquecido uma panela de leite no fogo.

Naquele instante, Philippe tivera vontade de pedir para Fontanel calar a boca. Mas não fora capaz de abrir a boca, de dizer nem uma palavra. Teria preferido se levantar, sair imediatamente dali, fugir, tapar os ouvidos. Mas ficara paralisado, imóvel, impotente. Como se duas mãos geladas o mantivessem preso com firmeza à cadeira.

— Fui eu que pus fogo na cozinha... A Geneviève que pôs as tigelas no quarto das meninas... Fiquei esperando no fim do corredor, depois de deixar a porta delas entreaberta. A Geneviève subiu para o nosso quarto... Desde aquela noite, ela não conseguia parar de chorar... E também tinha medo... Dizia que você ou sua esposa iam acabar arrancando o couro dela...

O corpo de Philippe estremecera algumas vezes. Como se tivesse recebido descargas elétricas por eletrodos invisíveis.

— Quando as chamas entraram no quarto, eu corri para o segundo andar para bater com força na porta do Letellier... E depois me escondi com Geneviève no nosso quarto. Lindon acordou, desceu até o térreo, gritou quando viu o fogo e eu fingi que estava saindo da cama, como se não estivesse entendendo nada do que estava acontecendo... O Letellier quis entrar no quarto, mas era tarde demais... O fogo estava muito alto. Nós tiramos todo mundo de lá... Até os bombeiros chegarem, tudo tinha desaparecido... Podia parecer o inferno, mas foi muito pior... A Lindon nunca teve coragem de perguntar à Geneviève onde ela estava naquela noite, por que e como as meninas se levantaram para ir até a cozinha sem que ninguém notasse, porque tudo aquilo, no fundo, era culpa dela. Nunca descobrimos quem ligou o aquecedor... Nem por quê... Nem em que momento... Você pode ter certeza de que olhei nos outros quartos e ninguém tinha encostado neles... E eu nunca falei nada.

Philippe havia desmaiado. Ao reabrir os olhos, tinha a cabeça pesada, a boca pastosa, o estômago em brasa.

Alain Fontanel continuava sentado no mesmo lugar, olhando para o vazio, os olhos muito vermelhos, o copo na mão. Não tinha fumado o cigarro que ainda trazia entre os dedos. As cinzas haviam caído na toalha de plástico.

— Não me olhe assim. Tenho certeza absoluta de que não foi a Geneviève quem fez aquilo. Já falei para não me olhar assim, sou um cara horrível... As pessoas me evitam. Quando me veem, trocam de calçada, mas eu nunca encostei em um fio de cabelo de uma criança.

Geneviève Magnan fora enterrada no dia 3 de setembro de 1996. Por ironia do destino, ou infeliz acaso, no dia em que Léonine teria feito dez anos.

Quando ela foi enterrada no túmulo da família, no pequeno cemitério de La Biche-aux-Chailles, a trezentos metros da casa dela, Philippe já havia voltado para o leste, para perto dos trens.

No inverno de 1996, ele não frequentara *o endereço* e deixara a moto na garagem.

Seus pais tinham ido buscá-lo em janeiro para ir até o cemitério de Brancion, para rezar diante do túmulo de Léonine, mas ele se recusara a entrar no carro, feito uma criança. Como quando ia de férias para a casa de Luc e François, apesar das críticas da mãe.

Passara seis meses jogando videogame, queimando neurônios diante de jogos em que devia salvar uma princesa. Ele a salvara centenas de vezes, por não ter conseguido salvar a sua, a verdadeira.

Um dia, entre os rituais do pão na chapa e o do almoço, Violette anunciara para Philippe que o cargo de zelador de cemitério ia ser aberto em Brancion-en-Chalon e que ela queria aquele emprego mais do que tudo no mundo. Ela descrevera tudo para ele com certa alegria. Mencionara o cargo como um lugar ao sol, férias em um local chique.

Ele olhara para Violette como se ela tivesse ficado maluca. Não por causa da proposta, mas porque ele percebera que a oferta dela implicava que os dois continuassem a morar juntos. No início, por impulso, ele havia negado porque achava que ela queria se aproximar do velho zelador do cemitério, mas aquilo não fazia sentido.

Se ela quisesse se aproximar do zelador, teria deixado Philippe e ido morar com ele. Philippe entendera que ela queria continuar, que ele fazia parte dos planos dela, do futuro dela.

A ideia de se tornar zelador de cemitério o deixara horrorizado. Mas não teria que fazer nada além do que já fazia em Malgrange. Violette ia cuidar de tudo. Além disso, o que mais ele podia fazer? Tivera uma reunião na agência de emprego na véspera e eles haviam lhe falado para atualizar seu currículo. Atualizar com o quê? Além de mexer em motos e seduzir mulheres, ele não sabia fazer nada. Tinham proposto a ele uma formação em mecânica para que trabalhasse em uma oficina ou uma concessionária. Ele tinha uma aparência boa, podia até se tornar vendedor. Pensar em trabalhar com vendas, ganhar comissões sobre os carros e os contratos de manutenção que os acompanhavam o deixava enojado. Teria que se acostumar com o despertador, que, para ele, nunca tocava; teria que cumprir horário, usar terno e gravata, quarenta horas por semana. Era melhor morrer. Um pesadelo inimaginável. Ele nunca tivera vontade de trabalhar, a não ser aos dezoito anos, na oficina de Luc e Françoise.

Se aceitasse o emprego de carniceiro, um salário continuaria caindo na sua conta todo mês, um salário no qual não tocaria. Violette faria as compras com o dinheiro dela, cozinharia, limparia. Ele ainda teria a esposa em sua cama, os pães na chapa, os lençóis e as panelas limpos, só precisaria mudar o endereço dos seus hábitos, a marca dos iogurtes preferidos. E continuaria com a vida de eterno adolescente. Violette havia dito que colocaria cortinas nas janelas da casa e ele não teria que assistir aos enterros. Para não ser incomodado por um coveiro ou um visitante perdido, que estivesse procurando um túmulo, ele instalaria o Nintendo em um cômodo fechado e salvaria princesas sem parar.

E, por fim, teria a chance de saber quem tinha sido o filho da puta que havia reativado o aquecedor na noite de 13 para 14 de julho de 1993, no castelo de Notre-Dame-des-Prés. Estaria no lugar certo para fazer as perguntas que queria, quebrar alguns dentes, fazer o silêncio falar. Faria isso em segredo, para que ninguém nunca viesse tomar ou exigir de volta o dinheiro que havia recebido do seguro, a indenização e os juros depositados logo depois da morte acidental de Léonine.

Aquela mania de economizar tudo, como sua mãe ensinara, o revoltava, mas era mais forte do que ele. Uma doença genética. Um vírus, uma bactéria mortal. A avareza parecia uma má-formação congênita. Uma herança maldita contra a qual não podia lutar. Economizar para ir para onde? Para quê? Ele não tinha a menor ideia.

Os dois se mudaram em agosto de 1997. Fizeram o trajeto em uma van com menos de vinte metros cúbicos. Não tinham muita coisa.

O velho do cemitério não estava mais lá. Tinha deixado um recado em cima da mesa. Philippe fingira não notar que Violette conhecia muito bem cada cantinho da casa. Ela desaparecera no jardim logo que chegara.

— Vem aqui! — ela o chamara pouco depois. — Rápido.

Fazia anos que Philippe não percebia aquele sorriso na voz dela. Quando a encontrara agachada nos fundos da horta, colhendo tomates enormes, vermelhos como as bochechas de uma menininha, quando a vira morder um deles, ele se lembrara do brilho nos olhos da esposa na maternidade, no dia em que Léonine nascera.

— Venha provar — dissera ela.

De início, ele recuara. Depois percebera que a horta era elevada demais para que qualquer água escorresse do cemitério para lá. Então, abrira um sorriso fraco e se forçara a morder o tomate que ela havia lhe entregado.

O caldo do tomate escorrera em suas mãos, então Violette as pegara e lambera os dedos dele. Naquele instante, ele havia percebido que nunca tinha deixado de amá-la, mas que já era tarde demais. Que não era possível voltar no tempo.

Ele tirara a moto da van e dissera para Violette:

— Vou dar uma volta.

77

É melhor chorar por você
do que nunca ter te conhecido.

22 de outubro de 1996

Minha preciosa Violette,

Já faz dois meses que seu marido a proibiu de vir aqui. Sinto sua falta. Me diga, quando você vai voltar?

Hoje de manhã, escutei uma música da Barbara. É uma loucura como a voz dela combina perfeitamente com o outono, o cheiro da terra molhada, não da terra em que as raízes crescem, mas onde elas adormecem gentilmente para que depois possam renascer melhores e onde se preparam para poupar as forças durante o inverno. O inverno é um berçário para a vida que vai voltar. Todas as folhas mudam de cor, parece um desfile de alta-costura, como as notas na voz da Barbara. Eu acho a Barbara engraçada. Quando a ouvimos com atenção, escutamos que, aos olhos dela, nada é realmente grave, apesar da gravidade. Eu poderia ter me apaixonado loucamente por ela, especialmente se ela tivesse sido um homem. O que você esperava? Não tenho a virtude das mulheres dos marinheiros.

Como o fim dessa estação foi tranquilo e ainda não geou, acabei de colher os últimos tomates, pimentões e abobrinhas. O Dia de Finados está chegando. É como uma barreira invisível: depois que ele passa, não há mais legumes de verão. Minhas saladas continuam tão lindas quanto antes, mas, daqui a um mês, só me restarão as chicórias-de-bruxelas. As couves estão brotando. Para me preparar para a primeira geada, já revirei a terra em certos pontos do terreno, que cobri de esterco, aqueles de onde tiramos juntos as batatas e as cebolas em agosto passado. Meu amigo camponês me trouxe quinhentos quilos de merda, que coloquei embaixo da lona, perto da pérgola. Eu a cubro porque, quando chove, a melhor parte do esterco vai embora com a água, só fica a palha. Fede um pouco, mas não é nada exagerado (é sempre melhor do que aqueles adubos químicos horrorosos). Acho que não estou incomodando meus vizinhos. Aliás, enterramos Édouard Chazel (1910-1996) três dias atrás — ele morreu dormindo. Às vezes me pergunto o que podemos ver à noite para ter vontade de morrer.

Eu soube da Geneviève Magnan, um fim muito triste. Acho que você tem que esquecer, Violette. Acho que tem que continuar a vida e não tentar mais saber como, por que nem quem. O passado não é tão fértil quanto a merda que coloco na terra. Ele se parece mais com cal. O veneno que queima os brotos. É, Violette, o passado é o veneno do presente. Remoê-lo é morrer um pouco.

No mês passado, comecei a podar as roseiras velhas. O tempo está bom demais para os cogumelos. Normalmente, no fim do verão, quando temos duas ou três tempestades muito fortes, os cantarelos aparecem sete dias depois. Ontem, fui até o bosque, no cantinho secreto onde costumo conseguir colhê-los com uma pá, e acabei voltando sem nada, quase de mãos abanando. Só três cantarelos me provocavam do fundo da cesta. Pareciam um punhado de larvas. Mesmo assim, comi todos em uma omelete. Bem feito para eles! Na semana passada, estive com o prefeito. Falei sobre você e a recomendei de todo o coração. Ele quer conhecê-la e não é contra você me substituir. Avisei que você não viria sozinha, que era casada. De início, ele fez uma careta, porque era um salário a mais, mas, como havia quatro coveiros antes e agora eles são só três, um casal deve caber no orçamento. Então, se eu fosse você, não enrolaria. Antes que alguma pessoa venha suplicar ao prefeito — sempre tem um sobrinho, uma prima, um vizinho que quer um cargo público. Claro, as pessoas não fazem fila para zelador de cemitério, mas, mesmo assim, é melhor ficar de olho! Não quero nem pensar em deixar meus gatos e minha horta para alguém que não seja você!

Venha logo para que eu possa marcar uma reunião com o prefeito. Em geral, a gente tem que desconfiar dos políticos, mas ele é um cara mais ou menos decente. Se promete alguma coisa, você não precisa assinar nenhum contrato ou nada assim. Então é urgente que você invente uma mentira qualquer para vir para cá o mais rápido possível. Já falei para você sobre as virtudes das mentiras? Se eu tiver esquecido, faça um esforço para me lembrar na próxima.

Um beijo muito carinhoso, minha preciosa Violette.

Sasha.

— Philippe, eu tenho que ir a Marselha!

— Mas não é agosto.

— Não vou até o chalé. A Célia precisa que eu fique alguns dias na casa dela. Três ou quatro, no máximo... Se tudo der certo. Três ou quatro dias, sem contar a viagem.

— Por quê?

— Ela vai para o hospital e não tem ninguém para cuidar da Emmy.

— Quando?

— Agora. É uma emergência.

— Agora?

— É, estou falando que é uma emergência!

— O que ela tem?

— Apendicite.

— Na idade dela?

— A apendicite não tem limite de idade... A Stéphanie vai me levar até Nancy e eu vou pegar um trem. Enquanto eu não chegar, a Emmy vai ficar na casa de uma vizinha... A Célia me implorou. Ela só tem a mim. Sou obrigada a ir, e rápido. Anotei para você todos os horários dos trens em uma folha de papel, que está ao lado do telefone. Já fiz compras, então você só vai ter que esquentar a *blanquette* ou o gratinado no micro-ondas. Tem duas pizzas do sabor que você gosta no congelador, enchi a geladeira de iogurte e de salada pronta. Na hora do almoço, a Stéphanie vai trazer uma baguete fresca. Coloquei os pacotes de biscoito na gaveta que fica embaixo dos talheres, como sempre. Eu já vou, até daqui a alguns dias. Eu ligo quando chegar na casa da Célia.

Durante o trajeto, de cerca de vinte e cinco minutos, mesmo que tenha conversado pouco com ela, menti para Stéphanie. Contei a ela a mesma história que dei para Philippe Toussaint: Célia estava com apendicite e eu tinha que ir logo buscar a Emmy, a neta dela. Stéphanie não sabia mentir. Se eu tivesse falado a verdade, ela teria contado tudo sem querer. Teria ficado vermelha e gaguejado na frente de Philippe Toussaint quando o encontrasse.

Para me levar a Nancy, Stéphanie pediu para ser substituída no caixa por uma hora. Não falamos muita coisa no carro. Acho que ela me falou sobre uma nova marca de biscoitos orgânicos. Fazia alguns meses que os produtos orgânicos apareciam nas prateleiras do mercado, e Stéphanie falava deles como se fossem o Santo Graal. Eu não estava ouvindo. Relia a carta de Sasha mentalmente. Já estava na horta, na casa, na cozinha dele. Estava ansiosa. Observava o tigre branco preso ao retrovisor do carro já procurando as palavras certas, os argumentos certos para que Philippe Toussaint aceitasse se mudar, aceitasse o emprego de zelador de cemitério.

Peguei um trem para Lyon, outro para Mâcon, depois o ônibus que passava em frente ao castelo. Fechei os olhos quando passei por ele.

Abri a porta da minha futura casa no fim da tarde. O dia havia quase terminado e fazia muito frio. Meus lábios haviam rachado. Dentro da casa, a temperatura estava mais quente. Sasha havia acendido velas, então eu senti o cheiro delicioso de sempre, os lenços de tecido que ele embebia com Rêve d'Ossian. Quando me viu, ele simplesmente disse, sorrindo:

— Eu agradeço às virtudes das mentiras!

Estava descascando legumes. Suas mãos, que tremiam um pouco, seguravam o descascador como uma pedra preciosa.

Comemos um minestrone absolutamente delicioso. Conversamos sobre a horta, sobre cogumelos, sobre músicas e livros. Perguntei para onde ele iria se eu e Philippe fôssemos morar ali. Ele respondeu que já havia planejado tudo. Que ia viajar e pararia onde achasse bom. Que sua aposentadoria seria magra como ele, mas que, para o pouco que comia, aquilo bastaria. Que ia viajar a pé, de segunda classe ou pedir carona. Eram os únicos passeios que queria fazer. Queria oferecer o desconhecido a si mesmo. Beberia na casa dos amigos. Eles eram poucos, mas todos verdadeiros. Ir vê-los também fazia parte dos seus planos. Cuidar da horta deles. E, se eles não tivessem horta, criar uma para eles.

Era a Índia que estava na mira de Sasha. Seu melhor amigo, Sany, era um indiano que conhecera quando pequeno. Filho de embaixador, Sany morava em Kerala desde os anos setenta. Sasha tinha ido visitá-lo muitas vezes, inclusive uma com Verena, sua esposa. Sany era o padrinho de Émile e Ninon. Era lá que Sasha queria terminar a vida. Ele nunca dizia "terminar a vida", e sim "chegar à minha morte".

De sobremesa, ele pegou o arroz doce que havia preparado na véspera e colocado em frascos de vidro de iogurte, de vários tamanhos. Tentei pegar com a colher o caramelo que estava bem no fundo. Ao me ver fazer aquilo, o tom de voz de Sasha mudou.

— Quando perdi minha família, também perdi um peso imenso. O medo de deixá-los sozinhos depois que eu morresse, de abandoná-los. O pavor de imaginar que eles poderiam sentir frio, dor, fome e que eu não estaria mais lá para abraçá-los, protegê-los, apoiá-los. Quando morrer, ninguém vai chorar por mim. Não vou deixar nenhuma tristeza. E vou partir leve, sem o peso da vida deles. Só os egoístas temem a própria morte. Os outros temem pelas pessoas que deixam para trás.

— Mas eu vou chorar por você, Sasha.

— Não como teriam chorado minha esposa e meus dois filhos. Vai chorar por mim como quando perdemos um amigo. Nunca mais vai chorar por ninguém como chorou pela Léonine. Você sabe disso.

Ele pôs água para ferver para preparar um chá. Disse que estava feliz por eu estar ali. Que eu estaria entre os amigos verdadeiros que ia visitar durante a aposentadoria.

— Quando seu marido não estiver aqui — completou.

Pôs para tocar as sonatas de Chopin. E me falou de vivos e mortos. Dos frequentadores assíduos. Das viúvas. O mais difícil seriam os enterros de crianças. Mas ninguém era obrigado a fazer nada. Havia muita solidariedade entre a equipe do cemitério e da funerária. Dava para pedir para ser substituída. Um coveiro podia substituir um carregador, que podia substituir um marmorista, que poderia substituir o agente funerário, que poderia substituir o zelador quando um deles se sentisse incapaz de enfrentar um enterro difícil. O único que não podia ser substituído era o padre.

Eu ia ver e ouvir de tudo. Violência e ódio, alívio e tristeza, ressentimento e remorso, angústia e alegria, arrependimentos. Toda a sociedade, todas as origens e todas as religiões nos mesmos e poucos hectares do terreno.

No dia a dia, havia duas coisas às quais eu devia prestar atenção: não trancar os visitantes — depois de uma morte recente, algumas pessoas perdiam toda a noção do tempo — e tomar cuidado com os roubos — era comum que as pessoas de passagem se servissem das flores frescas dos túmulos vizinhos e até das placas funerárias ("À minha avó", "Ao meu tio" ou "Ao meu amigo" podem ser adaptados para qualquer família).

Eu veria mais velhos do que jovens. Os jovens iam para longe por conta dos estudos ou do trabalho. Os jovens não vinham mais visitar os túmulos com frequência. E, quando vinham, era mau sinal — para visitar um amigo.

O dia seguinte era 1º de novembro, o dia mais agitado do ano. Como eu constataria, seria preciso dar informações àqueles que não costumavam vir. Sasha me mostrou onde ficavam guardados os vários mapas do cemitério e as fichas de papel-cartão com os nomes das pessoas mortas nos seis meses anteriores, em um escritório improvisado fora da casa, ao lado do cemitério. Ele me explicou que os outros, que haviam morrido antes, ficavam arquivados na prefeitura.

Pensei em como Léonine já havia sido arquivada. Tão jovem e já arquivada.

Nas fichas, estava registrado o nome e a data da morte das pessoas de cada túmulo, além de sua localização.

Nos dias de exumação, que ainda eram raros, era preciso que eu cuidasse para que os túmulos antigos, que cercavam o novo, não fossem danificados. Um dos três coveiros era particularmente desajeitado.

Alguns visitantes tinham permissão para entrar de carro. Eu logo os reconheceria apenas pelo barulho do motor, especialmente porque a maioria eram velhinhos que chegavam arranhando a embreagem de seus velhos Citroëns.

Todo o resto, eu ia descobrir aos poucos. Nenhum dia seria igual ao outro. Com essa experiência, eu poderia escrever um romance um dia, ou uma biografia dos vivos e dos mortos, quando tivesse terminado de ler pela centésima vez *As regras da casa de sidra*.

Sasha fez uma lista inicial em um caderno novo, de escola. Escreveu o nome dos gatos que viviam no cemitério, suas características, o que eles comiam, os hábitos. Tinha improvisado um gatil com suéteres e cobertores no setor dos Evônimos, nos fundos, à esquerda. Era um lugar onde ninguém ia rezar, dez metros quadrados sem transeuntes, onde, com a ajuda dos coveiros, ele havia erguido um abrigo. Um local seco e quente para o inverno. Ele anotou o endereço dos veterinários de Tournus, pai e filho, que vinham até o cemitério para vacinar, castrar e cuidar dos gatos, pela metade do preço. Alguns cães poderiam aparecer, para dormir em cima dos túmulos dos donos, e eu teria que cuidar deles.

Em outra página, ele anotou o nome dos coveiros, com os respectivos apelidos, costumes e atribuições. Também escreveu os nomes dos irmãos Lucchini, além do endereço e da função de cada um dos três. E, para terminar, o nome da pessoa encarregada pelos certificados de óbito na prefeitura.

— Faz duzentos e cinquenta anos que enterramos pessoas aqui e isso vai continuar acontecendo — concluiu.

Ele levou dois dias para preencher o resto do caderno. Falou da horta, dos legumes, das flores, das árvores frutíferas, das estações e das plantações.

No dia seguinte, Finados, uma camada fina de geada tinha coberto a terra da horta. Antes de abrir os portões do cemitério, ajudei Sasha a colher os últimos legumes de verão ainda no escuro. Nós dois estávamos nos corredores gelados, com uma lanterna de bolso na mão, enterrados nos nossos casacos, quando Sasha me falou de Geneviève Magnan. Ele me perguntou o que eu havia sentido quando soubera do suicídio dela.

— Sempre achei que as crianças não tinham posto fogo na cozinha. Que alguém não havia apagado direito uma bituca de cigarro ou alguma coisa assim. Acho que Geneviève Magnan sabia a verdade e não suportou.

— Você gostaria de saber?

— Depois da morte da Léonine, saber foi o que me fez aguentar tudo. Hoje, acho que o importante para ela é fazer as flores crescerem.

Ouvimos os primeiros visitantes estacionarem na frente do cemitério. Sasha foi abrir o portão para eles. Eu o acompanhei.

— Você vai ver. Você vai se adaptar aos horários de abertura e fechamento. Na verdade, vai se adaptar à tristeza dos outros. Não vai ter coragem de fazer os visitantes que chegam cedo esperar e, à noite, vai ser a mesma coisa. Às vezes, você não vai ter coragem de pedir para irem embora.

Passei o dia observando os visitantes, com os braços carregados de crisântemos, percorrerem os corredores. Fui visitar os gatos, que ficaram se esfregando em mim. Fiz carinho neles. Eles me fizeram bem. Na véspera, Sasha tinha me explicado que muitos visitantes se apegavam aos animais do cemitério. Imaginavam que os falecidos se manifestavam por meio deles.

Perto das cinco da tarde, eu me aproximei de Léonine. Não dela, mas de seu nome escrito em um túmulo. Meu sangue gelou quando vi os pais de Toussaint colocando crisântemos amarelos no túmulo. Eu nunca mais os vira depois da tragédia. Quando iam buscar o filho, duas vezes por ano, e estacionavam na frente da casa, eu não olhava para eles pela janela. Só ouvia o ruído do motor do carro e, em seguida, o grito de Philippe:

— Já vou!

Eles tinham envelhecido. O pai de Philippe andava curvado. A mãe ainda mantinha a postura, mas havia encolhido. O tempo os havia espremido.

Eles não podiam me ver. Teriam ido avisar Philippe Toussaint, que achava que eu estava em Marselha. Eu os observei, escondida como uma ladra. Como se tivesse cometido algum erro.

Sasha parou atrás de mim, então levei um susto. Ele me pegou pelo braço, sem me perguntar nada.

— Venha, vamos para casa — disse.

À noite, contei a ele que os pais de Toussaint tinham ido visitar o túmulo de Léonine. Falei sobre a maldade da mãe dele. O desprezo que ela me lançava sempre que me olhava sem me enxergar. Eles eram os assassinos, eles tinham mandado minha filha para aquele castelo infeliz. Eles haviam organizado a morte dela. Expliquei ao Sasha que vir morar em Brancion, para trabalhar naquele cemitério, talvez não fosse uma boa ideia. Estava acima das minhas forças encontrar meus sogros duas vezes por ano nos corredores, vê-los colocar vasos de flores para aliviar a culpa. Naquele dia, eles haviam me trazido a tristeza de volta. Não havia um minuto, um segundo da minha vida em que eu não pensasse em Léonine, mas aquilo mudava as coisas. Eu havia transformado a ausência dela: minha filha estava em outro lugar, mas cada vez mais perto de mim. Naquele dia, porém, ao ver os Toussaint, eu havia sentido que ela estava se distanciando.

Sasha respondeu que, assim que soubessem que eu e meu marido morávamos ali, eles me evitariam e nunca mais iriam ao cemitério. Que morar ali era o melhor jeito de nunca mais vê-los. De afastá-los de uma vez por todas.

Na manhã do dia seguinte, encontrei o prefeito. Mal coloquei o pé na sala dele e ele me disse que eu e Philippe Toussaint seríamos contratados como zeladores do cemitério a partir de agosto de 1997. Que receberíamos um salário mínimo cada um e uma casa, além de que as taxas de água, de luz e os impostos seriam pagos pela prefeitura. Depois quis saber se eu tinha alguma outra pergunta. Respondi rapidamente que não e vi Sasha sorrir.

Antes de nos deixar ir embora, o prefeito nos ofereceu chá de baunilha em saquinhos e biscoitos velhos, que ele mergulhou no líquido como uma criança. Sasha não teve coragem de recusar, apesar de detestar chá de saquinho.

— Um papel poroso preso em um barbante ridículo é a vergonha da nossa civilização, Violette, e eles têm a coragem de chamar isso de "progresso".

Enquanto comia os biscoitos, o prefeito me disse, consultando o calendário:

— O Sasha deve ter avisado a você, mas com certeza vai ver de tudo um pouco. Há uns vinte anos, tivemos ratos no nosso cemitério, muitos ratos. Chamamos a dedetização, que espalhou arsênico em pó por entre os túmulos, mas os ratos continuaram destruindo tudo e ninguém mais tinha coragem de pôr os pés no cemitério. Parecia que estávamos em *A peste*, de Camus. O dedetizador aumentou as doses de veneno, mas nada acontecia. Da terceira vez, ele pôs as mesmas iscas, mas, em vez de ir embora, ele se escondeu para entender, ver como os ratos estavam se comportando. Bem, a senhora não vai acreditar, mas uma velhinha chegou com uma vassoura e uma pá e pegou todo o arsênico em pó. Fazia meses que ela vendia o veneno escondido! No dia seguinte, estávamos do jornal: "Tráfico de arsênico no cemitério de Brancion-en-Chalon"!

78

Há tantas coisas bonitas que você desconhece:
a fé que derruba montanhas,
a fonte branca em sua alma.
Pense nisso quando adormecer.
O amor é mais forte do que a morte.

— Todo túmulo é uma lixeira. São os restos que enterramos aqui, as almas estão em outro lugar.

Depois de murmurar essas palavras, a condessa de Darrieux vira um copo de aguardente de uma vez só. Acabamos de enterrar Odette Marois (1941-2017), a esposa do grande amor dela. A condessa retoma o controle das emoções sentada à mesa da minha cozinha.

Ela assistiu à cerimônia de longe. Os filhos de Odette sabiam que ela havia sido amante do pai deles, a rival da mãe, por isso a ignoram.

Agora a condessa vai poder pôr os girassóis no túmulo do amante sem que eu as encontre no fundo da lixeira, com as pétalas arrancadas.

— É como se eu tivesse perdido uma velha amiga... Mas a gente se odiava. Mas, bem, no fundo, as velhas amigas sempre se odeiam um pouco. E, além disso, estou com ciúme. É ela quem vai encontrar meu amante primeiro. O pior é que a vagabunda teve a preferência a vida inteira.

— A senhora vai continuar colocando flores no túmulo dele?

— Não. Agora que ela está lá embaixo com ele, não. Seria muita indelicadeza da minha parte.

— E como você conheceu seu grande amor?

— Ele trabalhava para o meu marido. Cuidava dos estábulos. Era um homem bonito. Se você tivesse visto a bunda dele... Os músculos, o corpo, a boca, os olhos! Até hoje fico arrepiada. Fomos amantes durante vinte e cinco anos.

— Por que vocês não abandonaram seus respectivos cônjuges?

— A Odette ameaçou se suicidar. "Se você me deixar, eu me mato." Além disso, cá entre nós, Violette, para mim, foi bom. O que eu teria feito com um grande amor vinte e quatro horas por dia? Isso dá trabalho! Eu nunca soube fazer nada com as mãos, a não ser ler e tocar piano. Ele logo teria cansado de mim. Desse jeito, a gente rolava na cama quando queria, e eu estava sempre arrumada, hidratada, perfumada, em forma. Meus dedos nunca federam a cozinha ou a leite coalhado. E isso, pode acreditar, os homens adoram. Devo confessar que era uma situação confortável. Eu viajava pelo mundo nos braços do meu marido, por hotéis chiques, piscinas e banhos nos mares do Sul. Voltava para casa bronzeada, disponível, descansada, encontrava meu grande amor e, então, nós nos amávamos com ainda mais paixão. Eu tinha a sensação de ser Lady Chatterley. Claro que sempre o fiz pensar que o conde, vinte anos mais velho do que eu, não me tocava mais, que dormíamos separados. E ele me dizia que a Odette não ligava para sexo. Nós mentíamos um para o outro por amor, para não nos destruir. Sempre que escuto "La chanson des vieux amants", choro um pouquinho... E, falando em pouquinho, eu gostaria de uma última dose da sua aguardente, Violette. Hoje preciso muito dela... Sempre que encontrava a Odette, ela me encarava. Eu adorava isso... Eu sorria para ela de propósito. Meu marido e meu amante morreram um mês depois do outro apenas. Os dois de infarto. Foi horrível. Perdi tudo de uma hora para a outra. A terra e a água. O fogo e o gelo. Foi como se Deus e Odette tivessem reunido forças para me derrotar. Mas, bem, tive uma vida boa, não posso reclamar... Agora, meu último pedido é ser cremada e que minhas cinzas sejam jogadas ao mar.

— A senhora não quer ser enterrada perto do conde?

— Ficar perto do meu marido por toda a eternidade? De forma alguma! Eu teria um medo danado de morrer de tédio!

— Mas acabou de me dizer que são os restos que enterramos aqui.

— Até os meus restos ficariam entediados perto do conde. Ele era um saco.

Nono e Gaston entram para tomar um café. Parecem surpresos por me verem gargalhar. Nono fica vermelho. Ele tem uma quedinha pela condessa. Sempre que a vê, fica vermelho como um adolescente.

O padre Cédric chega alguns minutos depois e beija a mão dela.

— E então, padre, como foi?

— Foi um enterro, condessa.

— Os filhos dela tocaram alguma música?

— Não.

— Ah, que idiotas... A Odette adorava Julio Iglesias.

— Como a senhora sabe disso?

— Uma mulher sabe tudo sobre a rival. Os hábitos, o perfume, os gostos. Quando um homem chega na casa da amante, tem que sentir que está de férias, não em casa.

— Nada disso é muito católico, condessa.

— Padre, as pessoas têm que pecar, senão o seu confessionário ficaria vazio. O pecado é o seu capital. Se as pessoas não fizessem nada de errado, não haveria ninguém nos bancos da sua igreja.

A condessa procura Nono com o olhar.

— Norbert, você me faria a gentileza de me levar, por favor?

Nono fica atônito e ainda mais vermelho.

— Claro, condessa.

Assim que o Nono e a condessa passam pela porta, Gaston quebra sua xícara. Eu me abaixo para recolher os pedaços de porcelana com a vassoura e a pá.

— Será que o Nono vai acabar pegando a condessa? — sussurra Gaston para mim.

79

No tempo que liga o céu e a terra
se esconde o mais belo dos mistérios.

Diário de Irène Fayolle

29 de maio de 1993

Paul está doente. Segundo nosso médico da família, está com os sintomas de uma complicação no fígado, no estômago ou no pâncreas. Paul está sofrendo e não se cuida. Curiosamente, em vez de fazer exames e de pedir o parecer médico de especialistas, em uma semana ele visitou três videntes, que previram uma vida longa e feliz para ele. Paul nunca manifestou o menor interesse por médiuns ou por esse tipo de coisa. Ele me faz pensar naqueles ateus que começam a falar de Deus quando o barco deles afunda, e tenho a sensação de que ficou doente por minha causa; de que as mentiras que contei, para encontrar Gabriel em um quarto de hotel, acabaram por atingi-lo.

Lyon, Avignon, Châteauroux, Amiens, Épinal. Há um ano, Gabriel e eu exploramos camas como outras pessoas exploram países.

Marquei duas consultas para que Paul fizesse uma tomografia no instituto Paoli-Calmettes, mas ele não foi. Toda noite, digo que ele tem que se tratar logo. Ele sorri e me responde: "Não se preocupe. Vai ficar tudo bem."

Vejo que ele está sofrendo, emagrecendo. À noite, enquanto dorme, a dor o faz gemer.

Estou desesperada. O que ele quer? Ficou maluco ou virou um suicida?

Não quero forçá-lo a entrar no meu carro para levá-lo ao hospital. Já tentei de tudo — sorrisos, lágrimas, raiva —, mas nada parece afetá-lo. Ele está se deixando morrer, se afastando à deriva.

Supliquei para que falasse comigo, para que me explicasse por que está fazendo isso. Por que toda essa resignação. Ele foi se deitar.

Estou perdida.

7 de junho de 1993

Hoje de manhã, Gabriel ligou para o roseiral. Estava com a voz alegre. Ia trabalhar em Aix a semana toda, queria me ver, passar todas as noites comigo. Ele me disse que só pensava em mim.

Respondi que não podia; que não conseguiria deixar Paul sozinho.

Gabriel desligou na minha cara.

Peguei o globo de neve do balcão e o taquei com todas as minhas forças contra uma parede, aos gritos.

Nem era neve de verdade, só isopor. Não era nem amor de verdade, só noites em hotéis.

Nós enlouquecemos.

3 de setembro de 1993

Eu envenenei o chá de Paul. Coloquei um sedativo forte na bebida para que ele apagasse e eu pudesse chamar a ambulância.

Paul foi encontrado caído no meio da sala e levado para a emergência, onde foi examinado.

Ele está com câncer.

Está tão enfraquecido pela doença e pelos remédios que o fiz engolir que os médicos decidiram interná-lo por um período indeterminado.

Os exames toxicológicos de Paul demonstraram que ele havia consumido uma dose enorme de sedativos. Paul fingiu para os médicos que tinha sido ele que os havia tomado, que queria acabar com a dor. Disse isso para que eu não fosse questionada.

Expliquei minha atitude a Paul: eu não tinha escolha, foi a única solução que encontrei para que ele fosse enfim internado. Ele respondeu que ficava impressionado com o fato de eu o amar tanto. Achava que eu não o amava mais.

Às vezes, eu queria desaparecer com Gabriel. Mas só às vezes.

6 de dezembro de 1993

Liguei para Gabriel para contar sobre a operação e a quimioterapia. Explicar que teríamos que passar um tempo sem nos ver.

Ele respondeu: "Eu entendo." Em seguida, desligou.

20 de abril de 1994

Hoje de manhã, uma moça bonita e grávida entrou no roseiral. Ela queria comprar rosas antigas e peônias para plantar no dia em que o bebê nascesse. Nós conversamos sobre uma ou outra coisa. Principalmente sobre o jardim e a casa dela, voltada para o sudeste, o melhor para plantar rosas e peônias. Ela me disse que estava esperando uma menina, que era maravilhoso. Respondi que tinha um filho e que também era maravilhoso. Isso a fez rir.

É tão raro que eu faça alguém rir. Além do Gabriel. E do meu filho, quando era pequeno.

Na hora de pagar, a cliente fez um cheque, depois me entregou uma carteira de identidade, dizendo: "Desculpe, é a do meu marido. Mas o sobrenome e o endereço são os mesmos."

No cheque, vi que ela se chamava Karine Prudent e que morava em Mâcon, no Chemin des Contamines, 19. Então, notei a carteira de identidade com o nome de Gabriel. A foto, a data e o local de nascimento dele, o mesmo endereço em Mâcon, no Chemin des Contamines, 19, e sua digital. Levei alguns segundos para entender. Para fazer a conexão. Senti que eu estava ficando vermelha, que minhas bochechas pegavam fogo. A esposa de Gabriel me encarou sem abaixar os olhos, depois pegou a carteira de identidade das minhas mãos e a colocou no bolso interior do casaco, próximo ao coração, acima do seu futuro bebê.

Ela foi embora levando as plantas em uma caixa de papelão.

22 de outubro de 1995

Paul está melhorando. Fomos comemorar com Julien. Meu filho mora em um apartamento perto da faculdade. Neste momento, estou sozinha. Eu me sinto sozinha, assim como antes de ele ter nascido. Os filhos preenchem nossas vidas, depois deixam um vazio imenso.

27 de abril de 1996

Faz três anos que não tenho notícias do Gabriel. Em todos os meus aniversários, acho que ele vai se manifestar. Acho, acredito ou espero?

Sinto falta dele.

Imagino o jardim dele e da esposa, a filha, as peônias e as rosas. Imagino-o extremamente entediado; ele, que só gosta de brasseries *repletas de fumaça, de tribunais, de causas perdidas. E de mim.*

80

Fale comigo como você sempre falou.
Não use um tom diferente.
Não assuma um ar solene nem triste.
Continue a rir do que nos fazia rir juntos.

Setembro de 1997

Fazia quatro semanas que Philippe morava em Brancion-en-Chalon. Toda manhã, assim que abria os olhos, o silêncio o arrasava. Em Malgrange, havia movimento, carros e caminhões passando na frente da casa deles, parando quando Violette abaixava a cancela, quando a campainha tocava, o barulho dos trens que passavam. Ali, naquela cidade morna do interior, o silêncio dos mortos o aterrorizava. Até os visitantes andavam a passo de lesma. Apenas o sino da igreja, que tocava de hora em hora, lembrava, com seu timbre lúgubre, que o tempo passava e nada acontecia.

Fazia apenas quatro semanas que estava ali, mas ele já tinha horror àquele lugar. Aos túmulos, à casa, ao jardim, à região. Até aos coveiros. Quando a caminhonete deles passava pelos portões, Philippe os evitava. Ele os cumprimentava de longe. Não queria ser amiguinho daqueles três malucos. Um retardado que exigia ser chamado de Elvis Presley; outro que ria o tempo todo e pegava gatos machucados ou qualquer outro bicho, para cuidar; e um terceiro que se quebrava todo sempre que dava um passo para o lado, além de dar a impressão de ter saído de um hospício.

Philippe sempre havia desconfiado de homens que se interessavam por animais. Era coisa de mulherzinha ficar amolecido ao ver uma bola de pelos. Philippe sabia que Violette sonhava em ter gatos e cachorros, mas ele não queria. Tinha feito a esposa acreditar que era alérgico. A verdade era que ele tinha medo e achava nojento. Os animais lhe provocavam repulsa. O problema era que havia um monte de gatos no cemitério, porque Violette e dois dos três malucos os alimentavam.

Pela primeira vez, desde a mudança, um enterro estava programado para as três da tarde daquele dia. Ele saíra de manhã cedo para dar uma volta. Normalmente, voltava para o almoço, mas, naquele dia, ficara com medo de encontrar a família de luto e o rabecão. Por isso, havia passeado aleatoriamente pelos campos e chegado a Mâcon na hora do almoço.

Parado em um sinal vermelho, ele vira algumas crianças saírem de uma escola primária. Entre um grupo de menininhas, acreditara reconhecer Léonine. O mesmo cabelo, o mesmo penteado, a mesma aparência, o mesmo jeito de andar e, especialmente, o mesmo vestido. Rosa e vermelho de bolinhas brancas. Naquele instante, ele pensara: *E se Léonine não estivesse no quarto no momento em que tudo pegou fogo? E se Léonine ainda estivesse viva, em algum lugar? E se a tivessem roubado da gente?* Pessoas como Magnan e Fontanel eram capazes de tudo.

Ele havia desligado o motor da moto e se dirigido até a criança. Depois, ao se aproximar dela, tinha se lembrado de que a última vez que a vira, sua filha tinha sete anos. E que ela já não faria mais parte de um grupo de crianças alegres e saltitantes, mas sim de adolescentes; que não caberia mais no vestido rosa e vermelho, de bolinhas brancas.

Ao subir de novo na moto, o ódio voltou. O ódio à morte da filha. Ele morava ali, naquele lugar maldito, por causa *deles*.

Tinha entrado em um restaurante de beira de estrada, engolido um bife com batatas fritas e, mais uma vez, anotado no verso de uma toalha de papel:

Édith Croquevieille
Swan Letellier
Lucie Lindon
~~Geneviève Magnan~~
Éloïse Petit
~~Alain Fontanel~~

O que ia fazer com aqueles nomes? Nomes de culpados por estarem lá, culpados de negligência. Quem havia ligado a porra do aquecedor? E por quê? Teria Fontanel contado uma mentira para ele? Mas para quê? Como Geneviève Magnan estava morta, ele poderia simplesmente ter dito que ela era a culpada. Poderia ter dito que o fogo havia sido um acidente. Mantido a tese do acidente. Também poderia não ter dito nada. Pela primeira vez, Alain Fontanel parecera sincero, falando tudo de uma vez, sem parar, sem pensar. Mas suas palavras estavam embebidas em álcool. E a percepção que Philippe tivera também. Os dois estavam bêbados naquela sala de jantar do diabo.

Philippe havia relido aquela lista de nomes que ele anotava com enorme frequência. Tinha que ir até o fim. Encontrar os outros protagonistas cara a cara. Era tarde demais para não saber.

18 de novembro de 1997

Ao chamar uma paciente da sala de espera para entrar, Lucie Lindon reconhecera Philippe na hora. Ela se lembrava perfeitamente do rosto de cada pai e de cada mãe que havia visto no tribunal, os chamados "requerentes". Ela se lembrava do pai de Léonine Toussaint porque, no dia, ele estava sozinho e era extremamente bonito.

Era o único que estava sozinho, sem a esposa, entre os casais que formavam os pais de Anaïs, Nadège e Océane.

Ela depusera diante do olhar deles. Explicara que não pudera fazer nada naquela noite, a não ser retirar as meninas dos outros quartos e alertar o restante da equipe; que não havia ouvido as crianças se levantarem e irem até a cozinha.

Desde a morte das meninas, Lucie Lindon estava sempre com frio. Como se vivesse permanentemente no inverno. Podia se cobrir o quanto quisesse, estava sempre sentindo arrepios. A tragédia a mergulhara em um deserto gelado que a consumia tanto quanto o fogo consumira as crianças. Uma fina película de gelo tinha penetrado em sua pele. Ao ver o pai de Léonine, ela cruzou os braços, esfregando-os com as mãos, como se quisesse se esquentar.

O que ele estava fazendo ali? Nenhuma das famílias morava na região. Ele sabia quem ela era? Estava ali por acaso ou para falar com ela? Tinha marcado consulta ou queria falar com ela?

Sentado diante de uma janela, ele parecia esperar sua vez, o capacete da moto pousado ao lado dos pés. Toussaint. Lucie Lindon procurara esse sobrenome na agenda dos três médicos presentes naquela manhã no consultório em que era secretária, mas não o vira em lugar algum. Durante mais de duas horas, os médicos tinham vindo abrir a porta da sala de espera, mas nunca haviam chamado o Sr. Toussaint. Ao meio-dia, ele ainda estava ali, sentado na frente da janela. Além dele, dois outros pacientes esperavam para serem chamados. Meia hora depois, quando a sala de espera ficara vazia, Lucie Lindon entrara e fechara a porta atrás dela. Ele havia virado a cabeça em sua direção e a encarado. Loura, magra, bem bonita. Em outras circunstâncias, teria passado uma cantada nela. Apesar de nunca ter passado cantadas em ninguém, só se aproximado antes de se servir.

— Bom dia. O senhor tem consulta marcada?

— Quero falar com você.

— Comigo?

— É.

Era a primeira vez que ela ouvia a voz dele. Mas ficara decepcionada. A voz deixava transparecer um sotaque um pouco arrastado, rural. O interior não combinava com a plumagem. Ela pensara naquilo por dois segundos, depois entrara em pânico. Suas mãos haviam começado a tremer. Ela voltara a pousá-las nos braços e a esfregá-los, nervosa.

— Por que comigo?

— O Fontanel me disse que você pediu à Geneviève Magnan para cuidar das crianças no seu lugar naquela noite... É verdade?

Ele dissera aquilo sem nenhuma entonação específica. Nem raiva, nem ódio, nem paixão. Dissera aquilo sem se apresentar. Sabia que Lucie Lindon o conhecia e o identificara; que entenderia o significado das palavras "naquela noite".

Mentir não adiantaria nada. Lucie sentira que não tinha escolha. Fontanel. Só o nome já dava medo nela. Um cachorro velho e safado, com olhos maliciosos. Ela nunca havia entendido por que aquele homem havia sido contratado para trabalhar no castelo, perto de crianças.

— É. Eu pedi à Geneviève para me substituir. Estava com Swan Letellier no segundo andar. Acabei dormindo. Alguém bateu na porta, eu desci e vi... as chamas... Não pude fazer nada, sinto muito. Nada...

Philippe se levantara e fora embora sem se despedir. Até ali, Fontanel não mentira.

12 de dezembro de 1997

— Alguém detestava a senhora?

— Me detestava?

— Antes do incêndio, alguém podia ter raiva da senhora?

— Ter raiva de mim?

— Ter raiva da senhora a ponto de sabotar os equipamentos.

— Não estou entendendo, Sr. Toussaint.

— Os aquecedores instalados nos quartos do térreo estavam com defeito?

— Defeito?

Philippe pegara Édith Croquevieille pelo colarinho. Ele a havia esperado no estacionamento subterrâneo do supermercado Cora, em Épinal. Tinha sido em Épinal que ela havia ido morar com o marido depois de sair da prisão.

Philippe havia aguardado que ela voltasse com o carrinho, abrisse o porta-malas do carro e colocasse as compras nele. Ela precisava estar sozinha.

Quando o vira se aproximar, Édith levara alguns segundos para identificá-lo. Depois achara que ele estava lá para matá-la, não para fazer perguntas. Tinha pensado: *Pronto, acabou, estou vivendo meus últimos segundos de vida.* Ela convivia o tempo todo com a ideia de que, algum dia, um dos pais a mataria.

Depois de descobrir onde ela morava, Philippe passara dois dias observando a antiga diretora do castelo. Ela nunca saía de casa sem o marido. Ele a acompanhava a todos os lugares, como se fosse a sombra da sombra dela. Naquela manhã, pela primeira vez, ela havia saído sozinha de carro. E Philippe a seguira.

— Nunca bati em uma mulher, mas, se continuar a responder minhas perguntas com outras perguntas, vou quebrar a sua cara... E pode acreditar: não tenho nada a perder. Já perdi tudo.

Ele a soltou. Édith Croquevieille viu que os olhos azuis de Philippe haviam escurecido. Como se as pupilas dele tivessem dilatado sob o efeito da raiva.

— Para ser mais objetivo, é verdade que as crianças lavavam as mãos com água fria no quarto porque os aquecedores estavam podres?

Ela havia pensado por dois segundos.

— É — suspirara, bem baixinho.

— E a equipe toda sabia que não podia tocar nos aquecedores?

— Sabia... Fazia anos que eles não funcionavam.

— Uma criança poderia ter ligado um deles?

— Não. — Ela virara a cabeça para um lado e para o outro, nervosa, antes de responder.

— Por que não?

— Eles ficavam a mais de dois metros do chão e escondidos atrás de uma portinhola. Não havia esse risco.

— Quem poderia ter feito isso, apesar de tudo?

— Feito o quê?

— Ligado um dos aquecedores?

— Ninguém, óbvio. Ninguém.

— Magnan?

— A Geneviève? Por que ela teria feito isso? Coitada da Geneviève. Por que está falando dos aquecedores?

— A senhora se dava bem com o Fontanel?

— Claro. Nunca tive problema com meus funcionários. Nunca.

— E com um vizinho? Um amante?

O rosto de Édith Croquevieille se contorcera à medida que Philippe a bombardeava de perguntas. Ela não estava entendendo aonde ele queria chegar.

— Sr. Toussaint, até o dia 13 de julho de 1993, minha vida era tão certinha quanto um relógio suíço.

Philippe detestava aquela expressão. Sua mãe a usava com frequência. Philippe tivera vontade de matá-la. Mas de que adiantaria? Aquela mulher já estava morta. Bastava vê-la enfiada naquele casaco triste. Rosto triste, olhos tristes. Até os traços faciais pendiam. Ele dera as costas para ela e fora embora sem dizer uma palavra.

— Sr. Toussaint? — gritara Édith Croquevieille.

Ele se virara para ela, sem convicção. Não queria mais vê-la.

— O que o senhor quer?

Ele não havia respondido, apenas subido na moto e seguido na direção de Brancion-en-Chalon, contrariado. Estava com frio, cansado. Tinha ficado longe de casa por três dias e não dera notícia nenhuma a Violette. Queria voltar a se deitar em lençóis limpos. Queria jogar videogame, não pensar mais, retomar os velhos hábitos, não pensar mais...

81

Não sei se você está em mim
ou se estou em você, ou se você me pertence.
Acho que nós dois estamos dentro de outro ser
que criamos e que chamamos de "nós".

Gabriel Prudent não gostava das escolhas da esposa. Automaticamente caía no sono assistindo aos filmes que ela alugava na locadora Vidéo Futur, o templo dos VHS que ficava na esquina da rua. Ela sempre pegava comédias românticas. Gabriel preferia *A Aventura é uma Aventura*, de Claude Lelouche, do qual havia decorado os diálogos, ou Belmondo e Gabin em *Um Macaco no Inverno*.

Com exceção de Robert De Niro, no geral os ianques não o empolgavam mais. Contudo, ele nunca contrariava Karine. E adorava aquele ritual de domingo à noite, sentado no sofá, colado à esposa, os olhos fechados em seu calor, seu perfume de especiarias. Os diálogos em inglês eram sufocados pouco a pouco. Ao adormecer, ele imaginava atores bonitos, com penteados impecáveis, se encontrando, se destruindo, se separando, se encontrando outra vez em uma esquina para acabar se beijando e se abraçando. Karine o acordava com cuidado ao final do filme, com os olhos avermelhados por causa do melodrama cinematográfico.

— Meu amor, você dormiu de novo — dizia, achando aquilo engraçado e irritante.

Eles se levantavam, passavam pelo quarto da filha, que crescia rápido demais, a observavam, maravilhados, depois faziam amor antes que ele fosse para os tribunais na manhã de segunda-feira, em que acusados que clamavam a própria inocência o esperavam.

Naquela noite de 1997, Gabriel não dormiu. Assim que Karine pôs a fita no vídeo, que as primeiras imagens apareceram, ele foi sugado pela história. Quase devorado. Não viu um homem e uma mulher extraordinários encenarem uma comédia, e sim se apaixonarem diante de seus olhos. Como se ele, Gabriel, fosse uma testemunha privilegiada da história. Como na frente de todos aqueles desconhecidos que desfilavam pelo banco dos réus, que ele interrogava para a defesa ou para a acusação. Ele sentiu o olhar silencioso de Karine pousar sobre ele em vários momentos, estranhando o fato de ele não ter mergulhado em um sono abissal.

Nos últimos minutos do filme, a heroína, sentada ao lado do marido, decide não abrir a porta do carro para ir até o veículo em que o amante a espera. O amante, então, liga a seta para ir embora para sempre. Ao assistir a essa cena, Gabriel sentiu, pouco a pouco, que a barragem emocional, aquela que ele erguera havia quatro anos para esquecer Irène, estava cedendo sob a pressão de uma tempestade, de um ciclone, de uma catástrofe natural. Ele sentiu a chuva das últimas cenas do filme cair sobre ele. Viu-se de novo, ao voltar de Cap d'Antibes, esperando Irène no carro.

— Eu volto em cinco minutos. Só vou deixar a chave do furgão.

Ele a esperara por horas, com as mãos rígidas sobre o volante. Nos primeiros minutos, atrás do para-brisa, havia imaginado como seria a vida ao lado de Irène. Sonhara com um futuro em que teria outra pessoa. Mas a espera se eternizara.

Ele havia acabado largando o volante. Descera do carro para entrar no roseiral. Encontrara uma vendedora que não tinha visto Irène havia alguns dias. Ele a procurara pelas ruas, a esmo, desesperado, recusando-se a entender que ela não voltaria; que ela fizera a escolha de seguir a vida sem ele; que não mudaria por ele. Sem dúvida, por amor ao marido e ao filho. Contra sua vontade — uma expressão que havia ouvido muitas vezes durante os processos.

Ele voltara para o carro e, ao olhar pelo para-brisa, sob os faróis, vira a noite e mais nada.

Então, um dia, no escritório, tinham explicado a ele que Irène Fayolle havia pedido uma reunião. De início, ele pensara, de maneira tola, que devia ser outra pessoa com o mesmo nome. E, quando vira o número de telefone que sabia de cor, o número do roseiral que nunca tivera a coragem de discar, ele percebera que era ela.

Durante um ano, os dois haviam explorado Sedan, outros hotéis, outras cidades, até acontecerem a doença de Paul e o nascimento de Cloé. De um lado, a doença; do outro, a esperança.

Ele não tinha notícias de Irène havia mais de quatro anos. O que havia acontecido com ela? Como ela estava? Será que Paul tinha ficado bem? Ela ainda morava em Marselha? Ainda tinha o roseiral? Ele se lembrava do sorriso, da postura, do cheiro, da pele, das sardas, do corpo dela, do cabelo que ele adorava tanto despentear. Com ela nunca havia sido como com as outras mulheres; com ela tinha sido melhor.

Gabriel chorou diante da cena final do filme, quando os filhos jogaram as cinzas da mãe sobre uma ponte. No mundo de Gabriel, os homens não choravam. Nem nos vereditos mais loucos, mais inesperados, mais improváveis, mais felizes, mais desesperadores. A última vez que ele havia chorado devia ter sido quanto tinha oito anos. Tinha levado pontos em uma ferida na cabeça, sem anestesia, depois de uma queda de bicicleta.

Já Karine não chorou. Normalmente, diante de um melodrama como aquele, ela já estaria torcendo o lencinho, mas a atenção que Gabriel dedicara ao filme a impedira de sentir qualquer coisa que não fosse medo.

Ela se lembrou de Irène no roseiral. A elegância de suas mãos, a cor do cabelo, a pele clara, o perfume. Lembrou-se da manhã em que havia entregado a Irène a carteira de identidade de Gabriel, para mostrar que existia e que estava grávida.

Karine descobrira a existência de Irène quando o escritório de Gabriel deixara uma mensagem para ele: o responsável pelo Hotel des Loges, em Lyon, queria devolver coisas que Gabriel havia esquecido depois de sua estadia recente. Na semana anterior, o marido havia trabalhado no tribunal de Lyon. Karine ligara para o hotel, falara com o responsável, dera seu endereço pessoal a ele e recebera, dois dias depois, um pacote com duas camisas femininas de seda branca, um lenço Hermès e uma escova em que alguns fios de cabelo louros estavam presos. Karine de início pensara que tinha sido um erro, depois se lembrara da expressão triste que Gabriel demonstrara ao voltar de Lyon, apesar de ter ganhado a apelação que fora fazer. Ela havia pensado que ele estava doente, porque chegou com uma cara feia. Até tinha comentado isso, mas ele fizera um gesto de "besteira" com a mão e respondera com um sorriso sem graça que só estava cansado.

Na noite seguinte, Gabriel chamara por uma pessoa várias vezes enquanto dormia: Reine. Na manhã seguinte, Karine tinha comentado aquilo com ele.

— Quem é Reine?

Gabriel havia ficado vermelho e enfiado o nariz na xícara de café.

— Reine?

— Você chamou por esse nome a noite toda.

Gabriel havia soltado a risada que ela tanto amava, uma gargalhada forte.

— É a esposa do acusado — respondera ele. — Quando soube que o marido tinha sido absolvido, ela desmaiou.

Tinha sido a desculpa errada. Karine conhecia o caso. Quem estava sendo julgado era Cédric Piolet, cuja esposa se chamava Jeanne. Mas ela não havia nem piscado. Todos podem se confundir, ou ter um nome composto.

Por várias noites, Gabriel continuara a chamar por Reine enquanto dormia. Karine pusera aquilo na conta do trabalho, da pressão. Seu marido aceitava casos demais.

Quando havia conhecido Gabriel, ele era viúvo e estava separado da última companheira. Ela perguntara a ele se tinha alguém em sua vida.

— De tempos em tempos — respondera Gabriel.

Segurando as duas camisas de seda, que cheiravam a L'Heure Bleue, ela se lembrou disso. Karine jogara no lixo as roupas e o lenço perfumados por Guerlain, assim como a escova de cabelo.

Aquelas coisas não pertenciam a uma vagabunda de passagem por ali — era muito mais grave. Fazia alguns meses que Gabriel havia mudado. Quando voltava para casa, parecia estar em outro lugar. Parecia mergulhado em outra coisa, quase atormentado. Karine havia notado que ele estava bebendo mais vinho nas refeições. Quando comentara isso, Gabriel havia citado Audiard:

— Se fosse sentir falta de alguma coisa, não seria do vinho, mas da embriaguez.

Havia outra mulher nas mentiras de Gabriel.

Não tinha sido complicado encontrar o número que aparecia regularmente nas últimas faturas detalhadas do telefone. O mesmo número que chamava atenção nas semanas em que Gabriel não estava viajando, trabalhando no escritório oficial ou no de casa. Sempre perto das nove horas da manhã. Conversas que quase nunca ultrapassavam dois minutos. Como se eles quisessem se desejar bom dia e desligassem. Karine havia ligado para lá.

— Roseiral, bom dia — havia atendido uma jovem.

Karine tinha desligado. Ela ligara na semana seguinte e encontrara a mesma pessoa.

— Roseiral, bom dia.

— Olá, bom dia, minhas roseiras estão doentes. Estão com manchas amarelas estranhas na ponta das pétalas.

— De que tipo?

— Não sei.

— A senhora pode vir até aqui e trazer um ou dois ramos?

Karine ligara uma terceira vez.

— Roseiral, bom dia. — Sempre a mesma voz.

— Reine?

— Não desligue. Vou passar para ela. Quem quer falar com ela?

— É pessoal.

— Irène, alguém quer falar com você!

Karine tinha se enganado: não era Reine quem Gabriel chamava dormindo, mas Irène. Alguém tinha vindo pegar o telefone e, daquela vez, Karine havia ouvido uma voz feminina, mais grave, sensual:

— Alô.

— Irène?

— É.

Karine tinha desligado. Naquele dia, ela chorara muito. O "de tempos em tempos" de Gabriel era *ela*.

Para terminar, ela havia ligado uma quarta e última vez.

— Roseiral, bom dia.

— Bom dia, você pode me dar o endereço de vocês, por favor?

— Chemin du Mauvais-Pas, 69, no bairro Rose, sétimo distrito de Marselha.

Karine tirou a fita do vídeo e a colocou na capa. Gabriel ainda estava sentado no sofá, com vergonha por ter chorado. Daquela vez, ele estava com a cara de culpado igual à dos clientes que passava a vida defendendo.

— Quatro anos e meio atrás, quando estava grávida da Cloé, fui ver a Irène — informou Karine a Gabriel, enquanto guardava o filme na bolsa para não se esquecer de levá-lo quando saísse para trabalhar no dia seguinte.

Apesar de acostumado a enfrentar os casos mais complexos e sórdidos no tribunal, de todas as camadas da humanidade, Gabriel não soube o que responder à esposa. Ficou boquiaberto.

— Fui até Marselha. Comprei rosas e peônias brancas com ela. Na hora de pagar, me apresentei. Não plantei as flores no nosso jardim. Joguei tudo no mar... Como quando alguém morre.

Naquela noite, os dois não passaram pelo quarto da filha antes de ir para o deles e não fizeram amor. Na cama, deram as costas um para o outro. Ela não pregou os olhos. Ficou de olhos abertos, sem conseguir dormir, imaginando Gabriel se lembrando das cenas do filme que tinha acabado de ver e das cenas que vivera com Irène. Os dois nunca mais tocaram no assunto Irène. Separaram-se alguns meses depois daquele domingo. Por muito tempo, Karine se arrependeu de ter alugado *As Pontes de Madison*. E, ao contrário de Gabriel, ela nunca mais assistiu a ele, apesar de o filme ser exibido várias vezes na TV.

Diário de Irène Fayolle

20 de abril de 1997

Faz um ano que não toco neste diário. Mas não consigo me separar dele. Eu o escondo no fundo de uma gaveta, embaixo das minhas lingeries, como uma menininha. Às vezes, eu o abro e viajo por algumas horas. No fundo, as lembranças são grandes férias; são praias particulares. Abandonamos os diários depois de certa idade, e eu já passei dessa fase há muito tempo. Só posso acreditar que Gabriel sempre vai me levar de volta aos quinze anos.

Ele perdeu muito cabelo. Engordou um pouco. Seu olhar continua sério, bonito, escuro, profundo. Sua voz, grave, singular. Uma sinfonia. Minha favorita.

Encontrei Gabriel em um café perto do roseiral. Ele me deixou pedir chá, sem fazer nenhum comentário do tipo "É uma bebida triste", e não bebeu calvados. Eu o achei mais calmo. Parecia menos atormentado, menos irritado. Apesar de sempre ter sido um charme, Gabriel é um homem que vive enfurecido. Sem dúvida, por passar a vida carregando as acusações dos outros, refutando-as por eles. Uma noite, quando estávamos em Cap d'Antibes, ele me disse que a injustiça de certos vereditos acabaria com ele; que certas condenações penetravam seus ossos. Antes de uma série de cafés para me contar sobre os últimos anos, sua filha pequena, sua filha mais velha, que estava casada, sua última esposa, o divórcio, o trabalho, ele me pediu notícias de Paul e Julien. Especialmente de Paul, o câncer, a remissão. Dos dias que se seguiram à doença, quando fiquei sabendo que ele estava a salvo.

Gabriel me disse que entendia, que tinha parado de fumar, visto um filme que o havia abalado; que tinha pouco tempo, porque estava sendo esperado no tribunal de Lille no dia seguinte; tinha que pegar um avião, pois havia marcado com os colegas no fim da tarde. Foi a primeira vez que não me pediu para ir com ele, para acompanhá-lo. Ficamos uma hora juntos. Nos últimos dez minutos, ele segurou minhas mãos e, antes de ir embora, fechou os olhos e as beijou.

"Gostaria que a gente fosse enterrado junto. Depois desta vida cheia de oportunidades perdidas, eu gostaria que a gente pelo menos desse certo quando morresse. Você aceita passar a eternidade perto de mim?"

Aceitei, sem pensar.

"Desta vez você não vai desistir?"

"Não. Mas você só vai ter minhas cinzas."

"Mesmo em forma de cinza, quero você perto de mim por toda a eternidade. Os dois nomes juntos, Gabriel Prudent e Irène Fayolle. É tão lindo quanto Jacques Prévert e Alexandre Trauner. Você sabia que o poeta e o diretor de arte foram enterrados lado a lado? Acho que seria genial ser enterrado com nosso diretor de arte. Você, no fundo, foi minha diretora de arte. Você me ofereceu as mais belas paisagens."

"Você vai morrer, Gabriel? Está doente?"

"É a primeira vez que me chama assim. Não, não vou morrer. Bem, acho que não; não está previsto. É por causa do filme que mencionei há pouco. Ele me deixou abalado. Tenho que ir. Obrigado. Até logo, Irène. Eu te amo."

"Eu também te amo, Gabriel."

"Pelo menos temos isso em comum."

82

Aqui jaz meu amor.

Aconteceu em uma manhã de janeiro de 1998. Vi o nome deles apenas de relance. Aqueles nomes infelizes. Magnan, Fontanel, Letellier, Lindon, Croquevieille, Petit. Estavam dentro do bolso traseiro de uma calça jeans de Philippe Toussaint, quase ilegíveis. A lista havia passado pela máquina de lavar e a tinta escorrera como se alguém tivesse chorado por muito tempo sobre o papel cuspido. Eu pusera a calça para secar em cima do aquecedor do banheiro e, ao pegá-la de volta, vira alguma coisa cair dela. Era outro pedaço de papel dobrado em quatro, no qual, mais uma vez, Philippe Toussaint escrevera aqueles nomes.

— Por quê? — perguntei a mim mesma, e me sentei na borda da banheira, repetindo aquele questionamento várias vezes: — Por quê?

Fazia cinco meses que morávamos em Brancion-en-Chalon. Philippe Toussaint fugia todos os dias de duas maneiras: nos dias de chuva, com o videogame, e nos dias sem chuva, com a moto. Havia recuperado os mesmos hábitos que tinha em Malgrange, mas suas ausências haviam se tornado mais longas.

Ele fugia dos visitantes do cemitério, dos enterros, da abertura e do fechamento dos portões. Tinha muito mais medo dos mortos do que dos trens. Dos visitantes de luto do que dos passageiros. Encontrava outros motoqueiros para fazer ralis pelo campo. Circuitos longos que, acredito eu, acabavam em passeios extraconjugais. No fim de 1997, ele havia viajado por quatro dias seguidos. Voltara destruído e, curiosamente, de imediato eu vira, entendera, sentira que ele não havia encontrado uma de suas amantes, como de costume.

— Desculpe — tinha me dito ao chegar. — Eu devia ter ligado. A gente acabou indo mais longe do que o previsto e, no nosso itinerário, não tinha nenhum orelhão. A gente estava no meio do mato.

Era a primeira vez que Philippe Toussaint se justificava. A primeira vez que pedia desculpas por não dar sinal de vida.

Ele havia voltado no dia da exumação de Henri Ange, morto aos vinte e dois anos no campo de batalha, em 1918, em Sancy, na região de Aisne. Na lápide branca, ainda era possível ler as palavras "Saudades eternas". A eternidade de Henri Ange havia acabado em janeiro de 1998 e seus restos tinham sido jogados no ossário. Fora minha primeira exumação. Eu e os coveiros não havíamos conseguido poupar seu local de descanso. Seu túmulo vinha sendo destruído e consumido pelo musgo havia décadas.

Enquanto os coveiros abriam o caixão devorado pelo tempo, pela umidade e pelos vermes, eu ouvira a moto de Philippe Toussaint. Eu deixara a cargo deles a finalização do trabalho. Seguira até a casa, como de costume. Quando Philippe Toussaint voltava, eu o recebia... Como os empregados quando o proprietário retorna à casa.

Ele havia tirado o capacete lentamente. Estava com uma fisionomia horrível, os olhos cansados. Tomara um banho longo e depois almoçara em silêncio. Então, subira para tirar um cochilo, que se prolongou até a manhã do dia seguinte. Perto das onze da noite, eu havia me juntado a ele na cama. Ele se colara às minhas costas.

Na manhã seguinte, depois de tomar o café da manhã, ele saíra outra vez de moto, mas apenas por algumas horas. Mais tarde, ele me confessara que, naqueles quatro dias de ausência, tinha ido a Épinal falar com Édith Croquevieille.

Fazia cinco meses que morávamos ali e eu nunca voltara à casa de Geneviève Magnan para questionar Fontanel, nem ao restaurante em que Swan Letellier trabalhava. Não tentara descobrir onde moravam as duas monitoras para conversar com elas. A diretora devia ter saído da cadeia. Tinha pegado apenas um ano de regime fechado. Eu nunca havia voltado a passar na frente do castelo. Não ouvia mais a voz de Léonine me perguntando por que tudo pegara fogo naquela noite. Sasha estava certo: aquele lugar me curaria.

Logo eu encontrara meu lugar no cemitério, na casa, no jardim. Adorava a companhia dos coveiros, dos irmãos Lucchini e dos gatos, que vinham com cada vez mais frequência à minha cozinha, quando meu marido não estava: uns para tomar um café; outros, um pires de leite. Quando a moto de Philippe Toussaint estava estacionada na frente da porta que dava para a rua, eles nunca entravam. Não havia nenhuma amizade entre eles, apenas meros cumprimentos de bom dia e boa noite. Os homens do cemitério e Philippe Toussaint não tinham nenhum interesse uns pelos outros. Quanto aos gatos, fugiam como se ele tivesse a peste.

Apenas o prefeito, que nos visitava uma vez por mês, não se importava com o fato de Philippe Toussaint estar presente ou não. Era sempre comigo que ele falava. Parecia satisfeito com "nosso" trabalho. No dia 1º de novembro de 1997, depois de ter rezado no túmulo da família e visto os pinheiros que eu havia plantado, ele me pedira para cultivar e vender alguns vasos de flores no cemitério. Seria um extra. Eu aceitara.

O primeiro enterro de que tinha participado como zeladora do cemitério havia acontecido em setembro de 1997. A partir daquele dia, eu tinha começado a anotar os discursos fúnebres, a descrever as pessoas que estavam presentes, as flores, a cor do caixão, as homenagens feitas nas placas funerárias, o tempo que fazia no dia, os poemas ou as canções escolhidas, se um gato ou um passarinho tinha se aproximado do túmulo. Imediatamente, havia sentido a necessidade de deixar rastros daqueles últimos momentos, para que nada se apagasse.

Para todas as pessoas que não podiam comparecer à cerimônia por causa da dor, da tristeza, de uma viagem, da rejeição ou da exclusão, alguém estaria ali para dizer, testemunhar, contar, relatar. Como eu gostaria que tivessem feito no enterro da minha filha. Minha filha. Meu grande amor. Será que eu tinha abandonado você?

Sentada na beira da banheira, com o pedaço de papel nas mãos, aqueles nomes escorrendo sob meus olhos, senti uma vontade incontrolável de fazer como Philippe Toussaint e passear por algumas horas. Sair dali. Ir para outro lugar. Ver outras ruas, outros rostos, vitrines com roupas e livros. Voltar à vida, a um rio. Tirando as compras que fazia no pequeno centro da cidade, havia cinco meses que eu não saía do cemitério.

Fui procurar Nono para pedir que ele me levasse a Mâcon e voltasse para me buscar no fim da tarde. Ele perguntou se eu tinha carteira de motorista.

— Tenho.

Ele me estendeu a chave da van da prefeitura.

— Posso dirigir a van?

— Você é funcionária da cidade. Enchi o tanque hoje de manhã. Tenha um bom dia.

Peguei a estrada para Mâcon. Eu não tocava em um volante com aquela liberdade desde a última vez que dirigira o Fiat de Stéphanie. Fui dirigindo e cantando:

— Doce França, querido país da minha infância, embalado com tanto descuido, guardei-a em meu coração.

Por que cantei isso? As músicas do meu tio imaginário sempre me dominaram como lembranças que não existiam.

Estacionei no centro da cidade. Deviam ser umas dez horas, as lojas estavam abertas. Primeiro, tomei um café em um bistrô, observando as pessoas entrarem e saírem, andarem pelas calçadas, os carros pararem no sinal vermelho. Pessoas vivas que não estavam de luto.

Atravessei a ponte Saint-Laurent, margeei o rio Saône e caminhei sem destino pelas ruas. Naquele dia, nasceram meus armários de inverno e de verão. Eu me dei de presente um vestido cinza e uma camiseta de gola rolê rosa que estavam em promoção.

Na hora do almoço, quis me aproximar da região dos restaurantes para comprar um sanduíche. Fazia frio, mas o céu estava claro. Minha vontade era de almoçar em um banco na beira da água, de jogar o resto do pão para os patos. Mas acabei me perdendo, enquanto pensava no gato siamês que tinha salvado minha vida na noite em que havia esperado Swan Letellier. Acabei em ruas que não conhecia. Ao chegar em um cruzamento, acreditei ter me encontrado, mas, em vez de pegar a direção certa, me afastei do centro. As ruas eram margeadas por casas e prédios. Observei as cercas, os balanços vazios, os jardins de inverno cobertos com lonas naquele janeiro frio.

Foi naquele momento que a vi, apoiada no descanso, com uma trava prendendo uma das rodas: a moto de Philippe Toussaint, estacionada a cem metros de mim. Meu coração começou a bater como o de uma menininha que sai de casa sem a permissão dos pais. Quis dar meia-volta na mesma hora, mas alguma coisa me impediu — eu queria saber o que ele estava fazendo ali. Quando ele saía, por volta das onze horas da manhã, e voltava às quatro da tarde, eu não imaginava que ia tão longe. Às vezes, de volta em casa, ele me contava o que tinha visto. Era comum que rodasse mais de quatrocentos quilômetros em um dia. Ao ver a Honda dele, pensei em como sempre a vira estacionada na frente da nossa casa. Philippe Toussaint nunca havia se oferecido para me levar a lugar algum. Nunca houvera dois capacetes na casa, apenas o dele. E quando ele comprava um novo, vendia o antigo.

Levei um susto com um cachorro que latiu atrás de uma cerca. No mesmo instante, eu o vi pela janela de um prédio de gramado amarelado, do outro lado da rua. Ele atravessou um cômodo no térreo e eu reconheci sua silhueta, sua postura ridícula, a jaqueta que se apressava para vestir, a cara de fuinha, a magreza: Swan Letellier. Senti minhas mãos formigarem, como se tivesse ficado na mesma posição por muito tempo. Ele estava em um prediozinho de três andares, feito de concreto e pintado com cores pastéis bem gastas.

Varandas antigas, com parapeitos desgastados, deixavam expostas as feridas do tempo. Algumas jardineiras vazias ainda se prendiam a elas, mas elas pareciam ter vivido muitas primaveras e poucas flores.

Swan Letellier apareceu no saguão, abriu uma porta de alumínio e andou pela calçada em frente ao prédio. Eu o segui até que entrasse no bar da esquina. Ele foi até os fundos, onde Philippe Toussaint o esperava. Sentou-se à mesa, diante de Philippe. Os dois conversaram com calma, como dois velhos conhecidos.

Philippe Toussaint estava tentando reconstituir a história, mas qual? Estava procurando alguém, alguma coisa. Por isso aquela lista, sempre a mesma, escrita no verso de contas de restaurante e em pedaços de papel, como se quisesse resolver um enigma.

Através do vidro, eu só conseguia ver o cabelo de Philippe. Como na primeira noite na Tibourin, quando ele estava de costas para mim; quando eu ficara contemplando do bar suas mechas louras que ganhavam tons de verde, vermelho ou azul sob os projetores. Elas haviam ficado um pouco grisalhas, e o arco-íris da juventude tinha se apagado. O prisma de luz através do qual eu o admirava também. Pensei em como fazia anos que, quando olhava para ele, o céu estava sempre cinzento. As meninas bonitas que murmuravam gentilezas no ouvido dele enquanto eu analisava seu perfil perfeito tinham desaparecido. Só deviam restar mulheres flácidas em camas aleatórias. O cheiro que elas deixavam na pele dele havia mudado, as fragrâncias refinadas tinham se tornado perfumes baratos.

Os dois estavam sozinhos nos fundos do salão do bistrô escuro. Eles conversaram por quinze minutos. Depois, Philippe Toussaint se levantou, de forma brusca, para ir embora. Mal tive tempo de me esconder em um beco ao lado do bar. Ele deu partida na moto e foi embora.

Swan Letellier continuou no bar. Estava terminando o café quando me aproximei dele. Percebi que ele não havia me reconhecido.

— O que ele queria?

— Oi?

— Por que o senhor estava falando com Philippe Toussaint?

Assim que me identificou, a expressão de Letellier enrijeceu.

— Ele me disse que as meninas foram asfixiadas com monóxido de carbono — respondeu em tom seco. — Que alguém teria ligado um aquecedor ou sei lá o quê. Seu marido está procurando um culpado que não existe. Se a senhora quiser um conselho, seria melhor vocês dois esquecerem isso.

— Pode enfiar seu conselho você sabe onde.

Os olhos de Letellier se arregalaram. Ele não teve coragem de dizer mais nada. Saí para a rua e vomitei bile na calçada, como se estivesse bêbada.

83

As pessoas têm estrelas que não são iguais. Para os que viajam, as estrelas são guias. Para outros, são apenas pequenas luzes.

— Às vezes, eu me arrependo de ter colocado a Léonine de castigo quando ela me desobedecia ou fazia manha. Eu me arrependo de ter tirado ela da cama para ir à escola quando queria dormir mais um pouco. Eu me arrependo de não ter entendido que ela estava apenas de passagem... Mas nunca me arrependo por muito tempo. Prefiro pensar nas lembranças boas, continuar vivendo com o que ela me deixou de alegria.

— Por que você não teve outros filhos?

— Porque não era mais mãe, só órfã. Porque eu não tinha o pai necessário para meus outros filhos... Além disso, é difícil para as crianças serem "as outras", "as que vêm depois".

— E agora?

— Agora já estou velha.

Julien cai na gargalhada.

— Shhh!

Ponho uma das mãos sobre sua boca. Ele pega meus dedos e os beija. Estou com medo. Medo de como minha casa está bagunçada. Medo das portas do carro que vão bater daqui a algumas horas. Medo de dar com a cara na parede com esse caso que não é um caso.

Nathan e o primo Valentin estão dormindo no sofá, ao nosso lado. Podemos ver seus corpinhos sob o emaranhado de lençóis e cobertas, um virado para cada lado. O cabelo preto deles nos travesseiros brancos, como um pedaço de campo aparecendo de repente, uma trilhazinha com cheiro de avelã. Pôr a mão no cabelo de uma criança é como caminhar sobre folhas mortas na floresta no início da primavera.

Julien, Nathan e Valentin chegaram da Auvérnia ontem à noite. Enquanto estavam em Pardons, Nathan tinha enchido o saco do pai:

— Não quero voltar para Marselha, quero ir para a casa da Violette. Não quero voltar para Marselha, quero ir para a casa da Violette...

Então, Julien cedeu e seguiu em direção ao cemitério. Eles chegaram perto das oito da noite, depois do fechamento dos portões. Bateram na porta da rua, mas eu não os ouvi. Estava na horta, espalhando as últimas sementes de alface. Os dois meninos apareceram atrás de mim, na ponta dos pés:

— Somos zumbis!

Éliane latiu e os gatos se aproximaram como se ainda se lembrassem de Nathan.

Ontem à noite, eu queria ficar sozinha, porque estava me sentindo cansada, queria dormir cedo, assistir a uma série na cama. Não falar. Sobretudo, não falar mais. Fiz de tudo para não demonstrar que não queria vê-los. Queria estar feliz com aquela surpresa. Mas não estava. Achei que Nathan falava alto demais, que Julien era jovem demais.

Julien nos esperava na cozinha.

— Desculpe por aparecer assim — disse ele, envergonhado —, mas meu filho está apaixonado por você... Podemos levar você para jantar? Já reservei meu quarto na casa da Sra. Bréant.

Assim que ele abriu a boca, senti a solidão me largar como uma pele morta. Foi como se sua voz tivesse feito algo se iluminar, como se ele tivesse acendido uma lâmpada acima da minha cabeça. Como quando um dia está horrível, mas aí o tempo abre e o sol aparece do nada para iluminar alguns pontos da paisagem. Queria os três aqui.

Não íamos a restaurante algum — eles iam jantar na minha casa. Não iam dormir na casa de ninguém, iam dormir aqui. Preparei *croque-monsieurs*, macarrão, ovos fritos e uma salada de tomates para eles. Julien me ajudou a pôr a mesa. De sobremesa, eu tinha sorvete de morango no congelador. Ter balas, sorvete, bolos de chocolate na gaveta e iogurtes na geladeira é um costume, assim como segurar a mão de Nathan.

Fiz Julien tomar muito vinho branco para que ele não pudesse mudar de opinião, não fosse dormir na casa da Sra. Bréant, e ficasse na minha, comigo.

Depois de tirar os pratos sujos, transformei o sofá grande em uma cama para os meninos. Era nele que eu dormia na época em que vinha visitar Sasha. Os garotos deram gritos e começaram a pular sobre a cama improvisada, enquanto as pobres molas velhas do sofá rangiam de alegria.

Antes de deitar, os dois me imploraram para levá-los para um passeio pelo cemitério, para que pudessem "ver os fantasmas". Eles me fizeram um monte de perguntas enquanto liam os nomes nas lápides. Perguntaram por que certos túmulos estavam muito floridos e outros, não. Leram as datas e me disseram que a maior parte dos mortos era mesmo muito velha.

Muito decepcionados por não encontrarem nenhum fantasma, eles me pediram para contar "histórias assustadoras". Contei a de Diane de Vigneron e Reine Ducha, que teriam sido vistas perto do cemitério, na beira da estrada ou nas ruas de Brancion-en-Chalon. Os meninos começaram a ficar pálidos. Então, para tranquilizá-los, falei que eram só lendas e que eu nunca as havia visto.

Julien nos esperava em um banco do jardim. Fumava um cigarro enquanto fazia carinho em Éliane, perdido em seus pensamentos. Sorriu quando os garotos contaram que não tínhamos visto nenhum fantasma, mas que outras pessoas já tinham encontrado alguns dentro e ao lado do cemitério. Eles insistiram para que eu mostrasse as representações do fantasma de Diane nos cartões-postais antigos. Fingi que os tinha perdido.

Nós quatro voltamos para casa. Os meninos verificaram três vezes se as portas estavam trancadas com duas voltas da chave. Deixei a luz do corredor que leva até o meu quarto acesa, mas, quando viram as bonecas da Sra. Pinto, pediram uma luz acesa para cada um.

Julien e eu subimos, tentando não derrubar as bonecas. Ele ia atrás de mim. Em dado momento, parei de andar. Senti sua respiração na minha nuca. Ele acariciou minha lombar.

— Rápido — murmurou.

Mal tínhamos fechado a porta e os dois meninos a reabriram para vir se deitar na minha cama. Eles ficaram deitados entre nós até dormirem. Fizemos carinho na cabeça deles e, de tempos em tempos, nossas mãos se encontravam, se tocavam, unidas sobre o cabelo de Nathan.

Depois descemos para o sofá para fazer amor. Perto das quatro da manhã, os meninos ergueram nossos lençóis para se agarrar a nós. Estávamos espremidos como sardinhas. Eu não preguei o olho, ouvindo a respiração deles. Escutei tudo, como as sonatas de Chopin que Sasha colocava para tocar o tempo todo.

Às seis da manhã, Julien me pegou pela mão e nós subimos para meu quarto mais uma vez para fazer amor. Não achei que voltaria a fazer amor várias vezes com o mesmo homem. Apenas com alguém de passagem. Um desconhecido. Um visitante. Um viúvo. Alguém desesperado. Só uma vez, para passar o tempo.

Agora, estamos sussurrando, nosso nariz enfiado na xícara de café. Minhas mãos cheiram a canela e tabaco. Meu corpo cheira a amor, rosa e suor. Meu cabelo está todo despenteado, meus lábios, rachados. Estou com medo. Daqui a pouco, quando Julien for embora, porque ele vai, a solidão vai voltar para me fazer companhia, fiel e imortal.

— E você? Por que você não teve outros filhos depois do Nathan?

— Pelo mesmo motivo. Não achei a mãe necessária.

— Como está a mãe do Nathan?

— Apaixonada por outro homem. Ela me deixou para ficar com ele.

— É difícil.

— Ah, é, muito difícil.

— Você ainda a ama?

— Acho que não.

Ele se levanta e me beija. Seguro o fôlego. É tão gostoso ser beijada em dias bonitos. Eu me sinto desajeitada, uma zero à esquerda. Esqueci até os gestos mais comuns. Aprendemos a salvar vidas, mas nunca a reanimar a nossa pele e a de outro.

— Assim que os meninos acordarem, vamos embora.

— ...

— Se você tivesse visto sua cara quando chegamos... Caramba, eu fiquei mal... Se o Nathan não estivesse aqui, eu teria saído correndo.

— É que não estou mais acostumada...

— Eu não vou mais voltar, Violette.

— ...

— Não quero transar com você uma vez por mês no seu cemitério.

— ...

— Você vive com os mortos, os romances, as velas e alguns goles de vinho do Porto. Tem razão, não tem espaço para um homem aqui. E ainda mais um homem que tem um filho.

— ...

— E eu vejo nos seus olhos que você não acredita na nossa história.

— ...

— Fale, por favor. Diga alguma coisa.

— Você sabe que nosso caso não vai durar.

— Claro que sei. Bem, na verdade, não sei de nada. É você quem sabe. Mande notícias de vez em quando. Mas não com muita frequência, senão vou ficar esperando.

84

Estamos aqui, hoje, na beira do abismo
porque estamos procurando
em todos os cantos
o rosto que perdemos.

Diário de Irène Fayolle

13 de fevereiro de 1999

Não sei como Gabriel soube da morte de Paul. Eu o vi de longe, hoje de manhã, no cemitério de Saint-Pierre. Afastado, escondido atrás de outro túmulo, como um ladrão.

Estávamos enterrando meu marido, e eu só tinha olhos para Gabriel. Quem sou eu? Que espécie de monstro eu sou?

Baixei os olhos para fazer uma oração em silêncio para Paul e, quando os ergui de novo, Gabriel tinha desaparecido. Meus olhos o procuraram desesperadamente, vasculhando cada cantinho do cemitério, em vão.

Comecei a chorar como uma "viúva".

Quando uma mulher perde o marido, ela é chamada de viúva. Mas quando uma mulher perde o amante, do que ela é chamada? De canção?

8 de novembro de 2000

Vou vender o roseiral.

30 de março de 2001

Hoje de manhã, Gabriel me ligou. Ele me liga mais ou menos uma vez por mês. Sempre que atendo, ele parece surpreso por estar ouvindo minha voz. Ele sempre me faz algumas perguntas: "Como você está?", "O que está fazendo?", "Como está vestida?", "Seu cabelo está preso?", "O que você está lendo agora?", "Tem ido ao cinema nos últimos tempos?". Parece estar garantindo que eu existo de verdade. Ou que ainda existo.

27 de abril de 2001

Gabriel veio almoçar na minha casa. Ele adorou meu apartamento novo. Disse que tem meu estilo.

"Os cômodos são iluminados e têm um cheiro bom, igual a você."

Ele achou engraçado quando soube que moro na rua Paradis.

"Por quê?"

"Porque você é o meu paraíso."

"Sou seu paraíso intermitente."

"Sabe as ondas que desenham os batimentos do coração em um eletrocardiograma?"

"Sei."

"As ondas do meu coração são você."

"Você é um grande falastrão."

"Espero que sim. As pessoas me pagam uma fortuna para ser assim."

Ele me disse que eu não sabia cozinhar, que tinha mais talento para cultivar flores do que para cozinhar um animal em uma panela.

E me perguntou se eu não sentia falta do trabalho.

"Não. Na verdade, não. Talvez um pouco das flores".

Depois, ele me perguntou se podia fumar na cozinha.

"Pode. Você voltou a fumar?"

"Voltei. É que nem com você. Não consigo largar."

Como sempre, ele me falou dos casos de que estava cuidando, da filha mais velha, de quem tinha muito pouca notícia, e da mais nova, Cloé. Ele me explicou que sentia tanta falta da caçula que provavelmente ia acabar voltando a morar com a mãe dela.

"É, para poder voltar a morar com a minha filha, vou ter que voltar a conviver com a Karine. E não sou muito fã de repetições."

Também me pediu notícias de Julien.

Antes de ir embora, ele me deu um beijo na boca. Como se fôssemos adolescentes. "Amor" é masculino ou feminino?

22 de outubro de 2002

Hoje é dia de Gabriel.

Agora, sempre que vem à Marselha, ele passa para almoçar na minha casa. Pede dois pratos do dia no restaurante do térreo do prédio (porque minha comida é horrível: "Não tem manteiga, creme de leite nem molho suficiente, você cozinha tudo na água, eu prefiro que meus legumes sejam cozidos no vinho").

Ele toca minha campainha com nossa comida em embalagens de alumínio. Sempre come o que sobra do meu prato. De modo geral, eu como pouco. Mas quando Gabriel está na minha cozinha, como menos ainda.

Ele voltou a morar com Karine, para ficar perto de Cloé. Foi o que ele disse. Aliás, eu lembro isso a ele: "Isso é o que você diz." Ele me responde: "Não tenha ciúmes. Você não precisa ter ciúmes. De ninguém."

"Não estou com ciúmes."

"Está, sim, um pouquinho. Eu tenho ciúme, por exemplo. Você está saindo com alguém?"

"Com quem você quer que eu saia?"

"Não sei, um amante, um homem, vários homens. Você é bonita. Eu sei que as pessoas olham para você quando entra em algum lugar. Sei que desejam você aonde quer que você vá."

"Estou saindo com você."

"Mas a gente não dorme junto."

"Quer terminar minha comida?"

"Quero."

5 de abril de 2003

Hoje é dia de Gabriel.

Ele me ligou ontem à noite. Vai passar na minha casa no fim da tarde, depois do julgamento. Preciso comprar uma garrafa de Suze, o aperitivo que Gabriel adora.

Existem os dias vazios. E os dias de Gabriel.

25 de novembro de 2003

Ontem à noite, Gabriel chegou tarde. Comeu um resto de sopa, um iogurte e uma maçã. Também tomou um copo de Suze. Vi que foi para me agradar.

"Se eu dormir, amanhã de manhã, me acorde às sete, por favor."

Falou aquilo como se estivesse acostumado a dormir na minha casa, apesar de isso nunca ter acontecido. Vinte minutos depois, ele adormeceu no meu sofá. Pus um cobertor em cima dele. Não consegui pregar o olho porque ele estava no cômodo ao lado. O homem da porta ao lado. Durante a noite toda, fiquei pensando: Gabriel é meu homem da porta ao lado. Então, eu me lembrei de um trecho do filme de Truffaut, A Mulher do Lado*, quando Fanny Ardant sai do hospital e diz ao marido, pensando no amante que vai matar: "Que bom, você me trouxe a camisa branca. Eu a adoro (ela a cheira) porque é branca."*

Hoje de manhã, encontrei Gabriel deitado de bruços. Tinha tirado os sapatos. A sala estava com cheiro de cigarro. Ele se levantara durante a noite para fumar. Havia uma janela entreaberta.

Arrependi-me por não ter feito ele se juntar a mim em minha cama. Ele tomou uma ducha, engoliu um café. Entre os goles, me disse: "Você é linda, Irène." Como sempre, antes de ir embora, me deu um beijo na boca. Quando chega, Gabriel inspira no meu pescoço por um bom tempo. Quando vai embora, Gabriel me dá um beijo na boca.

22 de julho de 2004

Decidi dormir com Gabriel. Na nossa idade, podemos fazer o que quisermos. Além disso, não vamos gozar na eternidade. Assim que abri a porta do meu apartamento, Gabriel percebeu, viu, entendeu, sentiu que eu o queria.

"Ai, lá vêm os problemas", disse ele.
"Não vai ser a primeira vez."
"Não, não vai ser a primeira..."
Não o deixei terminar a frase.

85

Não fiquem chorando em volta do meu caixão,
não estou lá, não estou dormindo.
Sou os milhares de ventos que sopram.

Minha lista para o Nono está pronta. Este ano, assim como nos anteriores, é ele quem vai me substituir; é ele quem vai regar as flores nos túmulos das famílias que saem de férias. Já Elvis vai cuidar da Éliane e dos gatos. O padre Cédric vai tomar conta da horta e das flores do jardim. Confiei a ele a ficha escrita pelas mãos de Sasha — fez uma para cada mês.

AGOSTO

Prioridade do mês: irrigação.

É preciso regar à noite, porque a noite sempre é mais fresca, mas não cedo demais, senão a água evapora imediatamente, já que a terra ainda está quente. Ou seja, regar cedo demais seria como mijar em um violino.

É preciso regar quando a noite cair, com um regador — usar água do poço ou da chuva. O regador é mais suave do que a mangueira. Se regar com a mangueira, vai sovar a terra e ela não vai respirar mais. A terra tem que respirar. É por isso que, de tempos em tempos, é preciso arar com cuidado a área ao redor das plantas, para arejá-la.

Colher os legumes maduros.

Os tomates podem esperar alguns dias.

As berinjelas, a cada três dias, senão elas crescem e endurecem.

As vagens, todos os dias. E elas devem ser consumidas imediatamente. Fazer uma conserva com elas, ou congelá-las depois de limpá-las, ou doá-las para os conhecidos.

A mesma coisa para o resto. Não esqueça que cultivamos para compartilhar, senão, não adianta de nada.

O padre Cédric não vai cuidar da horta sozinho. Desde a destruição da Selva de Calais, várias famílias sudanesas estão abrigadas no castelo de Chardonnay. Ele vai até lá três vezes por semana para ajudar os voluntários. Um jovem casal, Kamal e Anita, de dezenove anos, está esperando um bebê. O padre Cédric obteve autorização da prefeitura para acolher os dois em casa. Vai tentar protegê-los o máximo de tempo possível depois do nascimento da criança. Até eles voltarem a estudar, se formarem e conseguirem um visto permanente. A situação é precária. O padre Cédric diz que está praticamente morando em um barril de pólvora, mas que é uma fragilidade com que ele convive de bom grado. E que, enquanto puder, vai aceitar aquela alegria, a de compartilhar seu cotidiano com uma família adotiva. Seja por um mês ou dez anos, ele vai ter vivido aquela experiência.

— Tudo é efêmero, Violette. Nós somos passageiros. Só o amor de Deus se mantém em todas as coisas.

Desde que moram na paróquia, Kamal e Anita passam todos os dias pela minha cozinha. Ao contrário dos outros, ficam mais tempo. Anita é completamente apaixonada por Éliane; e Kamal, por minha horta. Ele passa horas decifrando as fichas de Sasha e meus catálogos da *Willem & Jardins*, quando não me ajuda a cuidar da terra. É muito talentoso. Na primeira vez que falei que ele tinha o dedo verde, ele não entendeu.

— Mas, Violette, eu sou negro — respondeu, confuso.

Dei a Anita meu livro *O dia dos pequeninos*, com o método de aprendizado Boscher. Ela o lê para mim em voz alta e, quando erra ou trava em uma palavra, eu continuo sem olhar para o texto, porque sei tudo de cor.

Quando abriu o livro pela primeira vez, Anita me perguntou se era da minha filha, e eu respondi com outra pergunta.

— Posso pôr a mão na sua barriga?

— Pode, sim — respondeu ela.

Espalmei as duas mãos no algodão do vestido dela. Anita começou a rir, sentindo cócegas. O bebê me deu alguns chutes. Anita me disse que ele também estava rindo. Então nós três rimos na minha cozinha.

Se alguém morrer, se for necessário organizar um enterro, Jacques Lucchini vai me substituir. Como era preciso que eu desse alguma coisa para Gaston fazer durante minha ausência, pedi que ele pegasse minhas cartas e as guardasse na prateleira ao lado do telefone. Tenho quase certeza de que ele não vai conseguir quebrar uma das cartas.

Da minha cama, observo minha mala ainda aberta, em cima da cômoda. Vou terminá-la amanhã. Sempre levo coisas demais para Marselha. Não uso quase nada quando estou no chalé. Acabo carregando muita coisa "só para garantir".

A primeira vez que vi esta mala foi em 1998. Philippe Toussaint havia ido embora para sempre, mas eu ainda não sabia. Quatro dias antes, ele havia me beijado e sussurrado:

— Até logo.

Ia interrogar Éloïse Petit, a segunda monitora. A única com quem não falara.

— Depois, vou parar — tinha me dito ele. — Depois, vamos mudar de vida. Não aguento mais tudo isso nem esses túmulos. Vamos morar no Midi.

Ele mudou de vida sozinho.

No dia de Éloïse Petit, ele seguiu para outra direção. Em vez de ir vê-la, foi para Bron, para encontrar Françoise Pelletier.

Fazia quatro dias que eu estava sozinha. Eu estava ajoelhada nos fundos da horta, com a cara enfiada nas folhas de bico-de-papagaio que tinha prendido em varetas de bambu. Como sempre acontecia quando Philippe Toussaint não estava, os gatos tinham se aproximado da casa e brincavam de pique-pega e apostavam corrida ao meu redor. Um deles acabou derrubando uma bacia cheia de água, e todos levaram um susto e entraram em pânico em casa. Comecei a gargalhar loucamente. Ouvi uma voz conhecida me dizer da porta de casa:

— É bom ouvir você rir sozinha.

Achei que estava tendo uma alucinação; que o barulho do vento nas árvores estava me enganando. Ergui os olhos e vi a mala sobre a mesa da pérgola. Era azul como o Mediterrâneo em dias de muito sol. Sasha estava de pé à porta. Eu me aproximei dele e fiz carinho em seu rosto. Não acreditava mais que ele voltaria. Achava que ele havia me esquecido.

— Achei que você tivesse me abandonado.

— Nunca, está me ouvindo, Violette? Eu nunca abandonaria você.

Ele me contou sobre seus primeiros meses de aposentadoria de uma vez só. Tinha ido à casa de Sany, seu quase irmão, no Sul da Índia. A Chartres, Besançon, à Sicília e a Toulouse. Visitara palácios, igrejas, monastérios, ruas e outros cemitérios. Tinha nadado em lagos, rios e mares. Cuidado de costas doloridas, tornozelos torcidos e queimaduras superficiais. Estava voltando de Marselha, onde havia cuidado das jardineiras de plantas aromáticas da Célia. Queria me dar um beijo antes de ir para Valence, rezar nos túmulos de Verena, Émile e Ninon, sua esposa e seus filhos, que estavam enterrados lá. Depois, voltaria para a Índia, para ficar perto de Sany.

Tinha acabado de deixar suas coisas na casa da Sra. Bréant. Ia ficar dois ou três dias na casa dela, tempo suficiente de ver o prefeito, Nono, Elvis, os gatos e os outros.

A mala azul era para mim. Estava cheia de presentes. Chás, incenso, lenços, tecidos, bijuterias, diferentes tipos de mel, azeites, sabonetes de Marselha, velas, amuletos, livros, discos de Bach, sementes de girassol. Por todos os lugares que Sasha passou, ele comprou um presente para mim.

— Trouxe uma lembrança de cada viagem para você.

— A mala também?

— Claro. Você também vai embora um dia.

Ele deu uma volta no jardim, com lágrimas nos olhos.

— A aluna superou o mestre... — disse, por fim. — Eu tinha certeza de que você conseguiria.

Nós almoçamos juntos. Sempre que ouvia um motor ao longe, achava que podia ser Philippe Toussaint voltando. Mas não era.

Dezenove anos depois, é por outro homem que me vejo esperando. De manhã, quando abro os portões, procuro seu carro no estacionamento. Às vezes, nos corredores, quando ouço passos atrás de mim, me viro, pensando: *Ele está aqui, ele voltou.*

Ontem à noite, achei que alguém havia batido na minha porta da rua. Desci, mas não havia ninguém.

Isso apesar de eu não ter feito nada para impedir Julien na última vez que ele bateu a porta do carro e me disse "até qualquer dia", como se estivesse me dando adeus. Apenas sorri para ele.

— Sim, boa viagem de volta — respondi, fingindo tranquilidade.

Exatamente como se dissesse: "É melhor assim." Quando Nathan e Valentim acenaram para mim do banco traseiro do carro, percebi que não voltaria a ver os dois.

Desde aquela manhã, Julien me mandou apenas um sinal de vida. Um cartão postal de Barcelona para me avisar que Nathan e ele passariam os dois meses de férias lá. E que a mãe de Nathan ia encontrá-los algumas vezes.

O encontro entre Irène e Gabriel ajudaria Julien e a mãe de Nathan. Eu havia sido uma ponte, uma passagem entre eles. Tinha sido necessário que Julien passasse por mim para entender que não podia perder a mãe de seu filho. E, graças a Julien, eu sei que ainda posso fazer amor. Que posso ser desejada. Já está bom.

86

Nós viemos aqui procurar;
procurar algo ou alguém.
Procurar um amor mais forte do que a morte.

Janeiro de 1998

No dia em que Violette o havia visto conversando com Swan Letellier, em Mâcon, Philippe sentira um olhar em sua nuca. Uma presença familiar atrás dele. Mas ele não prestara atenção. Não de verdade. Não o suficiente para se virar. Swan Letellier o encarava. *Uma cara de rato.* A ideia já passara por sua cabeça no tribunal. Olhos pequenos e fundos, maçãs do rosto marcadas e boca fina.

— Me encontre no bar da esquina perto do meio-dia — havia dito Letellier ao telefone. — É tranquilo.

Assim como aos outros, Philippe havia feito as mesmas perguntas, com uma voz glacial, uma entonação e um olhar cheios de ameaça, dizendo:

— Não minta, não tenho nada a perder.

Ele insistia sempre na última pergunta: quem poderia ter ligado um aquecedor caindo aos pedaços?

Letellier parecia não ter conhecimento sobre o que havia acontecido naquela noite. Ele ficara branco como papel quando Philippe contara toda a confissão de Alain Fontanel: Geneviève Magnan e a visita ao filho doente; a volta ao castelo e o pânico ao encontrar os quatro corpos asfixiados pelo monóxido de carbono; a ideia de que o fogo poderia dar a entender que tinha sido um acidente; os chutes de Fontanel na porta de Letellier para acordá-lo e a toda a equipe.

Mas Letellier não havia acreditado naquela história. Fontanel era um alcoólatra. Devia ter contado um monte de besteiras a um pai que buscava uma explicação para o inexplicável.

Ele se lembrara dos baques surdos contra a porta; de ter sido difícil acordar, porque ele e a monitora tinham fumado maconha; do cheiro, da fumaça, do fogo; da incapacidade de entrar no quarto número um, por causa das chamas que já estavam altas demais; daquela barreira impossível; do inferno que havia surgido; do momento em que ficamos repetindo para nós mesmos que é um pesadelo, que nada daquilo é real. Ele revia a cena das meninas do lado de fora, de camisola, descalças, de chinelo ou sapatos desamarrados, e toda a equipe enlouquecida. A Sra. Croquevieille, sem fôlego. E os outros, chocados, trêmulos, rezando. A espera pelos bombeiros. Contando e recontando as crianças sãs e salvas. Seus olhos cheios de sono, enquanto eles, os adultos, nunca mais dormiriam tranquilamente. Com medo do fogo e do rosto pálido dos adultos, as meninas queriam seus pais. Tinham precisado chamá-los, avisá-los, um após o outro. Também tinham precisado mentir, não confessar que quatro das meninas haviam morrido lá dentro.

Swan Letellier acrescentara que ainda se sentia culpado. Tudo aquilo podia não ter acontecido se a monitora tivesse ficado no térreo.

Lucie Lindon e ele não haviam contado nada às autoridades sobre Geneviève Magnan, porque sentiam que o erro tinha sido deles. Lucie Lindon não devia ter pedido a Geneviève Magnan para substituí-la. Mas Swan havia insistido muito. Nenhum deles tinha cumprido suas obrigações.

Havia também Croquevieille, que apertava o cinto para não gastar nem um centavo, deixando o linóleo mal colado nos cômodos, o amianto sob as telhas, a fibra de vidro que não isolava mais nada, a pintura gasta, os canos de chumbo, o incêndio que se propagara rápido demais, a fumaça tóxica liberada pelos elementos obsoletos da cozinha. Não, ninguém era inocente — nem Magnan, nem Lindon, nem Fontanel, nem ele. Todos estavam mergulhados naquilo até o pescoço, e era um peso grande demais para carregar... A única coisa da qual ele tinha certeza era que ninguém teria ligado um dos aquecedores do térreo de propósito. A equipe toda sabia que não podia tocar neles. Aliás, os aparelhos velhos ficavam escondidos atrás das portas de gesso, inacessíveis para as crianças. Ele se lembrava muito bem das palavras de Édith Croquevieille na véspera da chegada das primeiras hóspedes, das estadias que se prolongariam pelos dois meses seguintes:

— Estamos em pleno verão. As hóspedes podem lavar as mãos com água fria e tomar banho com água quente nas duchas compartilhadas, que são novinhas.

Swan Letellier se lembrava disso porque cozinhava e servia os pratos. As obrigações dele se restringiam às fritadeiras e ao refeitório. Ele não tinha nada para fazer nos banheiros do castelo.

Depois ficara quieto. Tomara alguns goles de café, o olhar atormentado, repassando silenciosamente o que Philippe acabara de dizer. Será que devia acreditar naquela versão pouco provável? Teria sido Fontanel quem havia posto fogo na cozinha? E as crianças teriam inalado gás tóxico?

Letellier havia pedido outro expresso ao garçom do bistrô com um aceno. Ele costumava frequentar o local, visivelmente, porque as pessoas o tratavam com informalidade.

Quando tinha ficado sabendo do suicídio de Geneviève Magnan, Letellier não ficara surpreso. Desde aquela noite, a governanta era apenas uma sombra dela mesma. Bastava ver o estado em que estava no julgamento. A última vez que havia falado com ela fora no dia em que a mulher tinha ido esperá-lo na saída do restaurante em que ele trabalhava. Ele havia ligado para Geneviève, em pânico, para dizer que ela tinha ido interrogá-lo.

— Que mulher? — tinha se ouvido perguntar Philippe, de maneira agressiva.

— A sua.

— Deve estar se confundindo.

— Acho que não. Ela me disse: "Sou a mãe de Léonine Toussaint."

— Como ela era?

— Já era noite, não me lembro direito. Ela estava me esperando na frente do restaurante, sentada em um banco. Você não sabia?

— Quando foi isso?

— Há mais ou menos dois anos.

Philippe já havia escutado o suficiente. Ou dito o suficiente. Estava ali para fazer perguntas, não para que elas fossem feitas a ele. Ele se levantara, sem qualquer despedida, e Letellier o havia observado ir embora sem entender. Ao se virar, Philippe havia pensado ter visto Violette na calçada, através do vidro. *Estou ficando maluco.* Ele tinha voltado direto para Brancion.

Pela primeira vez, encontrara a casa do cemitério vazia. Pela primeira vez, tinha andado pelos corredores à procura dela, em vão.

Quem era Violette, na verdade? O que ela fazia quando ele ficava dias inteiros fora? Com quem ela se encontrava? O que ela queria?

Violette havia voltado duas horas depois dele. Estava muito pálida quando abrira a porta. Ela o havia encarado por alguns segundos, como se estivesse surpresa por encontrar um estranho em sua cozinha. Então, estendera um pedaço de papel a ele.

— A Léonine foi asfixiada?

No papel amassado, ele reconhecera a própria letra, os nomes rabiscados no verso de um pedaço de papel, quase apagados. A tinta havia escorrido até deixá-los quase ilegíveis.

A pergunta de Violette provocara nele o efeito de um choque elétrico. Philippe procurara uma mentira, mas não encontrara. Engasgara como se Violette tivesse acabado de flagrá-lo nos braços de uma de suas amantes.

— Não sei, talvez, estou investigando... Não tenho certeza se sei e se quero saber. Estou meio confuso.

Ela se aproximara dele e fizera carinho em seu rosto com uma gentileza infinita. Depois subira para se deitar sem dizer nada. Não pusera a mesa nem preparara o jantar. Quando ele havia se deitado ao lado dela, Violette pegara a mão dele.

— A Léonine foi asfixiada? — repetira.

Se ele não dissesse nada, ela continuaria fazendo a mesma pergunta.

Então, Philippe acabara contando tudo. Tudo, a não ser seu caso com Geneviève Magnan. Ele contara suas conversas com Alain Fontanel, inclusive a primeira, quando quebrara a cara dele no refeitório do hospital onde o homem trabalhava; com Lucie Lindon, na sala de espera de um consultório; com Édith Croquevieille, em Épinal, no subsolo de um supermercado; e com Swan Letellier, naquele dia, em um bistrô de Mâcon.

Violette ouvira em silêncio, segurando a mão dele. Ele havia falado por horas na escuridão do quarto, sem ver o rosto dela. Sentira que ela estava atenta, presa às palavras dele. Não tinha se mexido. Não fizera nenhuma outra pergunta. Philippe tinha acabado por fazer a única que estava segurando por toda a conversa:

— É verdade que você foi procurar o Letellier?

— Sim. Naquele momento, eu precisava saber — respondera ela, sem nem pensar.

— E agora?

— Agora tenho meu jardim.

— Quem mais você encontrou?

— Geneviève Magnan, uma vez. Mas isso você já sabe.

— Quem mais?

— Ninguém. Só Geneviève Magnan e Swan Letellier.

— Você jura?

— Juro.

87

Nenhum remorso.
Nenhum arrependimento.
Uma vida bem vivida.

Ainda hoje, quando assisto aos filmes *Fanny*, *Marius* ou *César* na TV, lágrimas tomam os meus olhos assim que ouço as primeiras falas, por mais que as saiba de cor. São lágrimas de infância, uma mistura de alegria e admiração. Adoro o preto e branco dos rostos de Raimu, Pierre Fresnay e Orane Demazis. Adoro todos os seus gestos, seus olhares. O pai, o filho, a moça e o amor. Eu queria um pai que me olhasse como César olha para o filho, Marius. Queria um amor de juventude como o de Fanny e Marius.

Da primeira vez que vi *Marius*, o primeiro filme da trilogia, eu devia ter uns dez anos. Estava sozinha no meu lar provisório. Pelo que me lembro, as outras crianças tinham viajado de férias ou ido visitar parentes. Era verão, eu não tinha aula no dia seguinte. Minha família estava recebendo alguns amigos. Tinham feito um churrasco no jardim. Haviam me dado autorização para deixar a mesa. Quando eu tinha chegado à sala de jantar, dera de cara com a grande televisão ligada. Fora ali que eu descobrira aquela história sem cor. O filme começara havia cerca de meia hora. Fanny chorava na toalha quadriculada da cozinha, diante da mãe, que cortava o pão. A primeira fala que ouvi foi: "Ande, sua boba, coma sua sopa e não chore dentro dela. Já está salgada demais."

Na hora, fiquei fascinada com os rostos e diálogos, o humor e o carinho. Não consegui desligar. Naquela noite, fui dormir tarde porque assisti a toda a trilogia.

Ainda gosto da simplicidade universal e complexa dos sentimentos das personagens. Gosto das palavras que dizem, tão bonitas, tão certas... Da música na voz deles.

Acho que adorei Marselha e os marselheses antes de conhecê-los, como um pressentimento, um sonho premonitório. Eu sinto aquela beleza em estado bruto sempre que volto a Sormiou, quando desço a estradinha íngreme que leva ao mar infinito. Entendo Marcel Pagnol; entendo porque os personagens de sua trilogia vêm daqui. Destas rochas escarpadas, embranquecidas pelo sol, do calor absurdo, da água turquesa e transparente que brinca de esconde-esconde com um céu limpo, dos pinheiros que nos protegem do sol, nascidos onde quis a natureza. Essa paisagem não é grandiosa; é simples e majestosa. E faz todo o sentido. É o desejo de Marius de se aventurar pelo mar. É o Sr. Panisse, que "faz velas para que o vento leve os filhos dos outros", como diz César.

Quando abro as cortinas vermelhas do chalé com Célia, quando revejo o velho armário da cozinha, a mesa de madeira bruta com cadeiras amarelas e a bancada sob a torneira, os pequenos buquês de lavanda seca, os azulejos díspares e o lambri azul-céu, penso em César, que impede Marius e Fanny de se beijarem porque ela está casada com outro homem: "Crianças, não, não façam isso. Panisse é bom, não tentem fazê-lo de ridículo diante dos móveis de sua família."

Foi o avô materno da Célia quem construiu o chalé em 1919. Antes de morrer, ele a fez prometer que nunca o venderia, porque aquela casa valia todos os palácios do mundo.

Já faz vinte e quatro anos que venho para cá. E, todo verão, Célia vem um dia antes de eu chegar para encher a geladeira e colocar lençóis limpos. Ela compra café e filtros, limões, tomates e pêssegos, queijo de cabra, detergente e vinho de Cassis. Eu posso implorar, dizer que faço as compras ou pedir para pelo menos reembolsá-la, mas ela nunca aceita.

— Você me acolheu na sua casa quando nem me conhecia — repete toda vez.

Já tentei deixar um envelope de dinheiro em uma gaveta. Uma semana depois, Célia me mandou de volta pelo correio.

Depois de abrir as cortinas e guardar minhas roupas, encontro alguns pescadores da região, que moram ali na calanque o ano todo. Eles me falam sobre o mar, que está cada vez mais sem peixe; sobre como as pessoas daquela cidade estão perdendo o sotaque; me oferecem ouriços, sépias e doces feitos por suas esposas e mães.

Mais cedo, Célia estava me esperando na ponta da plataforma. O trem tinha chegado com uma hora de atraso e ela cheirava a café, que tinha tomado enquanto me esperava. Fazia um ano que eu não a via. Nós nos abraçamos com força.

Ela me disse:

— E então, Violette, o que você me conta de novo?

— Philippe Toussaint morreu. Pouco tempo depois, Françoise Pelletier foi me ver.

— Quem?

88

De onde estou, sorrio porque minha vida foi bonita e, sobretudo, porque amei.

Philippe Toussaint nunca mais voltou, e Sasha ficou na casa da Sra. Bréant.

Antes de saber, no dia em que abri a mala azul cheia de presentes, contei a Sasha que o homem com quem eu dividia minha vida, sem nunca a ter compartilhado de verdade, provavelmente era muito melhor do que deixara transparecer.

Antes de saber, contei a Sasha que o homem que eu acreditava ser egoísta, que não me ouvia nem me olhava mais, que havia me abandonado, que havia me afundado em uma solidão abissal, tinha aparecido para mim sob outro prisma quando eu o vira com Swan Letellier em um bistrô de Mâcon.

Antes de saber, contei a Sasha que, naquela noite, ao voltar de Mâcon, Philippe Toussaint tinha me dito que estava investigando a verdade sobre os acontecimentos; que interrogara e até perseguira a equipe do castelo. No julgamento, ele não havia acreditado em ninguém. A não ser em Éloïse Petit — ele ainda não a encontrara.

Meu marido havia falado sobre Alain Fontanel e os outros. Eu havia segurado sua mão, com medo de cair, e, quando percebi, tínhamos nos deitado lado a lado na cama. Eu imaginara as palavras e os rostos das pessoas que tinham visto minha filha viva pela última vez; das pessoas que não haviam sabido cuidar dela, de seu sorriso; que haviam comprovado a negligência.

As meninas haviam ficado sozinhas enquanto a monitora e o cozinheiro estavam no segundo andar, transando e fumando maconha. Geneviève Magnan fora embora, deixando as crianças sem supervisão. A diretora, cujo único talento era descontar os cheques dos pais, costumava varrer os problemas para baixo do tapete.

Para não sucumbir no momento em que Philippe me revelara as palavras de Fontanel, a história do aquecedor com defeito e da asfixia, eu havia me concentrado no perfume de "brisa tropical" do novo sabão em pó que usara para lavar nossos lençóis, na véspera. Para não gritar na nossa cama, eu pensara e repensara, sem parar, nos desenhos do pote de sabão, com tiaras de flores rosas e brancas. As flores tinham me levado aos desenhos dos vestidos de Léonine. Seus vestidos eram como tapetes voadores imaginários em que eu subia quando o presente se tornava insuportável demais. Durante toda a noite, eu havia sentido o cheiro dos meus lençóis limpos e escutado Philippe Toussaint, quase pela primeira vez, conversar comigo.

Antes de saber, eu havia voltado a fazer carinho em seu rosto e nós tínhamos feito amor como fazíamos quando éramos jovens, quando seus pais apareciam na nossa casa sem nos avisar. Antes de saber. Antes de saber que ele havia dormido com Geneviève Magnan, quando morávamos em Malgrange-sur-Nancy, eu acreditara nele quase pela primeira vez.

Philippe Toussaint nunca mais voltou, e Sasha ficou na casa da Sra. Bréant.

Depois de um mês de ausência, em 1998, fui à polícia declarar o desaparecimento do meu marido. Só fui para seguir o conselho do prefeito. Senão, eu não teria me mexido. O policial que me recebeu fez uma cara estranha e me perguntou por que eu havia esperado tanto tempo para declarar um desaparecimento.

— Porque ele sempre viajava — respondi.

Ele me levou para uma sala ao lado da recepção, para que eu preenchesse um formulário, e me ofereceu um café, que não tive coragem de recusar.

Assim, declarei Philippe como desaparecido. O policial me pediu para voltar com uma foto. Mas não tínhamos tirado nenhuma desde que havíamos chegado ao cemitério. A última era da época de Malgrange-sur-Nancy. A foto do dia em que ele passara o braço pela minha cintura enquanto sorria para o jornalista.

O policial me pediu para indicar a marca da moto dele, as roupas que usava da última vez que eu o havia visto.

— Calça jeans, botas de motoqueiro de couro preto, uma jaqueta preta e um suéter vermelho de gola rolê.

— Ele tinha alguma característica específica? Uma tatuagem? Uma marca de nascença? Alguma pinta ou verruga visível?

— Não.

— Ele levou alguma coisa, documentos importantes que permitiriam que conseguisse ficar muito tempo longe?

— O videogame dele e as fotos da nossa filha ainda estão na nossa casa.

— O comportamento dele ou os hábitos mudaram nas últimas semanas?

— Não.

Não falei para o policial que, na última vez que havia visto Philippe Toussaint, ele ia até o local de trabalho de Éloïse Petit, em Valence. Tinha encontrado o endereço dela — era funcionária de um cinema de lá. Ele telefonara para ela, de casa, e ela marcara com ele na quinta da semana seguinte, às duas da tarde, na frente do cinema.

Naquele dia, Éloïse Petit tinha ligado à tarde. Devia ter achado o número que Philippe Toussaint usara para falar com ela. Ao atender, achei que fosse alguém da prefeitura, do departamento das certidões de óbito. Era a hora em que eles costumavam me ligar para me informar ou me pedir informações sobre um enterro passado ou futuro, um nome, um sobrenome, uma data de nascimento, um túmulo, um corredor. Quando Éloïse Petit se apresentou, sua voz estava trêmula. Demorei a entender o que ela estava dizendo. Quando acabei compreendendo quem ela era e o objetivo da ligação, minhas mãos ficaram úmidas e minha garganta, seca.

— Ele teve algum problema?

— Um problema? O Sr. Toussaint não está aqui. Tínhamos marcado às duas da tarde e faz duas horas que o estou esperando na frente do cinema.

Qualquer pessoa teria pensado em um acidente, ligado para todos os hospitais entre Mâcon e Valence. Qualquer pessoa teria dito a Éloïse Petit: "Onde você estava na noite em que o quarto número um pegou fogo? Estava dormindo, tranquila, ali do lado?" Mas eu tinha respondido que não havia nada para entender, que Philippe Toussaint era e sempre seria imprevisível.

Um longo silêncio se instaurara do outro lado da linha. Logo depois, Éloïse Petit desligara.

Não contei ao policial que, sete dias depois do "sumiço" de Philippe Toussaint, sete dias depois do encontro com Éloïse Petit, ao qual ele não tinha comparecido, uma moça veio rezar diante do túmulo das crianças do acidente, ou seja, o da minha filha. E que, aturdida, ela acabara, como muitos outros visitantes, comprando flores e bebendo alguma coisa na minha casa. Quando vira a moça diante da minha porta, eu a havia reconhecido na hora: Lucie Lindon. Na foto que eu havia guardado, ela estava mais nova, bem-disposta e sorridente. Na minha cozinha, estava pálida e séria.

Fiz para ela um chá no qual coloquei uma boa porção de aguardente — um curioso paradoxo, já que o que eu queria mesmo era colocar veneno de rato. Fiz com que ela tomasse uma xícara, seguida de um copo pequeno de bebida, dois copos pequenos de bebida, depois três. E, como eu esperava, ela acabou desabafando.

Ainda tenho as marcas das minhas unhas na mão esquerda. As marcas que me fiz quando Lucie Lindon falou. Minha linha da vida está coberta por cicatrizes desde aquele dia. Eu me lembro do sangue seco na palma da minha mão, do punho cerrado para que ela não visse, para que ela nunca soubesse.

Lucie Lindon me contou que fazia parte da equipe do castelo de Notre-Dame-des-Prés.

— Sabe, aquela colônia de férias que pegou fogo cinco anos atrás. As quatro crianças estão enterradas aqui. Desde a tragédia, eu não durmo mais. Fico revendo as chamas. Desde a tragédia, estou sempre com frio.

Ela continuou falando. E eu continuei a servir bebida a ela. O punho esquerdo cerrado, as unhas enfiadas na minha carne. O meu sofrimento era grande demais para que eu sentisse uma dor física. Depois de terminar o monólogo, ela acabou confessando que a "coitada da Geneviève Magnan" havia tido um caso com o pai da pequena Léonine Toussaint.

— Um caso? — perguntei.

Senti um gosto de ferro na boca. Um gosto de sangue. Como se tivesse acabado de tomar um copo de aço.

— Um caso? — consegui repetir.

Foram as últimas palavras que falei diante de Lucie Lindon. Depois, me calei. Não demorou para que ela se levantasse e fosse embora. Ela me encarou. Com as costas do antebraço, enxugou a tempestade de lágrimas que saía de seus olhos, do nariz e da boca. Ela fungou, fazendo barulho. Minha vontade era de bater nela.

— Sim, com o pai da pequena Léonine Toussaint — respondeu, antes de sair. — Foi um ou dois anos antes da tragédia. Quando Geneviève trabalhava em uma escola... Perto de Nancy, eu acho.

Não contei ao policial que tinha posto a raiva e a dor para fora, aos gritos, abraçada a Sasha, quando entendi que tinha sido Magnan quem havia assassinado quatro crianças para se vingar de Philippe, de nós, da nossa filha. Não falei que ele tinha interrogado a equipe do castelo no qual nossa filha havia sido encontrada morta, nem que ele tinha feito isso depois do julgamento, porque não acreditava mais em ninguém. E com razão. Ele devia estar tentando se absolver de todas as maneiras. Ele não estava atrás de um culpado, mas de uma prova de sua inocência.

Por fim, o policial me perguntou se Philippe Toussaint podia ter uma amante.

— Muitas.

— Como assim, muitas?

— Meu marido sempre teve muitas amantes.

Certo incômodo se formou. O policial hesitou antes de escrever em seu formulário que Philippe Toussaint fodia tudo que se mexia. Ele ficou um pouco vermelho e me serviu outra xícara de café. Depois, disse que me ligaria se tivesse alguma novidade. Ia divulgar um aviso de pessoa desaparecida. Não revi aquele homem até o dia em que ele enterrou a mãe, Josette Berthomier, sobrenome de casada Leduc (1935-2007). Ele abriu um sorriso triste ao me ver.

Quando soube que Philippe Toussaint tivera um caso com Geneviève Magnan, perdi Léonine pela segunda vez. Os pais dele tinham me tirado minha filha por acidente, o filho deles a arrancara de mim intencionalmente. O acidente tinha se revelado um assassinato.

Vandalizei minhas lembranças, vasculhando mil vezes as manhãs em que levava minha filha à escola, os fins de tarde em que ia buscá-la. Fiz de tudo para me lembrar daquela assistente de maternal no fundo da sala, em um corredor, na frente dos armários de casacos, no pátio do recreio, na entrada, ou me lembrar de uma palavra, uma frase que ela poderia ter me dito. Nem que fosse um "Bom dia" ou um "Tchau, até amanhã", "O tempo está bonito", "Agasalhe-a bem para que ela não pegue frio", "Eu a achei cansada hoje", "Ela esqueceu a agenda na sala, a com a capa azul". Revirei as lembranças das festas na escola em busca de uma ocasião em que, entre músicas e serpentinas, Geneviève Magnan pudesse ter conversado com meu marido. Uma troca de olhares, um sorriso, um gesto. A cumplicidade silenciosa dos amantes.

Imaginei a época em que eles se viam, por quanto tempo, por que ela teria se vingado usando as crianças, como Philippe Toussaint poderia tê-la tratado para que ela chegasse a cometer um ato tão horrível.

Procurei em minhas memórias até quase dar com a cabeça na parede. Mas não achei nada. Havia uma ausência de mim mesma.

Eu a havia visto de relance, não a enxergado de verdade. Ela fazia parte dos móveis da escola, cujas gavetas ficavam trancadas para mim com duas voltas de chave. *Você não consegue nem lembrar, Violette.* Depois que descobri aquela coisa inaceitável, Sasha me substituiu nas tarefas do cemitério, porque voltei a não servir para nada. Ficava apenas sentada ou deitada, atordoada, procurando.

Se Sasha não tivesse voltado para a minha vida naquele momento, com a mala azul e os presentes, Philippe Toussaint teria acabado comigo. Sasha voltou a cuidar de mim. Não me ensinou a plantar, mas a resistir ao novo inverno que se abatia sobre mim. Ele massageava meus pés e minhas costas, esquentava chá, água com limão e sopas. Preparava macarrão e me fazia tomar vinho. Ele lia para mim, além de reassumir a responsabilidade com o jardim. Vendia minhas flores, as regava e acompanhava as famílias de luto. Ele disse à Sra. Bréant que ficaria na casa dela por um período indeterminado.

Todos os dias, ele me forçava a me levantar, me lavar, me vestir. E deixava que eu voltasse a me deitar. Ele me levava comida na cama e me obrigava a engolir tudo, resmungando:

— Que bela aposentadoria você está me obrigando a ter aqui.

Ele colocava música para tocar na cozinha e deixava a porta do corredor aberta para que eu ouvisse da cama.

Então, assim como os gatos do cemitério, o sol entrou no meu quarto, debaixo dos lençóis. Eu abri as cortinas, depois as janelas. Desci para a cozinha, fervi água para o chá e arejei a sala. Acabei voltando ao jardim. Acabei pondo água fresca para as flores. Voltei a receber as famílias, a servir algo quente ou forte para as pessoas. E falei à beça.

— Você tem noção, Sasha? Philippe Toussaint dormia com Geneviève Magnan!

Eu passava o dia todo repetindo as mesmas coisas.

— Não posso nem denunciar a mulher. Ela morreu. Você tem noção, Sasha? Ela morreu!

— Violette, você não devia mais ficar procurando motivos, senão vai ser você quem vai enlouquecer.

Sasha tentava colocar um pouco de bom senso na minha cabeça.

— Não é porque eles se conheciam que ela descontou nas crianças. Com certeza foi uma coincidência monstruosa, um acidente. Mesmo. Foi só um acidente.

Eu segui me repetindo, mas Sasha me convenceu. Se Philippe Toussaint havia semeado o mal, Sasha apenas semeava o bem.

— Violette, a hera está sufocando as árvores. Nunca se esqueça de podar. Nunca. Assim que seus pensamentos começarem a apontar para a escuridão, pegue a tesoura e pode toda essa desgraça.

Philippe Toussaint desapareceu em junho de 1998.

Sasha deixou Brancion-en-Chalon no dia 19 de março de 1999. Ele foi embora depois que teve certeza de que eu havia me convencido de que a tragédia fora um acidente, não intencional.

— Violette, com essa certeza você vai poder continuar a vida.

Imagino que ele tenha ido embora no início da primavera para ter certeza de que eu teria o verão todo para me recuperar da ausência dele. As flores iam crescer de novo.

Ele falava bastante sobre a última viagem que fizera. Mas, assim que a mencionava, ele sentia que eu ainda não estava pronta para deixá-lo ir embora. Queria pegar um voo para Mumbai e descer até o Sul da Índia, para Amritapuri, na região de Kerala. Queria se instalar lá, como estava na casa da Sra. Bréant, por um período indeterminado.

— Chegar à minha morte em Kerala, perto de Sany, é um sonho antigo — dizia sempre. — Seja como for, na minha idade, nenhum sonho é novo. Todos têm certa idade.

Sasha não queria ser enterrado ao lado de Verena e dos filhos. Queria que seu corpo fosse consumido por uma fogueira, lá no rio Ganges.

— Tenho setenta anos. Ainda tenho alguns anos pela frente. Vou ver o que posso fazer com a terra deles. Como posso transmitir o pouco que sei sobre plantas. Além disso, vou poder continuar atenuando dores. Esses planos me encantam.

— Vai oferecer seu dedo verde aos indianos?

— Isso, a quem quiser.

Uma noite, estávamos jantando e conversando sobre John Irving, autor de *As regras da casa de sidra*. Falei para Sasha que ele tinha sido meu Dr. Larch, meu pai substituto. E ele respondeu que logo soltaria minha mão; que sentia que eu estava pronta; que mesmo os pais substitutos deviam deixar seus filhos saírem de casa; que, um dia, ele não viria até minha casa para me trazer pão fresco nem o *Journal de Saône-et-Loire*.

— Mas você não vai embora sem se despedir de mim, vai?

— Se me despedisse de você, Violette, eu não iria embora. Já nos imaginou abraçados em uma plataforma de estação de trem? Por que ir atrás do insuportável? Você não acha que a gente já perdeu coisas demais para a tristeza? Meu lugar não é mais aqui. Você é jovem e o tempo está bonito. Quero que refaça sua vida. A partir de amanhã, vou me despedir de você todos os dias.

Ele manteve a promessa. Começando no dia seguinte, toda noite, antes de ir para a casa da Sra. Bréant, ele me abraçava e me dizia, como se fosse a última vez:

— Tchau, Violette. Se cuida. Eu te amo.

E, no dia seguinte, ele voltava. Colocava a baguete e o jornal na mesa, entre as caixas de chá e as revistas sobre flores, árvores e jardins. Depois conversava com os irmãos Lucchini, Nono e os outros. Saía para o cemitério com Elvis para ver os gatos. Dava informações para os visitantes que procuravam um corredor ou um nome. Ajudava Gaston a tirar as ervas daninhas. E, à noite, depois de jantarmos juntos, ele me abraçava de novo e dizia:

— Tchau, Violette. Se cuida. Eu te amo.

As despedidas duraram todo o inverno. E, na manhã do dia 19 de março de 1999, ele não voltou. Fui bater na porta da Sra. Bréant. Sasha tinha ido embora. Já fazia vários dias que estava com as malas prontas e, ao voltar na noite da véspera, havia resolvido realizar seu sonho antigo, o que tinha mais idade.

89

Nós vivemos juntos na alegria.
Nós descansamos juntos em paz.

Diário de Irène Fayolle

13 de fevereiro de 2009

Minha antiga funcionária acabou de me ligar: "Sra. Fayolle, acabaram de dizer na televisão que, hoje de manhã, seu amigo advogado teve um infarto no tribunal... Ele morreu na hora."

Na hora. Gabriel morreu na hora.

Eu costumava dizer que ia morrer antes dele. O que eu não sabia era que ia morrer junto com ele. Se Gabriel morreu, eu morri junto.

14 de fevereiro de 2009

Hoje é Dia dos Namorados. Gabriel odiava o Dia dos Namorados.

Quando escrevo o nome dele neste diário, Gabriel, Gabriel, Gabriel, tenho a sensação de que ele está perto de mim. Talvez seja porque ele ainda não foi enterrado. Enquanto não são enterrados, os mortos continuam por perto. Essa distância que eles criam entre a gente e o céu ainda não existe.

Da última vez que nos vimos, nós brigamos. Pedi para ele sair do meu apartamento. Gabriel desceu a escada, furioso, sem se virar. Esperei o barulho de seus passos, esperei que ele voltasse, mas ele nunca voltou. Normalmente, ele me ligava toda noite, mas, desde a nossa briga, meu telefone havia ficado em silêncio. Eu nunca mais poderia mudar as coisas.

15 de fevereiro de 2009

O que me resta do Gabriel é a liberdade que aproveito todos os dias, graças a ele. São as roupas compradas em Cap d'Antibes no fundo de uma gaveta, uma garrafa de Suze aberta no bar, algumas passagens de trem, de ida e volta, três romances, As regras da casa de sidra *e* Martine Eden, *de Jack London. Ele também me deu* Camille Claudel, uma mulher, *de Anne Delbée, em uma edição muito rara. Gabriel era fascinado por Camille Claudel.*

Alguns anos atrás, fui passar três dias com ele em Paris. Assim que cheguei, ele me levou ao museu Rodin. Queria conhecer as obras de Camille Claudel comigo. Nos jardins, ele me beijou na frente de Os Burgueses de Calais.

"Foi Camille Claudel quem esculpiu as mãos e os pés deles. Veja a beleza."

"Você também tem mãos bonitas. A primeira vez que o vi trabalhando no tribunal de Aix-en-Provence, só fiquei olhando para elas."

Gabriel era assim: estava onde não esperávamos. Gabriel era uma rocha, sólido e poderoso. Um machão que nunca teria aceitado que uma mulher pagasse uma conta ou se servisse de uma taça de vinho na frente dele.

Gabriel era a masculinidade encarnada. Quando eu achava que ele veneraria Rodin e não Claudel, quando eu achava que ele se prostraria diante do Monumento a Balzac *ou de* O Pensador, *eu o vi se curvar diante de* A Valsa, *de Camille Claudel.*

Dentro do museu, ele não largou minha mão. Como uma criança. Tudo que Rodin havia esculpido de majestoso não importava para ele.

Ao ver em um pilar As Fofoqueiras, *a pequena escultura de Camille Claudel, ele apertou meus dedos com muita força. Gabriel se debruçou na direção delas e ficou muito tempo assim, em um momento suspenso. Dava a impressão de que ele ia respirá-las. Seus olhos brilhavam diante das quatro pequenas mulheres de ônix verde, nascidas há mais de um século. Eu o ouvi murmurar: "Elas estão despenteadas."*

Quando saímos, ele acendeu um cigarro e confessou que tinha esperado para ir ao museu comigo, que, antes de entrar, ele já sabia que precisaria segurar minha mão para não roubar As Fofoqueiras. *Quando estava na faculdade, ele havia se apaixonado por elas em uma foto. Sempre as quisera, a ponto de desejar realmente tê-las para si. Ele sabia que, ao vê-las pela primeira vez ao vivo, ia precisar de alguém que o vigiasse.*

"Não é porque defendo ladrões que sou um. Essas fofoqueiras são tão delicadas, tão pequenas, que eu sabia muito bem que eu podia colocá-las no meu casaco e fugir com elas. Já imaginou tê-las em casa? Olhar para elas toda noite antes de ir deitar, encontrá-las toda manhã tomando café?"

"Você passa a vida em hotéis. Teria sido um pouco complicado de qualquer maneira."

Ele caiu na gargalhada.

"Sua mão me impediu de cometer um crime. Eu deveria emprestá-la para todos os imbecis que eu defendo. Isso evitaria que eles fizessem um monte de besteiras."

À noite, nós jantamos juntos no Jules-Verne, no alto da Torre Eiffel. "Nesses três dias, vamos fazer todos os clichês. Nada no mundo é melhor do que os clichês", me disse Gabriel. Ao terminar a frase, ele pôs um bracelete de diamantes no meu pulso. Uma coisa que brilhava como mil sóis sobre a minha pele clara. Brilhava tanto que parecia falso. Como as imitações que as atrizes usam nas novelas americanas.

No dia seguinte, na basílica de Sacré-Coeur, eu estava colocando uma vela aos pés da Virgem Dourada quando ele pôs um colar de diamantes no meu pescoço e me deu um beijo na nuca. Gabriel me pegou pelo ombro, me puxou para ele e sussurrou em meu ouvido:

"Meu amor, você está parecendo uma árvore de Natal."

No último dia, na estação de Lyon, pouco antes de eu entrar no meu trem, ele pegou minha mão e pôs um anel em torno do meu dedo anular.

"Não me entenda mal. Eu sei que você não gosta de joias. Não dei nada disso para você usar. Quero que você venda essas bugigangas e, com

o dinheiro, faça viagens, compre uma casa e tudo que você quiser de presente. E nunca me agradeça. Eu morreria se você me agradecesse. Não estou dando presentes para que você me agradeça. É só para proteger você caso alguma coisa aconteça comigo. Vou passar para ver você na semana que vem. E não esqueça de me ligar quando chegar em Marselha. Já sinto sua falta. Estas separações são difíceis demais. Mas adoro o fato de sentir sua falta. Eu te amo."

Vendi o colar para comprar meu apartamento. O bracelete e o anel estão em um cofre no banco e meu filho vai herdar os dois. Meu filho vai herdar meu grande amor. Nada mais justo. Gabriel queria sempre justiça.

Gabriel era um homem de personalidade forte. Ninguém gostava de contrariá-lo. Nem eu. Mas, da última vez que o vi, fiz isso. Ele atacara abertamente uma colega dele, e todos os jornais estavam falando sobre isso. A advogada havia assumido a defesa de uma mulher que fora vítima do sadismo do marido durante anos e acabara por matá-lo. Tive a coragem de criticar Gabriel por ter atacado a colega.

Nós dois estávamos na minha cozinha depois de fazer amor, e ele sorria, parecia tranquilo, simplesmente feliz. Assim que entrava pela minha porta, Gabriel relaxava, como se tivesse se livrado de malas pesadas demais. Enquanto tomava chá, fiz perguntas cheias de críticas: Como ele podia atacar uma advogada que estava defendendo uma mulher que fora maltratada? Como podia ser tão maniqueísta? Que homem ele havia se tornado? Quem ele achava que era? Onde estavam seus ideais?

Magoado, Gabriel foi tomado por uma raiva louca. Ele começou a gritar que eu não sabia de nada e que o caso era muito mais complicado do que parecia. O que eu tinha a ver com aquilo? Eu tinha que tomar chá e ficar quieta. A única coisa que eu havia sido capaz de fazer tinha sido cultivar rosas tristes, que acabavam sendo cortadas. No fundo, eu estragava tudo.

"Você está viajando, Irène! Nunca se deu ao trabalho de tomar uma única decisão na porra da vida inteira!"

Acabei tapando os ouvidos com as mãos para não ouvir mais. Pedi para que ele saísse do meu apartamento naquele instante. Quando o vi se vestir, com a expressão séria, eu já estava arrependida. Mas já era tarde.

Nós dois éramos orgulhosos demais para pedir desculpas. Merecíamos coisa melhor do que aquilo; do que nos separar com uma briga.

Se eu pudesse voltar no tempo...

Tenho vontade de abrir as janelas e gritar para todos que passam: "Façam as pazes! Peçam desculpas! Entendam-se com as pessoas que vocês amam! Antes que seja tarde demais."

16 de fevereiro de 2009

Um tabelião acabou de me ligar. Gabriel deixou tudo arranjado para que eu fosse enterrada com ele no cemitério de Brancion-en-Chalon, o vilarejo em que ele nasceu. O homem me pediu para passar em seu escritório, onde Gabriel havia deixado um envelope para mim.

"Meu amor, meu doce, gentil e maravilhoso amor, do nascer do sol até o fim do dia, eu ainda amo você. Você sabe disso. Eu amo você.

Eu, que argumento, que protesto, improviso, defendo assassinos, inocentes, vítimas, estou roubando as palavras de Jacques Brel para dizer tudo que estou pensando.

Se estiver lendo esta carta, é porque passei desta para melhor. Fui mais rápido que você. Deve ser a primeira vez. Não tenho mais nada para escrever que você não saiba, a não ser que odeio seu nome.

Irène. Irène é muito feio. Tudo fica bem em você, você pode usar qualquer coisa. Mas um nome desses é como o verde-amarelado, ou o mostarda — não ficam bem em ninguém.

No dia em que fiquei esperando você no carro, percebi que você não ia voltar, que eu estava esperando à toa. Foi isso que me impediu de dar partida no carro imediatamente.

Ela não vai voltar, não tenho mais nada.

Senti tanto a sua falta. E essa falta só está começando.

Nossos hotéis, nossas tardes de amor, você debaixo do lençol... Você sempre vai ser todos os meus amores. O primeiro, o segundo, o décimo e o último. Vai sempre ser minhas lembranças mais lindas. Minhas grandes esperanças.

Nunca vou esquecer as cidades do interior que se tornavam capitais assim que você andava pelas calçadas delas. Suas mãos nos bolsos, seu perfume, sua pele, seus lenços, minha terra natal.

Meu amor.

Você viu, eu não menti. Guardei um lugar para você ao meu lado por toda a eternidade. Eu me pergunto se, lá em cima, você vai continuar me tratando com tanta formalidade.

Não tenha pressa, tenho todo o tempo do mundo. Aproveite mais um pouco da imagem do céu visto de baixo. Aproveite especialmente as últimas nevascas.

Até logo.

Gabriel."

19 de março de 2009

Fui até o túmulo de Gabriel pela primeira vez. Depois de chorar, depois de ter vontade de desenterrá-lo, de sacudi-lo, de dizer "Me diga que não é verdade, me diga que você não morreu", coloquei um novo globo de neve no mármore preto que o cobre. Prometi a Gabriel que viria sacudi-lo de vez em quando. Observei o túmulo em que um dia estaria.

Respondi sua carta em voz alta:

"Meu amor, você também vai continuar sendo minhas melhores lembranças. Tive menos mulheres do que você, bem, quero dizer, menos homens do que você. Conheci pouquíssimos. Mas, para seduzir alguém, bastava você fazer apenas um gesto. E ainda assim, talvez nem isso. Não tinha que fazer nada, só ser você mesmo. Você é meu primeiro amor, meu segundo amor, meu décimo amor, meu último amor. Você tomou minha vida inteira. Vou voltar para me juntar a você por toda a eternidade. Vou manter minha promessa. Guarde um lugar quentinho para mim, assim como quando você chegava adiantado nos hotéis em que nos encontrávamos, onde você guardava um lugar quentinho para mim naquelas camas enormes pelas quais passávamos... Me mande o endereço da eternidade. Uma viagem como essa tem que ser planejada. Tenho que ver se vou encontrar você de trem, avião ou barco. Eu te amo."

Fiquei muito tempo perto dele. Arrumei as flores sobre seu túmulo, joguei fora as que estavam murchas, li as placas funerárias. Acho que são assim que se chamam.

É uma mulher que cuida do cemitério em que Gabriel está enterrado. É incrível. Ele que gostava tanto das mulheres... Ela passou perto de mim e me cumprimentou. Nós conversamos um pouco. Eu não sabia que essa profissão existia, que as pessoas eram pagas para cuidar dos cemitérios, supervisioná-los. Ela, inclusive, vende flores na entrada, perto dos portões.

Continuar a escrever neste diário é continuar a manter Gabriel vivo. Mas, meu Deus, como a vida me parece longa.

90

O verão é uma aquarela,
a vida é quase bela,
as lembranças são embaraços
dos quais analisamos todos os traços.

Junho de 1998

Apesar de haver menos de duzentos quilômetros de estrada entre Mâcon e Valence, o caminho lhe parecera interminável. Quando Philippe viajava sem destino, nenhuma estrada parecia longa. Mas, quando devia ir de um ponto A para um ponto B, ele reclamava. Nunca lidaria bem com nada que fosse uma obrigação.

Desde que Violette havia descoberto que ele estava atrás da verdade, Philippe havia perdido a vontade. Como se guardar aquele segredo para si o mantivesse em uma busca quixotesca. E contá-lo o tivesse desmobilizado. Totalmente. A verdade não o libertara, mas o esvaziara.

Até Violette parecia ter dado as costas para o passado.

Ele falaria com Éloïse Petit, depois deixaria isso de lado. Aquele encontro com a ex-monitora seria o último compromisso com o passado.

Como combinado, Éloïse Petit o esperava na frente do cinema em que trabalhava. Estava embaixo da placa com os horários das sessões. Ao lado da placa, um imenso cartaz de *O Paciente Inglês* tinha sido pendurado. Philippe a havia visto imediatamente, apesar da agitação que reinava diante dos caixas, com o vaivém dos clientes que entravam e saíam das salas de exibição. Os dois tinham se visto dois anos antes, no julgamento, e haviam se reconhecido na hora.

Como se tivesse medo do que as pessoas podiam dizer, Éloïse arrastara Philippe até o café da loja de conveniência a duas ruas dali, próximo à estação de trens de Valence. Os dois tinham andado lado a lado em silêncio. Philippe ainda sentia aquele grande vazio, aquele desânimo. Tinha perguntado a si mesmo o que estava fazendo ali, naquela calçada. Nem tinha mais perguntas para fazer para Éloïse. Por que ela teria mexido em um aquecedor? O que ela sabia sobre aquecedores?

Eles haviam pedido dois *croque-monsieur*, uma água e uma Coca. Éloïse emanava um ar de grande gentileza. Philippe sentira que confiava nela, ao contrário de todos os outros. Ela não ia tentar mentir. Parecia sincera, antes mesmo de abrir a boca.

Éloïse contara sobre a chegada das crianças no dia 13 de julho de 1993. A divisão dos quartos tinha sido feita por afinidade. As crianças que já se conheciam não queriam ser separadas. Lucie Lindon e ela tinham tentado agradar a todas e, ao que tudo indicava, haviam conseguido. Com a ajuda das monitoras, as meninas tinham guardado as roupas e os objetos pessoais nos armários do quarto, que ficavam perto das camas.

Depois, elas haviam lanchado e feito um passeio pelos jardins do castelo, passado nos campos para ver os pôneis e os levado de volta para os estábulos para que passassem a noite. As crianças tinham adorado dar banho nos animais enquanto molhavam umas às outras, tratá-los, levá-los para as baias e alimentá-los com a ajuda dos adultos. Quando se sentaram à mesa para jantar, pareciam felizes como passarinhos. Estava uma barulheira no refeitório. Vinte e quatro menininhas felizes falam muito alto. Todas tinham ido para os respectivos quartos perto das nove e meia, depois de passarem pelos chuveiros compartilhados.

— Por que não tomaram banho nos banheiros dos quartos delas?

A pergunta tinha surpreendido Éloïse.

— Não sei mais... O banheiro dos chuveiros compartilhados era novo. Eu me lembro de ter tomado banho lá também.

Éloïse havia parado para pensar, mordiscado os lábios.

— Lembrei. Não tinha água quente no banheiro do meu quarto.

— Por quê?

Ela estufara as bochechas como se estivesse enchendo um balão.

— Não sei... — respondera, triste. — O encanamento era velho. O castelo estava caindo aos pedaços. O interior fedia muito a mofo. E, quando precisávamos pedir ao Fontanel para trocar uma lâmpada que fosse, sempre tínhamos que esperar.

As crianças vinham do Norte e do Leste da França, dissera Éloïse. A viagem, o calor e as atividades da tarde as deixaram exaustas. Todas tinham ido dormir sem reclamar. Ela e Lucie Lindon haviam passado por todos os quartos perto das nove e quarenta e cinco para ver se estava tudo bem. Seis quartos ao todo: três no térreo e três no segundo andar. Quatro crianças por quarto. As meninas estavam todas deitadas. Algumas liam, outras conversavam e passavam fotos ou desenhos de cama em cama. Eram aquelas conversas de criança: "Seu pijama é bonito." "Você pode me emprestar seu vestido?" "Eu queria sapatos iguais aos seus." Falavam sobre os gatos, as casas, os pais, os irmãos e as irmãs, as escolas, as professoras, as amigas. E especialmente sobre os pôneis. Elas só pensavam nisso: no dia seguinte, iam montar nos pôneis.

Éloïse Petit havia hesitado antes de falar sobre o quarto número um para Philippe. Aliás, ela não havia mencionado Léonine, Anaïs, Océane nem Nadège. Apenas mencionara as "crianças do quarto número um", abaixando os olhos por alguns instantes, antes de continuar.

Tinha sido o último quarto em que as monitoras haviam passado. As meninas já estavam quase dormindo quando Lucie Lindon e ela entraram para perguntar se estava tudo bem, dar uma lanterninha para cada uma, caso precisassem se levantar durante a noite, e para dizer que Lucie estava no quarto ao lado, se uma delas tivesse um pesadelo ou dor de barriga. Uma luz ficaria ligada no corredor a noite toda.

Depois, Éloïse tinha ido para seu quarto no segundo andar e Lucie fora encontrar Swan Letellier. Geneviève Magnan devia ficar perto dos quartos do térreo nesse meio tempo. Antes que subissem para o segundo andar, as duas monitoras haviam visto Geneviève sentada na cozinha. Ela estava limpando as panelas de cobre que estavam espalhadas sobre a mesa comunitária. Dera boa-noite a elas, com um ar triste ou cansado. Éloïse não saberia dizer.

— Eu subi para o meu quarto e dormi. Em dado momento, me levantei para fechar a janela que estava batendo.

Uma luz estranha passou pelos olhos azuis de Éloïse Petit. Como se ela estivesse revivendo aquele momento, olhando alguma coisa acontecer ao longe, pela janela. Como quando olhamos por cima do ombro de outra pessoa e encontramos uma silhueta familiar ou um movimento inesperado que chama nossa atenção.

— Você viu alguma coisa?

— Quando?

— Quando fechou a janela.

— Vi.

— O quê?

— Eles.

— Quem?

— O senhor sabe.

— Geneviève Magnan e Alain Fontanel?

Éloïse Petit tinha dado de ombros. Philippe não soubera interpretar o gesto.

— É verdade que o senhor teve um caso com a Geneviève?

Philippe tinha ficado imóvel.

— Quem disse isso?

— A Lucie. Ela me disse que a Geneviève amava o senhor.

Philippe fechara os olhos por alguns segundos.

— Eu vim falar da minha filha — respondera, com uma tristeza pesada na alma.

— O que o senhor quer saber?

— Quero saber quem ligou o aquecedor do banheiro do quarto número um. As meninas foram asfixiadas com monóxido de carbono. Mas todo mundo sabia que não podia tocar na porra dos aquecedores!

Philippe gritara alto demais. Os clientes, que estavam com o nariz enfiado em jornais e na fila, perto dos caixas, tinham se virado para olhar para os dois.

Éloïse ficara vermelha como se fosse uma briga de namorados. Falara com Philippe como se ele tivesse perdido completamente a cabeça. Como falamos com alguém com problemas psicológicos, com carinho, para não os contrariar.

— Não entendi o que o senhor está dizendo.

— Alguém ligou o aquecedor do banheiro.

— Que banheiro?

— Do quarto que pegou fogo.

Philippe percebera que Éloïse não estava entendendo nenhuma palavra do que ele estava dizendo. Naquele momento, ele começara a duvidar. A história do aquecedor não se sustentava, era ridícula. Era preciso se ater às provas: Geneviève Magnan ou Alain Fontanel tinham posto fogo no quarto número um para se vingar dele.

— Foi isso que causou o fogo? O aquecedor?

A pergunta de Éloïse o afastara de seus pensamentos sinistros.

— Não, o fogo teria sido causado pelo Fontanel... para fingir que fora um acidente. Ele queria proteger Magnan.

— Mas por quê?

— Porque parece que ela saiu naquela noite. Não ficou perto das meninas e, quando voltou, ela teria... Era tarde demais... As crianças tinham sido asfixiadas.

Éloïse levara as duas mãos à boca. Seus grandes olhos azuis começaram a brilhar. Philippe se lembrara do dia em que havia nadado no Mediterrâneo para alcançar Françoise e ela se debatera. Éloïse havia entrado em pânico como ela, estava quase se afogando.

Philippe e Éloïse não haviam falado um com o outro durante dez longos minutos. Eles não tinham tocado nos pratos. Philippe acabara pedindo um expresso.

— Quer alguma outra coisa?

— Talvez tenham sido eles.

— É, Fontanel e Magnan.

— Não, aquelas pessoas.

— Que pessoas?

— O casal que o senhor conhece, que vi quando fechei a janela.

— Que casal?

— Os dois que estavam com o senhor no dia seguinte ao incêndio. Seus pais. Enfim, acho que são seus pais.

— Não estou entendendo o que a senhora está me dizendo.

— Mas, meu Deus... O senhor sabe que eles foram ao castelo naquela noite, não?

— Que pais?

Philippe sentira que estava perdendo o controle, como se caísse do último andar de um arranha-céu.

— No dia 14 de julho, vocês chegaram juntos. Achei que o senhor soubesse que eles tinham passado no castelo na véspera. As famílias vão visitar as crianças o tempo todo, mas nunca à noite. Foi por isso que fiquei surpresa.

— Você ficou maluca. Meus pais moram em Charleville-Mézières. Não podiam estar na Borgonha na noite do incêndio.

— Mas estavam, eu vi os dois. Eu juro. Quando fechei a janela, eu os vi saírem do castelo.

— Deve estar se confundindo...

— Não. Sua mãe... O coque, a postura... Não estou me confundindo. Voltei a ver os dois no último dia do julgamento em Mâcon. Eles estavam esperando o senhor na frente do tribunal.

Então Philippe se lembrara. Fora algo fulminante, um choque, como se um detalhe ínfimo, marcado em seu inconsciente anos antes, tivesse aparecido para ele pela primeira vez sob a luz do dia. Uma coisa anormal, uma incoerência que, devido às circunstâncias, ele não assimilara, apenas passara por aquele 14 de julho de 1993.

— A Léonine morreu — ele telefonara aos pais e contara.

Algumas horas depois, eles tinham ido buscá-lo e, pela primeira vez, Philippe tinha sentado no banco da frente, ao lado do pai. A mãe estava deitada no banco traseiro. Abatido, abalado pela tristeza, Philippe não abrira a boca em momento algum do trajeto. De tempos em tempos, ouvira a mãe gemer atrás dele. Sabia que o pai estava recitando ave-marias em silêncio.

Quando Philippe pensava no pai, via apenas um fanático que vivia de obedecer à esposa. Philippe sonhara em ser filho de Luc, seu tio. A mãe natureza tinha se enganado: ele havia nascido da irmã, apesar de querer ter nascido do irmão.

No instante em que Éloïse mencionara seus pais, ele se lembrara de que o pai não havia procurado o caminho, não pedira o endereço do castelo — apenas seguira como se conhecesse o itinerário. Na saída da autoestrada, havia uma placa para o vilarejo de La Clayette, mas nada indicava a direção certa para chegar ao castelo. Além disso, quando ele era pequeno, os pais sempre brigavam porque o pai não tinha nenhum senso de direção e a mãe se irritava com isso. Se ele não havia se perdido naquele dia, podia ser porque já tinha ido até lá.

Éloïse o encarava enquanto ele refazia aquela sinistra expedição mental. Apesar do medo em seu rosto, ela o achava bonito. Tentara se lembrar dos traços de Léonine, mas não conseguira. As quatro meninas tinham desaparecido de sua memória. Ela as procurava o tempo todo, mas não as encontrava. Só restavam suas vozes, quando haviam perguntado sobre os pôneis. Ela não contara a Philippe que Léonine tinha perdido seu bicho de pelúcia e que as duas o haviam procurado em todos os cantos.

— Meu bichinho é um coelho que tem a minha idade — tinha dito Léonine.

Enquanto não conseguia achá-lo, Éloïse desencavara um ursinho esquecido no depósito. E prometera a Léonine que, na manhã seguinte, ela procuraria o bichinho em todo o castelo e o encontraria.

Philippe a trouxe de volta para a Terra:

— Quero que a senhora jure pela Léonine que nunca vai contar sobre nossa conversa a ninguém.

Éloïse se perguntou se Philippe tinha acabado de ouvi-la pensar. Foi incapaz de responder.

— Nós nunca nos vimos, nunca conversamos... — insistiu ele. — Jure para mim!

Como se estivesse no tribunal, Éloïse ergueu a mão direita e disse:

— Eu juro.

— Pela Léonine?

— Pela Léonine.

Philippe anotara o número do telefone da casa do cemitério de Brancion e entregara a ela.

— Daqui a duas horas, ligue para este número. Minha esposa vai atender. Apresente-se e diga que não vim ao encontro, que você ficou me esperando a tarde toda.

— Mas...

— Por favor.

Éloïse tivera pena e concordara.

— E se ela me fizer alguma pergunta?

— Ela não vai fazer. Eu a decepcionei demais para que ela faça.

Philippe se levantara para pagar a conta. Ele acenara rapidamente para Éloïse ao pegar o capacete, depois subira na moto estacionada na frente do cinema.

Olhando para as pessoas que entravam e saíam das salas, ele havia se lembrado das palavras que a mãe dissera: "Não confie em ninguém, está me ouvindo? Ninguém."

Quase setecentos quilômetros. Seria noite quando ele chegasse em Charleville-Mézières.

Philippe observara os pais pela janela da sala por um instante. Os dois estavam sentados lado a lado no sofá velho, estampado com flores secas. Como as dos túmulos abandonados. As que Violette odiava e retirava.

O pai tinha dormido, e a mãe estava mergulhada em uma novela, uma reprise. Violette já a havia visto. Uma história de amor entre um padre e uma moça, que se desenrolava na Austrália ou algum outro país distante. Violette chorara baixinho em alguns momentos.

Ele havia percebido quando ela enxugara as lágrimas com a manga da camisa. E, naquele momento, a mãe encarava os atores e apertava os lábios, como se achasse que eles estavam fazendo escolhas erradas e ela precisasse dar sua opinião. Por que ela escolhera aquela novela melosa? Se a situação não fosse tão grave, Philippe teria rido.

Ele havia crescido naquela casa que, naquele instante, parecia um cenário de filme. Com os anos, os arbustos haviam crescido, as cercas tinham ganhado corpo. Seus pais haviam mandado substituir a cerca de metal por uma de madeira branca, como nas séries americanas, refazer o reboco da fachada e colocar duas estátuas de leão, uma em cada lado da porta de entrada.

Os bichos de granito pareciam extremamente entediados naquele antro dos anos setenta. Mas era preciso mostrar à vizinhança que eles eram funcionários públicos de alto escalão. Seus pais, os dois aposentados do Correio — ele, inicialmente carteiro, e ela, agente administrativa —, tinham crescido dentro da instituição e obtido postos de chefia de base. E quando o dinheiro finalmente chegara, eles o guardaram em uma poupança.

Philippe ainda andava com a chave de casa. Carregava o mesmo chaveiro desde a infância: uma bola de rúgbi minúscula que perdera a forma e as cores. Seus pais nunca tinham trocado a fechadura. Para quê? Quem ia ter vontade de entrar ali e encontrar o pai perdido em suas orações e a mãe, no rancor? Dois pepinos em um frasco de vinagre.

Ele não colocava os pés naquela casa havia anos. Desde que tinha conhecido Violette. Violette. Eles nunca a haviam convidado. Sempre a haviam desprezado.

Chantal Toussaint gritara ao ver o filho à porta da sala. O grito acordara o marido com um susto.

Quando ia abrir a boca, Philippe viu os retratos de Léonine presos na parede, inclusive duas fotos tiradas na escola. Aquilo o fizera se lembrar de Geneviève Magnan, de seu sorriso nos corredores que fediam a amônia. Ele se sentira zonzo e se agarrara ao aparador.

Violette havia tirado da parede os retratos de Léonine. Ela os guardara em uma gaveta perto da cama, em sua carteira e entre as páginas do livro grosso que relia sem parar.

A mãe se aproximara dele.

— Tudo bem, meu filho? — murmurara.

Com um gesto, Philippe exigira que ela não avançasse, que ela se mantivesse longe. O pai e a mãe haviam se olhado. Será que o filho tinha ficado doente? Maluco? Estava com uma palidez assustadora. Tinha a mesma expressão da manhã do dia 14 de julho de 1993, quando o haviam levado ao local da tragédia. Havia envelhecido vinte anos.

— O que vocês estavam fazendo na porra do castelo na noite em que ele pegou fogo?

O pai olhara rapidamente para a mãe, esperando a ordem para responder. Mas, como sempre, tinha sido ela quem havia falado primeiro. Com uma voz de vítima, a da menininha gentil que ela nunca havia sido.

— Armelle e Jean-Louis Caussin se encontraram conosco no vilarejo de La Clayette antes de levar a Catherine... Enfim, a Léonine e a Anaïs ao castelo. Nós nos encontramos com eles em uma cafeteria. Não fizemos nada de errado.

— Mas o que vocês estavam fazendo lá?

— Tínhamos ido a um casamento na região do Midi, sabe, da sua prima Laurence... Enquanto voltávamos para Charleville, aproveitamos para visitar a Borgonha.

— Vocês nunca aproveitaram nada, NUNCA. Quero saber a verdade.

A mãe hesitara antes de responder, apertara os lábios e respirara fundo.

— Não comece a choramingar — interrompera Philippe, no ato. — Tenha compostura.

O filho nunca havia falado com ela daquela maneira. O menino comportado, bem-educado, que dizia "Sim, mamãe", "Não, mamãe", "Está bem, mamãe" estava morto e enterrado. Ele havia começado a desaparecer quando perdera a filha. E depois desaparecera totalmente quando fora enterrado ao lado dela.

— Vocês estão proibidos de pisar no cemitério — Philippe tinha avisado a eles. — Não quero que encontrem a Violette.

Antes da tragédia, as únicas vezes que ele havia desobedecido à mãe foram nas ocasiões em que ia passar as férias na casa do irmão dela, Luc, e da esposa novinha dele, que usava saias curtas demais. Philippe sempre havia se sentido atraído por mulheres de baixo nível. Mulherzinhas insignificantes, a ralé.

A voz de Chantal Toussaint havia recuperado o tom duro, implacável. O tom de um procurador.

— Eu tinha marcado com os Caussin porque queria ver o que a *sua esposa* tinha posto na mala da nossa neta. Verificar se não faltava nada. Eu não queria que ela passasse vergonha na frente das colegas. Sua esposa era muito nova e Catherine ficava sempre abandonada... As unhas compridas, as orelhas sujas, as roupas manchadas ou encolhidas quando lavadas... Aquilo me deixava nervosa.

— Isso é ridículo! A Violette cuidava muito bem da nossa filha! E ela se chamava Léonine! Está me ouvindo? Léonine!

Chantal fechara o roupão com um gesto desajeitado e brusco.

— Armelle Caussin abriu o porta-malas e eu verifiquei o que tinha na mala enquanto as meninas brincavam perto do seu pai e do Jean-Louis. Faltava muita coisa, e tive que jogar fora as coisas baratas ou gastas para trocar por roupas novas.

Philippe imaginara a mãe ligando para Armelle Caussin, dando uma desculpa e triturando os vestidinhos de Léonine. O direito de se intrometer que ela achava que tinha desde sempre o deixara com nojo. Ele quisera estrangular aquela mulher que o fizera desprezar as outras. Ela havia abaixado os olhos para não ver mais o olhar de ódio que ele lançava sobre ela.

— Perto das quatro da tarde, os Caussin foram para o castelo com as meninas. Por causa do calor, seu pai e eu não quisemos pegar a estrada para Charleville antes de anoitecer. Decidimos ficar no vilarejo. Fomos até um café comer alguma coisa. Quando fui ao banheiro, vi o bichinho de pelúcia da Léonine próximo às pias. Eu sabia que ela não conseguia dormir sem ele.

Chantal Toussaint fizera uma careta.

— Estava muito sujo... Passei uma água e um sabão nele. Com o calor, ia secar rápido.

Ela fora se sentar no sofá como se as palavras fossem pesadas demais para carregar. O marido a seguira, como um cachorrinho companheiro que esperava uma recompensa, um olhar, um gesto carinhoso que nunca viria.

— Nós entramos no castelo como se ele fosse um prédio público. Não havia ninguém, nenhum vigia, tudo estava escancarado. Na primeira porta que abrimos, encontramos Léonine. Ela já havia se deitado. Ficou surpresa ao ver a gente. Quando viu o bicho de pelúcia na minha bolsa, sorriu e o pegou discretamente para que as outras meninas não a vissem. Devia ter procurado o brinquedo em todos os cantos, sem poder falar nada, por medo de que rissem dela.

Sua mãe começara a chorar. O marido passara o braço por cima dos ombros dela, mas ela o empurrara com um gesto lento e ele se afastara, acostumado.

— Perguntei às meninas se queriam que eu contasse uma história. Elas responderam que sim. Contei um conto dos irmãos Grimm, *O pequeno polegar*. Elas dormiram logo depois. Antes de ir embora, dei um último beijo na minha neta.

— E o aquecedor? — berrara Philippe.

Os pais, às lágrimas, tinham se encolhido, tristes diante do ódio do filho.

— Que aquecedor? O que tem o aquecedor? — acabara murmurando a mãe, entre as fungadas.

— O do banheiro! No quarto, tinha um banheiro! Com a porra de um aquecedor! Foram vocês que mexeram nele?

O pai soltara um suspiro e, pela primeira vez, abrira a boca:

— Ah, isso...

Naquele instante, Philippe teria dado tudo para que ele se calasse como sempre. Ou fizesse uma oração, qualquer que fosse. Mas, por uma hora, apenas uma hora, o homem havia se sentido útil na vida da mulher, não ficara só balançando os braços, esperando que ela terminasse de contar a história de *O pequeno polegar*.

— Sua mãe perguntou à Léonine se ela tinha escovado os dentes antes de se deitar e ela respondeu que sim, mas outra menina contou que não havia água quente nas torneiras, que a água fria fazia os dentes dela doerem. Sua mãe me pediu para dar uma olhada e, realmente, vi que o aquecedor estava desligado, então eu...

Philippe caíra de joelhos diante dos pais, pegando o pai pela gola do roupão com as duas mãos.

— Cale a boca, cale a boca, cale a boca, cale a boca, cale a boca, cale a boca, cale a boca, cale a boca, cale a boca... — implorara.

Os pais haviam congelado. Philippe ainda balbuciara algumas palavras incompreensíveis, depois saíra da casa como havia entrado, em silêncio.

Ao subir na moto, percebera que não seguiria para o cemitério de Brancion. Ele sabia que não tinha mais casa. Nem naquela noite, nem no dia seguinte. Sabia desde que pedira para Éloïse Petit telefonar para Violette para dizer que ele não tinha ido ao encontro que haviam marcado. Violette, que fazia muito tempo já não o esperava mais.

De manhã, quando havia dito a ela que queria recomeçar, ir morar no Midi, tinha lido nos olhos da esposa que ela estava fingindo que acreditava. Depois daquilo tudo, ele não poderia mais enfrentá-la. Nunca mais queria olhar nos olhos dela.

Chantal Toussaint correra atrás dele de roupão para tentar fazê-lo recobrar a razão. Era perigoso pegar a estrada naquele estado. Ele estava cansado demais, no limite, tinha que descansar, ela ia preparar a cama dele, não havia tocado em nada do quarto dele, nem nos pôsteres. Faria um estrogonofe de carne e o pudim que ele adorava. No dia seguinte ele estaria com a cabeça mais tranquila e...

— Eu queria que você tivesse morrido quando eu nasci, mãe. Teria sido a grande sorte da minha vida.

Ele dera partida na moto e seguira na direção de Bron sem pensar. Pelos retrovisores, vira a mãe desabar na calçada. Sabia que aquelas palavras haviam assinado o atestado de óbito dela. Naquele dia ou no seguinte. E seu pai iria com ela. Ele sempre a havia acompanhado.

A única coisa que Philippe queria era estar perto de Luc e Françoise, para contar tudo a eles. Os dois saberiam o que fazer, diriam as palavras certas, manteriam-no perto deles para que não tivesse que prestar contas a mais ninguém; para que pudesse voltar a ser o filho que queria ser, o de Luc. Aquela vida havia acabado.

91

E quando, usando meu monte como travesseiro,
uma ninfa gentil vier cochilar sem receio
vestida com menos do que nada,
eu peço perdão adiantado a Jesus
se sobre ela vier se deitar a sombra da minha cruz
para uma pequena alegria póstuma.

Diário de Irène Fayolle

2013

Entrei na casa da moça do cemitério. Ela me olhou como se eu fosse alguém que ela conhecia de vista, mas que não identificava. Estava sozinha, sentada à mesa. Folheava um catálogo de jardinagem.

"Estou escolhendo as flores de primavera. A senhora prefere narcisos ou açafrão-da-terra? Adoro essas tulipas amarelas…"

Seus dedos pararam sobre uma foto de canteiros de flores, com uma série de espécies.

"Narcisos. Acho que prefiro os narcisos. Eu também gosto de flores. Tinha um roseiral antes."

"Onde?"

"Em Marselha."

"Ah… Eu vou para Marselha todos os anos, para a calanque de Sormiou."

"Eu ia com meu filho Julien, quando ele era pequeno. Faz muito tempo."

A moça do cemitério sorriu para mim como se tivéssemos trocado segredos.

"Quer beber alguma coisa?"

"Adoraria um chá verde."

Ela se levantou para preparar o chá. Achei que devia ter mais ou menos a mesma idade de Julien. Podia ter sido minha filha. Acho que não teria gostado de ter uma filha. Não sei o que poderia ter contado a ela, que conselhos teria dado, que orientações. Um menino é um pouco como uma flor silvestre, um espinheiro: ele cresce sozinho, basta ter comida, bebida e roupas suficientes; basta dizermos que ele é bonito e forte. Um menino cresce bem quando tem um pai. Uma menina é mais complicada.

A moça do cemitério é bonita. Ela usava uma saia reta preta e uma camisa cinza de manga comprida. Eu a achei elegante. Delicada. Ela quase fez com que eu me arrependesse de não ter tido uma filha. Pôs chá em uma chaleira antes de coá-lo. Depois, colocou mel em cima da mesa. A casa dela estava quentinha. Tinha um cheiro bom. Ela me disse que adorava rosas. O aroma delas.

"A senhora mora sozinha?"

"Moro."

"Eu venho no cemitério visitar Gabriel Prudent."

"Ele está enterrado no corredor dezenove, na quadra dos Cedros, não é?"

"É. A senhora sabe a localização de todos os túmulos?"

"Da maioria. E ele foi um grande advogado. Tinha muita gente no enterro dele. Foi em que ano mesmo?"

"2009."

A moça do cemitério se levantou para pegar um livro de registros, o de 2009, e procurou o nome de Gabriel. Então é verdade, ela anota tudo em cadernos. A moça leu sobre o enterro para mim:

"18 de fevereiro de 2009, enterro de Gabriel Prudent, dilúvio. Cento e vinte e oito pessoas compareceram ao enterro. A ex-esposa dele estava presente, assim como suas duas filhas, Marthe Dubreuil e Cloé Prudent. A pedido do morto, não havia flores nem coroas. A família mandou gravar uma placa na qual está escrita: Em homenagem a Gabriel Prudent,

advogado corajoso. 'A coragem, para um advogado, é essencial e, sem ela, o resto não conta. Talento, cultura, conhecimento sobre o Direito: tudo é útil a um advogado. Mas, sem a coragem, nos momentos decisivos, ele só tem palavras, frases que se seguem, que brilham e que morrem (Robert Badinter).' *Sem padre. Sem cruz. O cortejo ficou apenas meia hora. Quando os dois agentes funerários terminaram de colocar o caixão na cova, todos foram embora. Ainda chovia muito forte."*

A moça do cemitério me serviu outra xícara de chá. Pedi que ela relesse as anotações sobre o enterro do Gabriel. Ela fez isso de bom grado.

Imaginei as pessoas em torno do caixão de Gabriel. Imaginei os guarda-chuvas, as roupas escuras e quentes. As echarpes e as lágrimas.

Expliquei à moça do cemitério que Gabriel ficava irritado quando diziam que ele era corajoso. Ele dizia que não era preciso coragem nenhuma para dizer a um juiz, de um jeito educado, que ele era um idiota; que ter coragem era ir todos os dias fora do horário de trabalho até a Porte de la Chapelle para distribuir comida aos necessitados, ou esconder judeus em casa em 1942. Gabriel sempre repetia para mim que não tinha coragem nenhuma, que não assumia risco nenhum.

Ela me perguntou se eu e Gabriel nos falávamos muito. Respondi que sim. E que essa história de detestar a coragem tinha que ficar entre nós. Eu não queria que as pessoas que achavam que tinham feito bem em colocar aquelas palavras na placa, em memória dele, soubessem que haviam cometido um erro.

A moça do cemitério sorriu para mim.

"Tudo bem. Tudo que é dito entre estas paredes é mantido em segredo."

Senti que podia confiar nela e falei como se ela tivesse posto um soro da verdade em meu chá.

"Visito o túmulo de Gabriel duas ou três vezes por ano para sacudir um globo de neve que coloquei perto do nome dele. Recorto artigos de jornal e colunas jurídicas que lhe interessavam e leio tudo para ele. Trago notícias do mundo — do dele, pelo menos. Casos criminais, passionais, eternos. Vou com mais frequência ao túmulo do meu marido, Paul, que está no cemitério de Saint-Pierre, em Marselha. Sempre peço perdão a ele. Porque

vou ser enterrada ao lado de Gabriel. Minhas cinzas serão colocadas ao lado dele. Gabriel deixou tudo arranjado com o tabelião, e eu também. Ninguém vai poder se opor. Nós não éramos casados. Olhe, eu quis entrar na sua casa para dizer que, no dia em que meu filho Julien souber dessa minha decisão, ele vai vir questionar a senhora."

"Por que eu?"

"Quando ele descobrir que meu último desejo é descansar ao lado de Gabriel e não do pai dele, vai querer entender. Vai querer saber quem era Gabriel Prudent, e a primeira pessoa a quem vai perguntar vai ser a senhora. Porque a primeira pessoa que ele vai encontrar quando abrir os portões deste cemitério vai ser a senhora. Assim como eu, quando vim pela primeira vez."

"A senhora quer que eu diga alguma coisa específica para ele?"

"Não. Não tenho certeza de que a senhora vai saber o que dizer. Ou que Julien finalmente vai saber o que dizer quando conversar com a senhora. Tenho certeza de que a senhora vai saber ajudá-lo, acompanhá-lo."

Eu me despedi com tristeza da moça do cemitério. Sabia que era a última vez que ia a Brancion-en-Chalon. Peguei a estrada. Voltei para Marselha.

2016

Terminei meu diário. Logo vou encontrar Gabriel. Eu sei disso. Já sinto o cheiro do cigarro dele. Estou ansiosa para isso. Quando penso que, na última vez que nos vimos, nós brigamos... Está na hora de nos reconciliarmos.

Eu me lembro do perfume dela. Mas não me lembro mais do rosto. Apenas do cabelo branco, da pele, das mãos finas, da capa de chuva. Principalmente do perfume dela. Eu me lembro da doçura daquele momento. Das palavras que ela usara para Gabriel. Ainda guardo um pouco da voz dela também, o eco, o momento em que me disse que um dia seu filho viria me procurar.

Quando Julien bateu na minha porta pela primeira vez, ele me fez esquecer Irène. Eu o achei bonito, com suas roupas amassadas. Não se parecia com a mãe. Ela era loura, e sua pele, lisa, clara e frágil, mas o filho tinha tons todos mais escuros, do cabelo bagunçado aos dedos dos pés, uma pele como se tivesse tomado um banho de sol. Adorava suas mãos com cheiro de cigarro em mim. Mas também estava com muito medo delas.

Antes de ir para Marselha, liguei para ele várias vezes, mas seu número tocava e tocava e ninguém atendia. Era como se ele não existisse mais. Até liguei para a delegacia dele. Disseram que ele tinha ido embora, mas que eu podia escrever para ele, porque a correspondência seria encaminhada.

O que eu poderia escrever para ele?

Julien,
Julien,
sou louca, solitária, impossível. Você acreditou em mim e eu fiz de tudo para que isso acontecesse.

Julien,
fui tão feliz no seu carro...

Julien,
fui tão feliz com você no meu sofá...

Julien,
fui tão feliz com você na minha cama...

Julien,
você é jovem. Mas acho que não me importo.

Julien,
você é curioso demais. Odeio suas manias de policial.

Julien,
gostaria que seu filho fosse meu enteado.

Julien,
você é mesmo meu tipo de homem. Na verdade, não faço ideia. Mas suspeito que você seja mesmo meu tipo de homem.

Julien,
sinto sua falta.

Julien,
vou morrer se você não voltar.

Julien,
estou esperando você. Anseio por você. Quero mudar meus hábitos se você mudar os seus.

Julien,
está bem.

Julien,
foi legal, foi divertido.

Julien,
sim.

Julien,
não.

A vida arrancou minhas raízes. Minha primavera morreu.

Fecho o diário de Irène com um peso no coração. Como fechamos um romance pelo qual nos apaixonamos. Um romance amigo, do qual temos dificuldade de nos separar porque queremos que ele fique perto de nós, ao alcance das mãos. No fundo, estou feliz por Julien ter me deixado o diário da sua mãe como lembrança. Quando voltar para casa, vou colocá-lo entre os livros que guardo com cuidado nas prateleiras do meu quarto. Até lá, vou deixá-lo na minha bolsa de praia.

São dez horas da manhã e estou apoiada em um rochedo, sentada na areia branca à sombra de um pinheiro-de-alepo. Aqui, as árvores crescem nas rachaduras das pedras. As cigarras começaram a cantar quando fechei o diário de Irène. O sol já está a pino. Sinto que está queimando os dedos dos meus pés. No verão, o sol daqui queima a pele em poucos minutos.

Os turistas começam a chegar com suas mochilas pela trilha escarpada. Ao meio-dia, a pequena praia estará cheia de toalhas, isopores e guarda-sóis. Não há muitas crianças em Sormiou. Na alta temporada, o acesso à baía é a pé. É preciso caminhar do estacionamento de Baumettes por pelo menos uma hora para chegar até lá. Não é fácil para as famílias. Muitas vezes, as crianças que chegam aqui fazem o caminho no ombro do pai, ou passam as férias todas nos chalés. São chamadas de "chalezeiras". A palavra só existe em Marselha, não está nos dicionários.

Aqui as pessoas ainda podem fumar nos bares. Os próprios carteiros assinam pelas cartas registradas, para evitar que os moradores tenham que ir ao Correio caso não estejam em casa. Em Marselha, nada é feito como em outros lugares.

Ontem à noite, Célia ficou para jantar comigo. Ela tinha preparado uma *paella* de frutos do mar, que esquentou em uma panela enorme. Enquanto isso, desfiz minha mala azul e pendurei meus vestidos nos cabides. Pegamos a mesinha de ferro fundido, colocamos uma toalha sobre ela e pusemos água e vinho rosé em jarras vermelhas. Colocamos muitas pedras de gelo em uma tigela amarela e servimos pão integral em pratos que não combinavam. Nada combina no chalé. Os objetos nunca parecem ter chegado até aqui juntos. Célia e eu fazemos a festa com novidades, bobeiras que tínhamos para contar, arroz refogado e vinho rosé bem gelado.

Nossa conversa se alongou tanto que Célia acabou ficando. Ela dormiu comigo como da primeira vez em Malgrange-sur-Nancy, durante a greve dos trens. Foi a primeira vez que ela ficou aqui.

Continuamos tomando rosé deitadas na cama. Célia acendeu duas velas. Os móveis do avô dançaram na luz. Deixamos duas janelas abertas para que uma corrente de ar se formasse. O tempo estava bom. O cheiro de *paella* ainda estava no ar. As paredes tinham absorvido o cheiro da comida. Isso me deu fome de novo, então esquentei mais um pouco para mim. Célia não quis. Quando coloquei o prato vazio no chão, vi o perfil de Célia. Depois, seus belos olhos azuis, como se fossem duas estrelas na noite. Assoprei as velas.

— Célia, eu preciso contar uma coisa para você. Isso não vai deixar você dormir, mas, como estamos de férias, tudo bem. Além disso, não posso deixar de contar *isso* para você.

— ...

— Françoise Pelletier era o amor da vida de Philippe Toussaint. Foi na casa dela que ele morou nos últimos anos de vida. Ele a encontrou no dia em que desapareceu, em 1998. Mas não foi só isso. Eu sei por que ele desapareceu. Por que nunca voltou para casa. Naquela noite, não foi o incêndio que matou as crianças... Foi o pai do Toussaint.

Célia me agarrou pelo braço.

— O quê? — murmurou.

— Ele mexeu em um aquecedor velho no quarto das meninas e o ligou. Não sabia que era proibido mexer naquele aparelho, que não passava por uma manutenção havia anos. O monóxido de carbono mata. É sorrateiro, inodoro... As meninas morreram dormindo.

— Quem disse isso?

— Françoise Pelletier. Foi Philippe Toussaint que contou tudo a ela. Foi por isso que ele não voltou para casa no dia em que soube. Não conseguia mais me encarar... Você conhece aquela música do Michel Jonasz? "Me diga, me diga que ela foi embora com outro, mas não por minha causa, me diga isso, me diga isso..."

— Conheço.

— Fiquei mais tranquila por saber que Philippe Toussaint não foi embora por minha causa. E sim por causa dos pais.

Célia apertou meu braço com ainda mais força.

Não consegui pregar o olho. Voltei a pensar nos velhos Toussaint. Eles já tinham morrido havia muito tempo. Um tabelião de Charleville-Mézières tinha me procurado em 2000. Estava atrás do filho deles.

Quando a luz do dia entrou pelas janelas e a corrente de ar ficou mais suave, Célia abriu os olhos.

— Vamos fazer um bom café para a gente.

— Célia, eu conheci um cara.

— Bom, finalmente.

— Mas acabou.

— Por quê?

— Tenho minha vida, meus hábitos... há tanto tempo. E ele é mais novo do que eu. E não mora na Borgonha. E tem um filho de sete anos.

— São muitos "e". Mas uma vida e hábitos podem ser mudados.

— Você acha?

— Acho.

— Você mudaria seus hábitos?

— Por que não?

92

A vida é apenas uma longa perda de tudo que amamos.

Maio de 2017

Fazia dezenove anos que Philippe morava em Bron. Que percorrera o caminho entre Charleville-Mézières e Françoise. Dezenove anos que ele havia aparecido na oficina em um estado de dar pena. Tinha decidido nascer naquele dia. Matar o dia anterior à sua chegada. O dia em que havia falado com os pais pela última vez. Riscara com força um passado que queria abandonar. Pusera uma tampa sobre os anos com Violette e trancara os pais na caixa preta de sua memória.

Tinha sido tão simples ser chamado de Philippe Pelletier, ter se tornado filho do seu tio. Sobrinho ou filho, para as pessoas dava no mesmo. Philippe era "da família", portanto um Pelletier.

Fora tão simples guardar seus documentos em uma gaveta. Esvaziar sua conta no banco para que sua mãe não soubesse de mais nada. Transformar aquele dinheiro em títulos ao portador. Não votar. Não usar o cartão da previdência social.

Françoise explicara a ele que Luc havia morrido em outubro de 1996. Luc, morto e enterrado. Philippe tivera dificuldade em acreditar. Mas se recusara a rezar diante do túmulo do tio. Nunca mais queria pôr os pés em um cemitério.

Françoise vendera a antiga casa um ano antes e, desde então, morava em Bron, a duzentos metros da oficina. Tinha ficado muito doente, emagrecido muito e envelhecido. No entanto, Philippe a achara ainda mais desejável do que em suas lembranças, mas não tinha dito nada. Já havia feito mal bastante a todos ao seu redor. Usado sua cota de infelicidade em outras pessoas.

Ele tinha se instalado no quarto de hóspedes. O quarto do filho. Um quarto da criança que nunca existira. Apenas fora esperada. Tinha comprado roupas novas com o primeiro salário que Françoise havia pagado em espécie. Alguns meses depois de chegar a Bron, quando sugerira que devia se mudar, pegar uma quitinete perto da oficina, Françoise fingira não ter ouvido. Então ele ficara. Naquela convivência estranha. O mesmo banheiro, a mesma cozinha, a mesma sala de estar, as mesmas refeições, mas quartos separados.

Contara tudo a Françoise. Léonine, Geneviève Magnan, o aquecedor, *o endereço*, as orgias, o cemitério, a confissão dos pais em Charleville. Falara sobre tudo, menos sobre Violette. Ele a havia guardado para si. Sobre Violette, apenas dissera a Françoise:

— Ela não tem culpa de nada.

Com o passar dos anos, tinha esquecido que em outra vida havia se chamado Philippe Toussaint.

Morando com Françoise, recuperara a coragem. Aprendera a trabalhar bem na oficina, a gostar da rotina de óleo, graxa, panes, metais amassados. Consertando motores, se reconciliara com as vontades, o ânimo.

Em dezembro de 1999, Françoise tinha ficado doente, com muita, muita febre, e uma tosse horrível. Preocupado, Philippe ligara para o médico de plantão. Ao redigir a receita perto da cama, o médico perguntara a Philippe se Françoise era sua esposa e ele respondera que sim, sem pensar. Simplesmente sim. Debaixo dos lençóis, Françoise sorrira para ele sem dizer nada. Um sorriso pálido, cansado. Resignado.

A conselho do médico, Philippe preparara um banho a 37°C, levara Françoise até o banheiro, a despira e a ajudara a entrar na banheira. Ela se agarrara a ele. Era a primeira vez que ele a via nua. O corpo dela estava arrepiado sob a água transparente. Ele havia passado uma esponja sobre a pele dela, a barriga, as costas, o rosto, a nuca. Deixara a água correr pela sua testa.

— Cuidado, você vai acabar pegando o que eu tenho — dissera Françoise.

— Faz vinte e oito anos que sei disso — respondera Philippe.

Na noite de 31 de dezembro de 1999 para 1º de janeiro de 2000, eles haviam feito amor pela primeira vez. Passaram aquela grande virada na mesma cama.

Fazia dezenove anos que Philippe morava em Bron. Naquela manhã, ele e Françoise haviam mencionado a ideia de vender a oficina. Não era a primeira vez, mas, naquela, estavam falando sério. Eles queriam um pouco de sol. Ir morar na região de Saint-Tropez. Tinham dinheiro suficiente para garantir uma vida boa. Além disso, Françoise ia fazer sessenta e seis anos e havia trabalhado durante muito tempo. Estava na hora de aproveitar.

Na hora do almoço, Françoise tinha ido a uma agência imobiliária especializada em venda de lojas e empresas. Philippe passara no apartamento para trocar de roupa. Ele havia se vestido com roupas quentes demais e estava suando embaixo do macacão de trabalho. Tomara uma ducha rápida e colocara uma camiseta limpa.

Na cozinha, havia preparado dois ovos fritos e um pedaço de pão do dia anterior com queijo cremoso. Enquanto fazia o café, tinha ouvido a correspondência cair no piso. O carteiro havia acabado de passá-la pela portinhola da porta de entrada. Philippe a pegara, mecanicamente, e a jogara na mesa da cozinha. Com exceção da revista *Auto-moto*, que Françoise assinara para agradá-lo, ele não lia nada que vinha pelo correio. Era Françoise quem cuidava da papelada.

Ele estava mexendo o líquido na xícara quando lera, sem ler de verdade: "Sr. Philippe Toussaint, a/c Sra. Françoise Pelletier, avenida Franklin Roosevelt, 13, 69500, Bron."

Tinha relido o texto sem acreditar naquele nome, Sr. Philippe Toussaint. Hesitara, mas acabara pegando a correspondência como se fosse uma bomba-relógio. O envelope era branco e levava o carimbo de um escritório de advocacia de Mâcon. Mâcon. Ele se lembrara do dia em que havia observado as menininhas saírem da escola; da menina que usava o mesmo vestido que Léonine; do dia em que havia acreditado que ela estava viva.

Ele se lembrara de tudo de uma vez. Fora algo fulminante, como um soco no estômago. A morte da filha, o enterro, o processo, a mudança, o incômodo, seus pais, sua mãe, seus videogames, os corpos sensuais de mulheres magras, os peitos marcados, as barrigas, os rostos de Lucie Lindon e Éloïse Petit, Fontanel, os trens, os túmulos, os gatos.

Sr. Philippe Toussaint.

Ele abrira o envelope, trêmulo. Lembrara-se das mãos de Geneviève Magnan na última vez que a vira, quando ela havia dito: "Eu nunca teria feito mal a uma criança." Ela fora muito formal com ele, enquanto tremia.

Violette Trenet Toussaint solicitara uma procuração a um advogado para acertar o divórcio consensual dos dois. O advogado pedia que o Sr. Philippe Toussaint ligasse para o escritório o mais rápido possível, para marcar uma reunião.

Ele leu apenas trechos de algumas frases: "Trazer um documento de identidade... nome do cartório... certidão de casamento foi redigida... profissão... nacionalidade... natural de... mesmos dados para todos os filhos... acordo do casal sobre a ruptura... nenhuma compensação... tribunal de instância superior de Mâcon... abandono do domicílio conjugal... sem consequências."

Impossível. Era preciso acabar com aquilo imediatamente. Travar a máquina do tempo. Ele parou de ler, pôs o envelope no bolso interno da jaqueta, prendeu o capacete e foi *para lá*. Apesar de ter jurado que nunca mais colocaria os pés naquele lugar.

Como Violette havia encontrado o endereço dele? Como sabia sobre Françoise? Como sabia o nome dela? Os pais dele não podiam ter contado. Tinham morrido havia muito tempo. E, mesmo antes de morrer, não sabiam o endereço de Philippe. Nunca haviam ficado sabendo que o filho morava em Bron, na casa de Françoise. Impossível. Philippe não falaria com aquele advogado. Nunca.

Ela tinha que deixá-lo em paz. Era preciso ir embora, se mudar com Françoise, se chamar Philippe Pelletier. Aquele sobrenome sempre traria azar para ele. Toussaint. Um nome de cemitério, de morte, de crisântemos. Um nome que fedia a frio e a lembranças de gatos.

Duas vidas a cerca de cem quilômetros uma da outra. Ele nunca tinha percebido que Bron era tão perto de Brancion-en-Chalon.

Havia estacionado na frente da casa, perto da porta da rua. Um estranho diante de uma casa que sempre detestara. A casa do velho zelador do cemitério. As árvores que Violette tinha plantado em 1997 estavam grandes. Os portões haviam sido pintados de um verde fosco. Ele entrara sem bater. Fazia dezenove anos que não punha os pés ali.

Será que ela ainda morava lá? Será que tinha refeito a vida? Claro, era por isso que queria se divorciar. Para poder se casar de novo.

Um sabor estranho na boca. Como se um cano de arma de fogo tivesse sido enfiado em sua garganta. Sentia latejar nos punhos uma vontade de socar alguma coisa. O ódio borbulhava. Fazia tanto tempo que não sentia aquele amargor. Ele se lembrara da doce tranquilidade dos dezenove anos anteriores. E, de repente, *o mal* tinha retornado. Estava voltando a ser o homem de que não gostava, o homem que não gostava de si mesmo. Philippe Toussaint.

Naquela manhã, tinha que voltar a ser o que era. Livrar-se daquele passado sórdido de uma vez por todas. Não ter pena. Não, ele não ia procurar o advogado. Não. Tinha rasgado sua carteira de identidade. Rasgado seu passado.

Em cima da mesa da cozinha, havia algumas xícaras vazias de café sobre revistas de jardinagem. Três lenços e um cardigã branco no cabideiro. O perfume dela nos tecidos suspensos. Um perfume de rosas. Ela ainda morava ali.

Ele subira até o quarto. Dera chutes nas caixas de plástico das bonecas horrorosas. Fora mais forte do que ele. Se pudesse, teria socado as paredes. Encontrara o quarto com uma pintura nova, um tapete azul-céu, uma colcha rosa-clara, um verde-amendoado sobre as cortinas e o blecaute. Vira um creme para as mãos na mesa de cabeceira, livros, uma vela apagada. Ele abrira a primeira gaveta da cômoda: *lingeries* rosa, da mesma cor das paredes. Deitara-se na cama. Imaginara a esposa dormindo ali.

Será que ainda pensava nele? Será que o havia esperado? Procurado?

Ele pusera uma tampa sobre os anos com Violette, mas, por muito tempo, continuara sonhando com ela. Ouvia sua voz: ela o chamava e ele não respondia, apenas se escondia em um canto escuro para que ela não o visse, então acabava tapando os ouvidos para não escutar a voz suplicante dela. Por muito tempo, ele havia acordado suado, com os lençóis molhados de culpa.

No banheiro, perfumes, sabonetes, cremes, sais de banho, mais velas, mais romances. Na cesta de roupa suja, *lingeries*, uma camisola de seda branca, um vestido preto, um cardigã cinza.

Não havia homem algum naquela casa. Nenhuma vida em comum. Então por que encher o saco dele? Por que remexer na merda? Para conseguir dinheiro? Uma pensão? Não era o que a carta do advogado dizia. "Consensual… sem consequências." Ele ouvira a mãe dizer: "Tome cuidado."

Descera a escada. Derrubara as últimas bonecas que ainda estavam de pé. Tivera vontade de entrar no cemitério para ver o túmulo da Léonine, mas se controlara.

Uma sombra se movera atrás dele e ele levara um susto. Um velho vira-lata o cheirava de longe. Antes que tivesse tempo de dar um chute nele, o bicho se encolhera em sua cesta. Em um canto da cozinha, ele vira tigelas de comida no chão. Ficara com nojo ao se imaginar vivendo com pelos nas roupas. Saíra pelos fundos da casa, pela porta que levava ao jardim.

Não a vira na hora. Ali também toda a vegetação havia crescido, como nos livros de histórias de Léonine. Heras e vinhas nos muros, árvores amarelas, vermelhas e rosa, flores coloridas no chão. Parecia que, assim como o quarto, o jardim também havia sido pintado.

Ela estava ali. Agachada na horta. Fazia dezenove anos que ele não a via. Que idade tinha agora?

Não tenha pena.

Ela estava de costas para ele. Usava um vestido preto com bolinhas brancas. Amarrara um avental antigo na cintura. Calçava botas de borracha. Seu cabelo na altura do ombro estava preso por um elástico preto. Algumas mechas caíam em sua nuca. Ela usava luvas de um tecido grosso. Levara o punho direito à testa, como se quisesse tirar algo que a incomodava.

Ele quisera apertar seu pescoço e deixá-la desmaiada. Fazer amor com ela e estrangulá-la. Calar a boca dela, para que ela não existisse mais, para que desaparecesse.

Pare de sentir culpa.

Quando ela se levantara e se virara para ele, a única coisa que Philippe havia visto no olhar dela era medo. Nem surpresa, nem raiva, nem amor, nem rancor, nem arrependimento. Apenas medo.

Não tenha pena.

Ela não havia mudado. Ele voltara a vê-la ao balcão da Tibourin, a pequena silhueta frágil, servindo doses gratuitas de bebida a ele. Seu sorriso. Rugas e mechas de cabelo se misturavam sobre seu rosto. Os traços ainda eram delicados, a boca ainda era bem desenhada e os olhos ainda revelavam uma grande doçura. O tempo havia aprofundado os parênteses em torno de sua boca.

Mantenha a distância.

Não fale o nome dela.

Não tenha pena.

Ela sempre havia sido mais bonita do que Françoise, mas tinha sido Françoise que ele havia preferido. Cada um com seus gostos... Era o que dizia sua mãe.

Ele vira um gato sentado ao lado dela e ficara arrepiado. Lembrara por que estava ali, por que tinha voltado àquele cemitério horrendo. Lembrara que não queria mais se lembrar. Nem dela, nem de Léonine, nem das outras. Seu presente era Françoise, seu futuro seria Françoise.

Philippe pegara Violette com brutalidade, apertara seus braços com força, muita força, como se quisesse esmagá-la. Como quando o homem se torna um carrasco para não sentir nada. Precisava evocar o ódio. Pensar em seus pais no sofá florido. A mala de Léonine no porta-malas dos Caussin, o castelo, o aquecedor, a mãe de roupão, o pai boquiaberto. Ele apertara os braços de Violette sem olhar nos olhos dela, fixara um ponto entre as sobrancelhas, uma leve ruga no topo do nariz.

O cheiro dela era bom.

Não tenha pena.

— Recebi uma carta de um advogado e trouxe de volta... Escute aqui, escute bem direitinho. NUNCA mais me escreva nesse endereço, está ouvindo? Nem você, nem seu advogado, NUNCA. Não quero mais ler seu nome em lugar nenhum, senão eu... eu...

Ele a largara de forma tão brutal quanto a havia agarrado, e o corpo dela despencara como o de uma marionete. Ele enfiara o envelope no bolso do avental e, ao tocar nela, sentira seu ventre sob o tecido. Seu ventre. Léonine. Ele lhe dera as costas e voltara para a cozinha.

Ao esbarrar na mesa, derrubara *As regras da casa de sidra*. Reconhecera a maçã vermelha na capa. Era o livro que Violette tinha desde Charleville, que ela relia o tempo todo. Sete fotos de Léonine tinham caído das páginas e se espalhado pelo tapete. Ele hesitara, depois se abaixara para pegá-las. Um ano, dois anos, três anos, quatro anos, cinco anos, seis anos, sete anos. Ela se parecia mesmo com ele. Ele as colocara dentro do livro, o qual pusera de volta em cima da mesa.

Naquele instante, explodira na sua cara a tampa que deixara por dezenove anos nos anos com Violette. A filha voltara à sua memória em pequenos fragmentos, depois em ondas gigantes. Na maternidade, quando a vira pela primeira vez; na cama, entre ele e Violette, enrolada em uma coberta; no banho; no jardim; nas portas; atravessando um cômodo; fazendo desenhos; com a massinha de modelar; à mesa; na piscina inflável; nos corredores da escola; no inverno; no verão; o vestido vermelho meio brilhante; as mãozinhas; os truques de mágica. E ele sempre distante. Ele, que parecia visitar a vida da filha que desejava que tivesse sido um menino. Todas as histórias que não tinha lido para ela, todas as viagens que não fizera com ela.

Quando voltara para a moto, sentira lágrimas escorrerem pelo nariz. Seu tio Luc dizia que, quando choramos pelo nariz, é porque ele está compensando o fato de a válvula dos olhos ter transbordado.

— É como com os motores, meu menino.

Luc. Philippe era tão horrível que tinha até roubado a esposa do tio.

Saíra dali correndo, pensando que pararia mais à frente para recuperar o fôlego e o controle. Ao ver as cruzes pelos portões, pensara em como nunca havia acreditado em Deus. Com certeza por causa do pai; das orações que Philippe odiava. Lembrara-se do dia da primeira comunhão, do vinho da missa, de Françoise nos braços de Luc.

Pai Nosso, que estais no sebo
santificada seja Vossa fome,
venha a nós o Vosso peido,
seja feita a Vossa maldade,
assim na tenda como no seu.
O vinho nosso de cada dia nos dai hoje,
perdoai os nossos gastos,
assim como nós perdoamos a quem nos tem batido.
E não nos deixeis cair na penetração,
mas livrai-nos do pau.
À menta.

Durante os trezentos e cinquenta metros em que ele margeara os muros do cemitério, cada vez mais rápido, três ideias haviam tomado sua mente, como uma invasão violenta. Voltar e pedir desculpas a Violette: desculpe, desculpe, desculpe. Voltar o mais rápido possível para a casa de Françoise e ir embora para o Sul: ir embora, ir embora, ir embora. Reencontrar Léonine: reencontrá-la, reencontrá-la, reencontrá-la.

Violette, Françoise, Léonine.

Rever a filha, cheirá-la, ouvi-la, tocar nela, respirá-la. Era a primeira vez que ansiava por Léonine. Antes, ele a quisera para manter Violette perto dele. Naquele dia, a quisera como queremos um filho. Aquele desejo foi mais forte do que o Sul, do que Françoise e do que Violette. Aquele desejo o tomou por completo. Léonine devia estar esperando por ele em algum lugar. É, ela estava esperando por ele. Ele não havia entendido nada porque tinha sido um pai ruim, mas ia se tornar pai pela primeira vez, lá onde ia encontrá-la.

Philippe soltara o capacete. Pouco antes de acelerar na primeira curva para se enfiar nas árvores da floresta abaixo da estrada, ele não vira sua vida passar, não olhara as imagens como em um livro cujas páginas viramos rapidamente. Não quisera nada disso. Pouco antes das árvores, ele vira uma moça na beira da estrada. Impossível. Ele a encarara enquanto seguia a quase duzentos quilômetros por hora, enquanto ao seu redor nada mais estava imóvel, a não ser o olhar dela sobre ele. Philippe só tivera tempo de pensar que já a havia visto em uma gravura antiga. Talvez um cartão-postal. Então, entrara na luz.

93

É o verão que se encerra,
o calor das noites de retorno ao percurso,
os apartamentos à espera,
a vida que segue seu curso.

Ainda não entrei na água. Todo mês de agosto, fico tensa antes de entrar no mar pela primeira vez. Tenho medo de não encontrar Léonine. Medo de não senti-la. Medo de que ela não esteja aqui por minha causa; que não me ouça chamá-la; que minha voz não chegue até ela; que ela não sinta mais meu amor o suficiente para voltar para mim. Medo de não a amar mais, de perdê-la para sempre. É um medo infundado. A morte nunca vai conseguir me separar da minha filha, eu sei disso.

Eu me levanto, me alongo e jogo meu chapéu sobre a toalha. Ando em direção ao imenso tapete esmeralda, com seus flashes perolados. A luz da manhã está forte, brilhante.

Promete um dia bonito. Marselha sempre cumpre o que promete.

A esta hora, quando há sombra, a água fica escura. As ondas estão frescas, como sempre. Ando devagar. Mergulho a cabeça. Nado para o fundo, fechando os olhos. Ela já está ali, está sempre ali, não saiu dali porque está em mim. Sua presença etérea. Sinto o cheiro de sua pele quente e salgada, como quando ela se deitava em cima de mim para tirar um cochilo debaixo do guarda-sol. Suas mãos nas minhas costas, como duas pequenas marionetes.

Meu amor.

Quando volto à superfície e olho direto nos olhos do azul do céu, sei que sempre vou carregá-la comigo. A eternidade é isso.

Nado durante um bom tempo. Não quero mais sair, como sempre. Observo os pinheiros curvados pelo vento, a vida. Estou bem perto dela; e ela, bem perto de mim. Eu me aproximo pouco a pouco da areia da praia. Os grãos reaparecem sob meus pés. Dou as costas para a areia e observo o horizonte, os barcos ancorados, imóveis, as pedras brancas suspensas em meio à luz. Nada tem mais capacidade de cura do que esse lugar do mundo onde tudo é bonito, onde os elementos restauram os vivos.

Está calor, e o sal queima meu rosto, sobretudo meus lábios. Afundo na água e nado de olhos fechados. Adoro sentir tudo ali, escutar o mar, submersa.

Sinto uma presença, outra presença. Alguém esbarra em mim. Pega meu quadril e põe uma das mãos na minha barriga. Cola o corpo no meu, faz os mesmos gestos que eu, em uma dança, quase uma valsa. Sinto seu coração bater nas minhas costas e deixo que me acompanhe. Já entendi. Um transplante de amor, um novo coração, o de outra pessoa, para o meu. Sinto sua boca no meu pescoço, seu cabelo nas minhas costas, suas mãos andando sobre mim, com passos leves e delicados. Eu esperei tanto por isso, sem realmente acreditar, sem acreditar. Volto à superfície. Ele abre e fecha os olhos, seus cílios na minha bochecha, como borboletas. Ele me cheira. Eu me deito na água e ele me segura. Eu me deixo guiar; meu corpo está livre, minhas pernas emergem na superfície da água, eu me solto, ele me encontra, eu me encontro.

Nós somos.

Nós.

Gargalhadas.

Uma criança.

Três.

Outra mão pega meu braço, depois se agarra a mim. Como a de Léonine, pequena, nervosa, quente.

Espero que não esteja sonhando, espero que esteja vivendo. A criança pula nos meus braços e me dá beijos molhados na testa, no cabelo. Joga-se para trás e dá gritos de alegria.

— Nathan!

Grito seu nome como se fosse uma oração.

Ele faz gestos desajeitados, rápidos. Arregala os olhos, como uma criança que aprendeu a nadar há pouco tempo, uma criança cheia de vontade e medo. Solta risadas bruscas. Seu sorriso perdeu dois dentes. Ele põe os óculos de natação e enfia a cabeça na água. Parece mais à vontade e nada em círculos amplos. Está com um snorkel na boca.

Ele sai da água. Cospe ao soltar o tubo. E tira os óculos, que marcaram seus grandes olhos castanhos, seus grandes olhos brilhantes sob a luz do sul. Olha por cima do meu ombro e observa Julien sussurrar no meu ouvido:

— Vamos.

94

Nenhum dia se passa sem que pensemos em você.

Sábado, 7 de setembro de 2017, céu azul, 23°C, dez e meia. Enterro de Fernand Occo (1935-2017). Caixão de carvalho. Lápide de mármore preto. Túmulo no qual descansam Jeanne Tillet Occo (1937-2009), Simone Louis Occo (1917-1999), Pierre Occo (1913-2001) e Léon Occo (1933).

Uma coroa de rosas brancas, em cuja fita está escrito: "Nossos sinceros pêsames." Uma coroa de lírios brancos em forma de coração, em cuja fita está escrito: "Ao nosso pai, ao nosso avô." Sobre o caixão, rosas brancas e vermelhas com uma fita na qual se lê: "Antigos combatentes."

Três placas funerárias: "Ao nosso pai, ao nosso avô. Em memória desta vida em que o amei e fui amada por você." "Ao nosso amigo. Nós não nos esqueceremos de você. Está sempre nas nossas lembranças. Seus amigos pescadores." "Você não está longe, só do outro lado do caminho."

Cerca de cinquenta pessoas compareceram, inclusive as três filhas de Fernand, Catherine, Isabelle e Nathalie, assim como seus sete netos.

Elvis, Gaston, Pierre Lucchini e eu estamos ao lado da cova. Nono não está aqui. Ele está se preparando para seu casamento com a condessa de Darrieux, às três da tarde, na prefeitura de Brancion.

O padre Cédric recita uma oração. Mas não é apenas por Fernand Occo que nosso padre fala com Deus. Agora, sempre que fala, ele leva Kamal e Anita com ele nas orações.

— Leitura da primeira carta de São João: "Nós sabemos que passamos da morte para a vida, porque amamos nossos irmãos. Quem não ama permanece na morte. Compreendemos o que é o amor porque Jesus deu a vida por nós; portanto, também devemos dar a vida por nossos irmãos. Se alguém possui recursos materiais e, vendo o irmão em necessidade, não se compadece dele, como pode o amor de Deus permanecer nele? Filhinhos, não amemos com palavras nem com a boca, mas com ações e em verdade."

A família pediu a Pierre Lucchini para tocar a música preferida de Fernand Occo durante o enterro. A de Serge Reggiani, chamada "Ma liberté", minha liberdade.

Não consigo me concentrar na letra, apesar de ser muito bonita. Penso em Léonine e no pai dela; penso em Nono colocando o terno de noivo e na condessa de Darrieux dando o nó na gravata dele; penso em Sasha, que está viajando pelas águas do Ganges; penso em Irène e Gabriel, chamando um ao outro pelo nome na eternidade; penso em Éliane, que foi correr no jardim de sua dona, Marianne Ferry (1953-2007); penso em Julien e Nathan, que vão chegar em menos de uma hora; penso nos braços, no cheiro, no calor deles; penso em Gaston, que sempre vai cair, mas que sempre vamos reerguer; penso em Elvis, que nunca vai saber ouvir outras músicas que não as de Elvis Presley.

Faz alguns meses que estou igual ao Elvis: ouço sempre a mesma música. Ela se sobrepõe a todo o resto, todos os sussurros dos meus pensamentos. É uma música de Vincent Delerm, que escuto sem parar, chamada "La vie devant soi": a vida toda pela frente.

Agradecimentos

Obrigada a Tess, Valentin e Claude, minha essência, minha inspiração eterna.

Obrigada a Yannick, meu irmão adorado.

Obrigada à minha preciosa Maëlle Guillaud.

Obrigada à toda a equipe da Albin Michel.

Obrigada a Amélie, Arlette, Audrey, Elsa, Emma, Catherine, Charlotte, Gilles, Katia, Manon, Mélusine, Michel, Michèle, Sarah, Salomé, Sylvie e William pelo apoio fundamental. Que sorte ter vocês por perto.

Obrigada a Norbert Jolivet, que existe na vida real, de quem não mudei o nome nem o sobrenome porque não dá para mudar nada neste homem, que foi coveiro da cidade de Gueugnon durante treze anos. Graças a este romance, esse inventor da alegria e da gentileza se tornou meu amigo. Espero tomar cafés e vinhos brancos com licor de cassis com você por toda a eternidade.

Obrigada a Raphaël Fatout, que me abriu a porta da singular e extraordinariamente humana Le Tourneurs du Val, sua funerária em Trouville-sur-Mer. Ao falar de seu amor pela profissão, pela morte e pelo presente, Raphaël confiou em mim de verdade.

Obrigada a meu pai por sua horta e seus ensinamentos apaixonados.

Obrigada a Stéphane Baudin pelos conselhos sensatos.

Obrigada a Cédric e a Carol pelas fotografias e pela amizade.

Obrigada a Julien Seul, que me autorizou a usar seu nome e sobrenome.

Obrigada aos Srs. Denis Fayolle, Robert Badinter e Éric Dupont-Moretti.

Obrigada a todos os meus amigos de Marselha e Cassis. Meu chalé são vocês.

Obrigada a Eugénie e Simon Lelouch, que me sussurram esta história.

Obrigada a Johnny Hallyday, Elvis Presley, Charles Trenet, Jacques Brel, Georges Brassens, Jacques Prévert, Barbara, Raphaël Haroche, Vincent Delerm, Claude Nougaro, Jean-Jacques Goldman, Benjamin Biolay, Serge Reggiani, Pierre Barouh, Françoise Hardy, Alain Bashung, Chet Baker, Damien Saez, Daniel Guichard, Gilbert Bécaud, Francis Cabrel, Michel Jonasz, Serge Lama, Hélène Bohy e Agnès Chaumié.

E, finalmente, OBRIGADA a todos que tornaram *Les Oubliés du dimanche* um sucesso. Foi graças a vocês que escrevi este segundo romance.

1ª edição JANEIRO DE 2022
reimpressão FEVEREIRO DE 2025
impressão LIS GRÁFICA
papel de miolo HYLTE 60 G/M²
papel de capa CARTÃO SUPREMO ALTA ALVURA 250 G/M²
tipografia ADOBE JENSON